ISBN 978-0-428-13501-0
PIBN 11217634

Schriften

des Vereins für

Sachsen-Meiningische Geschichte u. Landeskunde.

33. Heft.

(1. April 1899.)

~~~~~~~~

Inhalt:
Die Glocken des Herzogtums Sachsen-Meiningen.

Von

Dr. Heinrich Berguer, Pfarrer in Pfarrkeßlar (S. Altenburg).

Mit 48 Abbildungen.

Hildburghausen 1899.
Kesselring'sche Hofbuchhandlung.
(Max Achilles.)

Herrn Schulrat

Dr. Rückert

Seminardirektor und Ritter des S. E. H. O. II

in Hildburghausen

zugeeignet.

Hochgeehrter Herr Schulrat!

Indem ich Ihren Namen den nachfolgenden Blättern vorsetze, wünsche ich den Anteil zu bezeichnen, den Sie an der Entstehung derselben haben. Sie hatten die große Güte, in den Jahren 1897 und 1898 durch Ihre Schüler Material zur Beschreibung der Glocken in S. Meiningen sammeln zu lassen und mir dasselbe zur Verfügung zu stellen. Obwohl ich mir keinen Augenblick verhehlte, daß den jugendlichen und ungeübten Mitarbeitern einzelne leicht erkennbare Versehen mit untergelaufen waren, so schien mir der Gegenstand doch genügend sicher fundamentiert, um ihn systematisch überarbeitet der Öffentlichkeit zu übergeben. Denn wer nur eine entfernte Vorstellung der Schwierigkeiten hat, welche die Sammlung eines örtlich so zerstreuten Materials und die Arbeit „hoch in des Turmes Glockenstube" bereiten, der wird die Vorstellung aufgeben, daß ein Forscher ohne weitgehende fremde Unterstützung über die Glocken eines ganzen Landes schreiben kann. Selbst die Angaben der deutschen Inventarienwerke und darunter auch des Thüringischen, obwohl sie auf eigener Anschauung beruhen, erweisen sich für die systematische Darstellung schließlich so lückenhaft und unzuverlässig, daß ich nicht fürchte, wegen der Leistungen unserer jungen Freunde jemals erröten zu müssen. So weit mir eine Nachprüfung derselben möglich war, habe ich sie nicht unterlassen, und es ist mir ein Bedürfnis, öffentlich auszusprechen, daß ich nur ganz geringe Fehler entdecken konnte, welche bei der großen Fülle des Stoffs und den schließlichen Ergebnissen in keiner Weise ins Gewicht fallen. Da Sie sich, hochgeehrter Herr, bis zuletzt um die Ausfüllung auch der kleinsten Lücken eifrig bemüht haben, so gebe ich Ihnen gewissermaßen nur Ihre Arbeit levata forma zurück und hoffe, daß sie Ihnen und Ihrer Schule nicht zur Unehre gereicht.

Um die etwaigen Aufzeichnungen über ältere Glocken, Recht und Gebrauch und einige Nebenfragen zu erschließen, veranlaßte der hohe Herzogl. Oberkirchenrat auf meine Bitte eine Umfrage unter den Herren Pfarrern und überließ mir die eingegangenen Berichte gleichfalls in dankenswertester Weise zur Benutzung. Wenn das Ergebnis meinen Erwartungen auch nicht ganz entsprach, so ist doch die Darstellung für einzelne Orte wesentlich bereichert worden. Da hierbei die noch vorhandenen Glocken mit ihren Inschriften meist nochmals beschrieben worden waren, so ergab sich die erwünschte Möglichkeit, das schon gewonnene Material zu kontrollieren. Ich erfülle deshalb gern die angenehme Pflicht, dem hohen Oberkirchenrat für die wohlwollende Förderung des Unternehmens, wie auch den Herren Amtsbrüdern für die freundliche, teilweise recht umfangreiche Berichterstattung den herzlichsten und aufrichtigsten Dank abzustatten.

Es schwebte mir ursprünglich die Absicht vor, eine Einzelbeschreibung aller Meiningischen Glocken, auch des 19. Jahrh. zu geben, wie sie Anhalt neuerdings durch Hofprediger Schubarts fleißige und hingebende Arbeit erhalten hat. Bei der Ausführung habe ich davon Abstand nehmen müssen und mich auf die älteren Glocken bis zum Schluß des 18. Jahrh. beschränkt, sodaß die Schrift ein gewisses archäologisches Gepräge nicht verleugnet. Einmal würde dieselbe gut um das Doppelte angewachsen sein, und dies konnte leicht das Erscheinen derselben ganz in Frage stellen. Dann aber konnte ich die Überzeugung nicht gewinnen, daß die Kulturgeschichte, oder auch nur die Glockenkunde im besondern aus der wörtlichen und ungekürzten Wiedergabe aller Inschriften einen nennenswerten Gewinn ziehen wird. Schon die unglaublich öden, endlosen Reimereien unsrer dichtenden Väter und Zeitgenossen erwecken bald einen vollen Überdruß. Es kommt aber hinzu, daß die Produktion von Glocken im Lauf des nun scheidenden Jahrh. in wenige Hände übergeht, die frühere Mannigfaltigkeit verschwindet und durch Beschreibung einiger Typen eine hinreichende Anschauung der neuen Glocken gewonnen werden kann. Die tabellarische Übersicht in Verbindung mit dem Gießerverzeichnis wird in dieser Beziehung jeden gerechten Wunsch erfüllen, und in den zusammenfassenden Kapiteln, namentlich bei den Inschriften, habe ich mich bemüht, die Lücke auszufüllen und die auffälligsten Erscheinungen nach der guten und übeln Seite hin darzustellen.

Es ist wohl der erste durchgehende Versuch, auch die Tonverhältnisse mit in die Betrachtung zu ziehen und ich muß für denselben die weitgehendste Nachsicht erbitten. Man wird wissen, daß es keineswegs leicht ist, den Grundton einer Glocke zu finden, zumal wo der Gießer kein reines Gewissen hat. Nicht selten wurde in den Berichten ausdrücklich bemerkt, daß der Ton in einer unbestimmbaren Mittellage schwebe. Auch kommt in Betracht, daß der Aggregatzustand einer Glocke durch Wärme und Kälte und die Tonbildung durch die Trockenheit oder Feuchtigkeit der Luft beeinflußt wird. Ich kann ein Beispiel auffallenden Zwiespaltes unter den Berichterstattern nicht unterdrücken. Die Tonverhältnisse der Glocken in Wahns bestimmt

der Glockengießer mit b d f,
der Seminarist   „ h d f,
der Pfarrer   „ a cis e.

Beim völligen Mangel eigner musikalischen Bildung war ich schon entschlossen, die Rubrik der Töne ganz fortzulassen, als sich Herr Seminarlehrer Johne entschloß, die Verantwortung für einige erläuternde Bemerkungen zu übernehmen. Ich danke ihm dafür recht herzlich und hoffe, daß sich die Rubrik doch im großen und ganzen bewährt.

Die beigegebenen Abbildungen sollen nur als Musterbeispiele den Text unterstützen, um die Art der Schrift und Verzierung, wie sie einzelnen Zeiten und Gießern eigen ist, klarer vor Augen zu stellen. Nur bei den romanischen Inschriften glaubte ich eine Ausnahme machen zu dürfen. Die Glocken dieser älteren Zeit sind in Meiningen so selten, daß die fast vollständige Abbildung ihrer Inschriften sich wird rechtfertigen lassen. Zugleich darf ich hoffen, daß mancher meiner Leser einige Handreichung für das Lesen älterer Inschriften daraus empfängt. Die Zinkätzungen sind nach meinen Zeichnungen, welche die Inschriften in demselben Maßstab von 1 : 4 wiedergeben, im Umdruckverfahren durch die Kunstanstalt Meisenbach Riffarth & Co. in Leipzig hergestellt und sind meinen Absichten entsprechend gelungen, und der reiche Apparat der Druckerei ermöglichte es, die Inschriften u. s. w. schon durch den Satz kenntlich zu machen.

Schließlich, mein geehrter Herr Schulrat, ist mir doch die Frage, ob die Erwartungen, welche Sie, die übrigen Mithelfer und der weitere Freundeskreis an die Sache knüpften, durch die vorliegende Arbeit erfüllt werden. Ich gebe gerne zu, daß ein Andrer wohl die lokalgeschichtliche Saite ein wenig voller hätte anschlagen können, daß das Bild durch näheres Eingehen auf die Orte und Personen etwas mehr Meiningisch gefärbt, oder, wie für einen Pfarrer nahe lag, in erbaulichem Sinne hätte ausgemalt werden können. Indes mußte ich mehr suchen, den Zusammenhang mit der Altertumskunde im Allgemeinen herzustellen und neben der Landeskunde auch der Archäologie zu dienen. Ich hielt es deshalb auch für überflüssig, die Resultate einer früheren Arbeit (zur Glockenkunde Thüringens, Jena 1896) zu wiederholen, und der Kenner wird leicht finden, daß auch die „Meininger Glocken" nur im steten Hinblick auf des seligen Pfarrer D. Ottes Glockenkunde (Leipzig 1884) geschrieben sind. Wie ich mich stets gern als Ottes Schüler bekennen werde, so halte ich dessen Methode und Begrenzung des Stoffes für richtig und nachahmenswert, ohne die Anregung zu verheimlichen, die ich Schubarts Glocken Anhalts namentlich in Hinsicht der tabellarischen Ordnung und Glockenschau verdanke.

Die gemeinsame Arbeit und der Gewinn Ihrer Freundschaft wird mir doch eine angenehme Erinnerung für mein ganzes Leben sein, und wie sich in der Entstehungsgeschichte des Büchleins Kräfte der Kirche und Schule freundlich die Hand reichten, so wird auch der Inhalt recht zum Bewußtsein bringen, wie stark und unlösbar das Band ist, welches Kirche und Schule, Haus und Gemeinde, Vergangenheit und Gegenwart umschlingt. In diesem Sinne nehme ich die Gelegenheit wahr, Sie mit ausgezeichneter Hochachtung zu begrüßen

als Ihr ganz ergebener

Pfarrkeßlar, ben 1. April 1899.

Bergner,

Fig. 1. Fries an der großen Glocke zu Schwarzbach.

1. Tabellarische Übersicht nach Ephorieen.

Ephorieen	Orte	Zahl	ohne Inschr.	ohne Datum	Jahrhundert						Inschriften in	
					14.	15.	16.	17.	18.	19.	Maj.	Min.
1 Salzungen	14	38	4	—	—	1	—	3	9	21	—	1
2 Wasungen	19	57	3	3	—	2	—	8	2	39	3	2
3 Meiningen	34	100	1	4	—	3	5	11	10	66	2	8
4 Themar	13	35	2	3	—	2	3	—	7	18	2	4
5 Römhild	15	39	3	2	—	4	1	4	12	15	1	4
6 Hildburghausen.	18	56	1	3	—	2	4	1	9	36	—	8
7 Heldburg	15	46	3	4	1	4	2	4	5	23	2	9
8 Eisfeld	14	38	—	1	—	—	3	2	6	26	—	1
9 Sonneberg	13	35	2	2	—	—	—	1	9	21	—	—
10 Schalkau	5	14	2	1	—	1	—	1	3	6	1	1
11 Saalfeld	33	90	2	3	1	5	12	8	12	47	3	15
12 Gräfenthal	16	49	2	1	—	2	4	—	8	32	—	5
13 Kranichfeld	9	22	1	—	—	—	2	2	7	10	—	1
14 Camburg	28	65	1	1	—	—	1	4	17	41	1	1
Summe	246	684	27	28	2	26	37	49	116	401	15	60

2. Glockenschau.

Ort	Zahl	Durch= messer	Ton	Jahr	Gießer	Inschrift	Verzierung.
Achelstädt	1	88	ais	1836	Joh. H. Ulrich	Gott segne	Rankenfries
	2	68	cis	1837	R. Mayer	Erbaue u. eine	„
	3	53	f	1756	G. H. Hahn.	Gott allein die Ehre	„
Abelhausen	1	80	d	1764	J. A. Meyer	Gußangabe	Sächs. Wappen
	2	60	f	15.J.	— —	Ave Maria	— — —
Altenbreitungen	1	50	e		— —	— —	— — —
Arnsgereuth	1	70	f	1801	Chr. Meyer	Soli Deo gloria	Rankenfries
	2	60	a	1848	R. Braun	Gußangabe	„
Aue	1	82	a	1767	J. G. Ulrich	Gußreim	„
	2	66	cis	1767	J. G. Ulrich	„	„
Aue a. B.	1	65	f	1786	Joh. Meyer	Soli Deo	„
	2	43	as	1677	Joh. Rosa	Gußangabe	„
Bachfeld	1	98	gis	1717	J. M. Derck	Reim	Fruchtstücke u. Blumen
	2	78	c	1824	Chr. A. Mayer	Gußangabe. Namen	„
	3	45					
Barchfeld	1	68	d	1792	J. Mayer	Zeitangabe	Fries
	2	57	e	1595	M. Moering	Gußangabe	„
Bauerbach	1			1875	Ulrich		
	2			1875	Ulrich		nicht zugänglich
	3			1875	Ulrich		
Bebheim	1	104	g	1863	R. Mayer	Vivos voco, Joh. 18. 37.	Sächs. Wappen
	2	87	b	1515	— —	Ave Maria	Bogenfries, Jakobus b. A⋯
	3	65	es	1838	Albrecht & Sohn	Gußangabe	zopfiger Fries
Behrungen	1	120	es	1834	J. F. Albrecht	Gußangabe. Namen	sächs. Wappen
	2	98	b	1705	Hans Ulrich	Namen Gußangabe	„
	3	60	es	1646	J.Roignen(König)	Gußangabe	„Crucifixus"
Beinerstadt	1	90	f	1798	J. G. Hesse	Namen	sächs. Wappen
	2	70	a	1798	J. G. Hesse	Reim	
Belrieth	1	96	a	1875	C. F. Ulrich	Namen	Ornamentfriese
	2	78	cis	1875	C. F. Ulrich	Mc. 10. 14 } Luc. 2. 14	„
	3	65	e	1884	C. F. Ulrich	Ps. 150. 6 }	„
Berkach	1	142	e	1870	Bochum		— — —
	2	115	gis	1870	Bochum	} Luc. 2. 14	— — —
	3	92	h	1870	Bochum		„
St. Bernhard	1	85	a	1887	C. F. Ulrich	Ich ruf — Reim	
	2	65	dis	1877	Gebr. Ulrich	Luc. 2. 14	
Bernshausen	1	62	d	1631		Da pacem	2mal Kreuzigung
	2	48	f	1699	J. G. Ulrich	Gußangabe	— — —
Bettenhausen	1	95	g	1854	R. Mayer	Matth. 11. 28, Schiller	
	2	77	h	1882	C. F. Ulrich	Reim, Gußangabe	Kelch, Kreuz, Anker, Bibe⋯
	3	67	d	1881	C. F. Ulrich	Mc. 10. 14	„
Biberschlag	1	85	a	1893	C. F. Ulrich	Luc. 2. 14. Namen	Blumenfriese
	2	70	cis	1874	C. F. Ulrich	Gott segne	„
	3	60	e	1740	M. Joh. Majer	Sach. 1. 3	
Bibra	1	130	f	1513		Gußangabe	Wappen von Bibra
	2	94	a	1875	Gebr. Ulrich	} Luc. 2. 14	Blumenfriese
	3	78	c	1875	Gebr. Ulrich		„

Ort	Zahl	Durch-messer	Ton	Jahr	Gießer	Inschrift	Berzierung.
Birtigt	1	82	a	1871	Bochum	Friede	
	2	70	c	"	"	Eintracht	
Boblas	1	73	h	—	— —	A O	— —
	2	62	e	1612	Hans Müller	Namen	Barockfries
Brünn	1	60	cis	1893	C. F. Ulrich	Namen Luc. 2. 14	Fries
	2	50	fis	1567	— —	Ave Maria, Gußang.	Maria, Wappen
	3	40	ais	1824	Chr. A. Mayer	Gußangabe	"
Bürden	1	97	fis	1835	R. Mayer	} Schiller	sächs. Wappen und
	2	87	a	1889	Gebr. Ulrich		Rankenfries
	3	62	g	1835	R. Mayer		"
Camburg	1	120	d	1848	C. F. Ulrich	Glaube Liebe Hoffnung Pf. 127. 1	Rundschafter
	2	93	a	"	"	Schiller Hiob 19. 25	Fries
	3	80	c	"	"	Mc. 10. 14	"
Caßkirchen	1	95	es	1819	Gebr. Ulrich	Jes. 6. 3	"
	2	76	g	"	"	Luc. 2. 14. Reim	
	3	63	b	"	"	Pf. 150. 6	
Catharinau	1	81	h	1877	Gebr. Ulrich	Gott allein. Namen	
	2	65	dis	"	"	Hebr. 13. 8	
	3	55	fis	1897	"	Schiller	
Colberg	1	50	h	1736	Joh. Majer	Namen	Barockfries
	2	40	dis	"	"		"
Crock	1	123	e	1870	C. F. Ulrich	Luc. 2. 14. Gott erhalte Namen	
	2	100	gis	1629	Georg Werter	Gußreim	Sündenfall
	3	73	h	1876	Gebr. Ulrich	Gott allein. Namen	
Dingsleben	1	90	a	1766	Mich. Mayer	Gußangabe. Namen	
	2	70	cis	"	"	"	"
	3	59	e	1765	"	"	"
Dreißigacker	1	90	e	1869	Gebr. Ulrich	Luc. 2. 14. Gott segne	Fries
	2	70	a	1724	J. M. Derck	Gußang. Chronogramm	Fries, sächs. Wappen
Ebenhards	1	90	h	1508	P. Goreis	Gußang. Ave Maria hilf Maria	Maria, Paulus
	2	70	d	—	— —		— —
	3	55	gis	—			
Eckardts	1	61	d	—	— —		— —
	2	51	fis	1477	— —	sant lorencius. Gußang.	
	3	42	a	1485	"	Ave Maria	
Eckolstädt	1	115	as	1806	Gebr. Ulrich	Gott segne, Gußang. Namen	Fries
	2	93	c	"	"	Luc. 2. 14. Reim	"
	3	75	es	"	"	Reim	
Effelder	1	140	c	1625	G. Werter	Gußangabe	Wappen
	2	64	e	1470	— —	gloria in. (Luc. 2. 14)	
	3		a	1855	?		unzugänglich
Eicha	1	107	dis	1485	Joh Rosanus	Gußangabe	
	2	87	fis	1715	Joh. Mayer	Gußang. Namen. Reim	
Einhausen	1	100	g	1884	} C. F. Ulrich	Gottes Segen	
	2	80	a	"		Luc. 2. 14	
	3	75	f	1454		Evangelisten	
Eisfeld	1	155	c	1634	Gebr. Moering	Gußangabe	
	2	128	e	1581	Chr. Glockengießer	Gußreim. Gottes Wort	Kreuzigung, Wappen
	3	100	b	1537	— —	laus tibi domine	— —
	4	39	f	1574	"	sante Egidi o. p. n.	
Eishausen	1	102	f	1833	Albrecht & Sohn	Gußreim, vivos voco	zopfiger Fries
	2	75	a	1853	C. F. Ulrich		
	3	55	c	1804	J. G. Hesse		sächs. Wappen
	4	40	f	1832	Albrecht & Sohn	Namen	— —
Ellingshausen	1	73	h	1874	C. F. Ulrich	Mc. 10. 14. Gott segne	
	2	57	dis	"	"	Pf. 150. 6	
Exdorf	1	102	f	—	Chr. Glockengießer	Gußreim	
	2	90	a	1871	C. F. Ulrich	Luc. 2. 14	
	3	73	c	"	"	Mc. 10. 1	

Ort	Zahl	Durchmesser	Ton	Jahr	Gießer	Inschrift	Verzierung.
Frauenbreitungen	1	110	fis	1610	M. Möhringk	Gußangabe. Namen	
	2	87	a	1616	"	"	
	3	55	d	1616			
Friebebach	1	65	d	1865	Gebr. Ulrich	Gott segne	
	2	50	fis	1837	Fr. Meyer	Ich ruf	
	3	42	a	1890	C. F. Ulrich	— —	
Friebelshausen	1	89	b	1869	Gebr. Ulrich	Glaube	
	2	70	d	"	"	Liebe	
	3	57	f	"	"	Hoffnung	
Geba	1	60	es	1872		} Luc. Gott segne. Nam.	
	2	45	g			} 2. 14.	
Gesell	1	72	d	1740	Joh. Mayer	Gußangabe	
	2	57	fis	1845	C. F. Ulrich	"	
	3	50	a				
Gellershausen	1	102	f	1463	[Rantebon?]	Maria heis mich	Stephanus
	2	85	c	1499	— —	Ave Maria	— —
	3	65					Kreuzigung
Gießübel	1	70	c	1849	Fr. Klaus	Gloria in excelsis	Jungfrau mit Kreuz
	2	65	cis	1734	J. M. Derck	Chronogramm	
Gleichamberg	1	100		1470		feuch hagel und wint	
	2	77		1741	Joh. Mayer	Gußangabe. Reim	
Gleicherwiesen	3	55				VENI SANCTE SPIRI-	
	1	90	d	1480	— —	Jahr. [TUS	
Gompertshausen	2	65	a	1722	J. M. Derck	Chronogramm. Reim	
	1	107	fis	1892	C. F. Ulrich	Luc. 2. 14	sächs. Wappen
	2	84	a	1844	Rob. Mayer	Schiller	
	3	64	d			Reim	
Gornborf	1	125		1508	[H. Ziegler]	consolor viva	2 Relief
	2	75		1798	Joh. Mayer	Soli Deo. Namen	
	3	50		1862	C. F. Ulrich	Gott segne, Gußangabe	
Graba	1	129	a	1484	[J. Rantebon]	falus fum dicta	Maria,Gertrud u.Gethsemane
	2	101	cis	1678	J. Rosa	Gußangabe	
	3	84	e	1747	J. Fehr	unleserlich	
	4	41	a	1735	M. Kucher		
Gräfenthal	1	130	es	1831	C. F. Ulrich	Gott segne	Krone
	2	100	g	1861	"	Zur Freude. Reim	
	3	82	b	1831	"	Luc. 2. 14.	"
	4	69	des	1592	E. Kucher	"	
Graitschen	1	68	c	1808	Gebr. Ulrich	Gott segne. Gußang.	
	2	53	e	"	"	" Reim.	
Großgeschwenda	1	85	b	1872	Gebr. Ulrich	Luc. 2. 14. a Namen	
	2	67	des	"	"	Zeitangabe	
	3	55	f			Luc. 2. 14. b.	
Großlochberg	1	95	h	1479	J. Rantebon	non me subsanna	14 Nothelfer, Maria
	2	60	h	1821	Gebr. Ulrich	Gott segne. Reim	
	3	52	d	1835	F. Mayer	Schiller	
Großneunborf	1	93	as	1782	M. J. Mayer	Soli Deo. Jahr	
	2	86	b	1454	"	O rex glorie	
	3	66	a	1732	M. J. Feer	Namen	
Grub	1	59	g	1809	J. F. Albrecht	Gußangabe. Namen	
	2	45	g	1739	J. M. Derck	Gußangabe	
Gügleben	1	100	g	1773	C. G. Hahn	Reim. Namen	Engel
	2	75	cis	1851	J. Weitig	"	Crucifixus
Gumpelstadt	1	110	fis	1736	J. M. Derck	Gußang. Reim	Rundschafter
	2	100	a	1850	C. F. Ulrich	" " Namen	
Häselrieth	1	98	g	1888	C. F. Ulrich	" " Namen	
	2	80	b	1876	Gebr. Ulrich	Gott allein. Segen über	
	3	68	cis	1889		Rufe und eine!	
Haina	1	100	a	1777	J. A. Mayer	Gußangabe	sächs. Wappen
	2	90	a	1758	"	"	
	3	70	d	"	"		

Ort	Zahl	Durch- messer	Ton	Jahr	Gießer	Inschrift	Verzierung
Harras kg 600	1	101	as	1877	Gebr. Ulrich	Glaube	
„ 293	2	80	h	1894	C. F. Ulrich	Liebe } Luc. 2. 14	
„ 150	3	66	es	1877	Gebr. Ulrich	Hoffnung	
Heiligenkreuz	1	60	e	—	— —	hilf gott maria berot	
	2	54	cis	—	— —	+ X A S	
Heinersdorf	1	105	g	1604	Gebr. Moering	Namen	Crucifixus
	2	72	e	—		AVE MARIA	
	3	60	f	—		EVANGELISTEN	
Helba 163	1	65	d	1896	C. F. Ulrich	} Luc. 2. 14	
	2	55	b	1884			
Heldburg	1	130	es	1864	C. F. Ulrich	Gußangabe	
	2	110	f	1483	— —	ezurgat deus, stans	Michael, Herzogl.
	3	95	c	1626	G. Werter	Gußreim [Michael	„ „
	4	70	as	1319	— —	EVANGELISTEN·Jahr	„ „
	5	65	zersprungen	— —		AVE MARIA	
Hellingen	1	101	as	1786	J. A. Mayer	Namen	Herzogl. Wap.
	2	81	c	1774		Reim	
	3	70	es	1831	J. Albrecht	Glücklich ist. Stiftung	„ „
166	4	60	f	1892	Ulrich	Mc. 10. 14	
Helmers	1	47	h	1839	J. Bittorf	Namen, Reim	
	2	30	c	1745		Joannes weist	
Henfstädt	1	75	c	1732	J. M. Derck	Chronogramm	
	2	50	e	1878	Gebr. Ulrich	Reim	
Henneberg	1	100	f	1605	M. Moernick	Luc. 2. 14. V. D. M. I. Æ	
	2	75	a	1884	C. A. Bierling	Geschenk der Herzogin	Herzogl. Wap.
						Mutter	
	3	62	c	„		Mc. 10. 14	
Hermannsfeld	1	100	f	1850	C. F. Ulrich	Gott segne. Gußang.	
	2	90	g	„	. „	Zur Freude. Ps. 145. 21	
	3	70	c	„		Mc. 10. 14	
Herpf	1	102	g	1710	J. M. Derck	Gußreim. Chronogramm	
	2	80	h	1572	Gebr. Ulrich	Luc. 2. 14. Gott segne	
	3	73	d	1828	J. Bittorf	Gußreim	Crucifixus
Herschborf	1	76	d	1674	Joh. Berger	Gußangabe	Gießerwappe
	2	60	fis	1511	[M. Rosenberger]	o jhesu rex gloriae	
Heßberg	1	85	a	1774	H. Mayer	Namen der Patrone	
	2	67	cis	„		„	
	3	58	e	1896	Gebr. Ulrich	„ Mc. 10. 14 „	
Heubach	1	70	d	1702	J. Ulrich	Namen	
	2	57	a	1862	R. Mayer	Gloria in. Gußang.	
	3	49	c	1864			
Heubisch	1	53	g	1793	J G. Hesse	Stiftung f. Mengersgereuth	Wappen (Utten.
Hildburghausen							
Stadtkirche 2250	1	150	c	1871	Gebr. Ulrich	Gloria in. Friedensreime	
900	2	120	es-e	1837	F. Albrecht	sacra, sepulturas, Guß.	Stadtwappen
	3	102	g	1781	J. A. Meier	Gußang. Brand	„ u.
	4	70	c	„		„	
—Neust.Kirche 694	1	105	f-fis	1836	R. Mayer	Querite dum „	
381	2	90	a	1707	M. Schenk	D. T. O. M. S. Gußang.	
225	3	74	c	1836	R. Mayer	Reim	
— kath. Kirche 350	1	65	as	1722	J. H. Graulich	Gußang. Distichen.	
Hinbfeld	1	70	b	1870	Gebr. Ulrich	Gott allein, Namen	
	2	40	es			Gott segne	
Hirschendorf 126	1	60	des	1889	C. F. Ulrich	Joh. 11. 28. (Der Meister	
						ist da.)	
	2	45	c	1805	G. K.	Wenn ich rufe. Namen	
	3	35	f	„	G. K.	Namen	
Hoheneiche 600	1		g	1866	Gebr. Ulrich	Gott segne	Wappen
300	2		h	„	„	} Luc. 2. 14	
175	3		d	„	„	Mc. 10. 14	

Ort	Zahl	Durchmesser	Ton	Jahr	Gießer	Inschrift	Verzierung
Holzhausen	1	80	c	1836	R. Mayer	Mein Glockenruf. Namen	
	2	60	g	1728	Joh. Mayer	Stiftung	
Hümpfershausen	1	95	as	1873	C. F. Ulrich	} Luc. 2. 14	
	2	75	c	"	"		
	3	60	es	"	"	Mc. 10. 14	
Hütten	1	70	f	1883	"	Luc. 2. 14	
	2	55	a	"	"	Gott segne	
Janisroda	1		gis	1868	C. F. Ulrich	Luc. 14. 17. Namen	
	2		c	"	"	Luc. 2. 14	
Immelborn 235	1	73	c	1889	C. F. Ulrich	Reim	
	2	55	h	1485	— —	Jahr	2 Heiligenbilder
Judenbach	1	92	a	1882	J. G. Große	Pf. 95. 7.	
	2	68	cis	1865	C. F. Ulrich	Gott segne	
	3	55	e	—			
Jüchsen	1	118	f	1782	J. A. Mayer	Preb. Sal. 4. 17	
	2	85	a	1743	J. M. Derck	Gußangabe	
	3	77	c	1891	Gebr. Ulrich	Mc. 10. 14	
Jübewein	1		d	1852	Eu. R. Mayer	Schiller	Wappen
	2		f	1803	Chr. A. Mayer	Wenn ich rufe	
	3		a	1852	C. u. R. Mayer	Schiller	
Käßlitz	1	110	e	1897	A. Klaus	Joh. 14. 6. Namen	Christus segnend
	2	88	gis	"	"	Mt. 11. 28. 1. Cor. 11. 24	4 Symbole
	3	78	c	"	"	Eph. 4. 3. Joh. 6. 35	2 Symbole
Kaltenlengsfeld 838 kg	1	90	a	1881	C. F. Ulrich	} Namen und Reime	
	2	72	cis	"	"		
	3	65	e	"	"		
	4	58	a	"	"	Stiftung. 1. Cor. 3. 11	
Kleingestewitz	1	73	e	1881	Gebr. Ulrich	Luc. 2. 14	
	2	59	h	1889	"	Allein Gott. Gott segne	
	3	52	c	1837	C. F. Ulrich	Luc. 2. 14. Stifter	
Röckenitsch	1			1883	Gebr. Ulrich	Gott segne	4mal Lutherkopf
	2			1615	H. Müller	Gußangabe	
Röbitz	1	54	a	1710	Joh. Rose	Namen	
	2	52	cis	1805	C. H. A. Mayer	— —	
Kranichfeld	1	114	fis	1520	[H. Ziegler]	confolor viva	4 Reliefs
	2	85	h	1622	Ch. Moering	V. D. M. I. Æ	
	3	39	d	1859	C. F. Ulrich	Umguß	
Langenfeld	1	74	cis	1780	Kutschbach	Soli Deo gloria	
	2	60	e	1822	Gebr. See	Gußreim	
Langenschabe	1	113	a	1480	[J. Kantebon]	Osanna vocor	
	2	90	a/Ottav höher	1536	[M. Rosenberger]	o rex gloriae	
	3	55	d/Ottav höher	1827	Chr. A. Mayer	Namen	Herzogl. Wappen
Lauscha	1	72	c	1884	Gebr. Ulrich	Luc. 2. 14	
	2	65	e	1733	Joh. Mayer	Ich ruf ins Gotteshaus	
	3	52	g	1885	Gebr. Ulrich	Gott segne	
Lausnitz	1	57	b/Ott.	1867	C. F. Ulrich	"	
	2	45	b/Ott.	1867	"		
Lehesten	1	97	d	1831	C. F. Ulrich	Gott segne, Brand	
	2	70	fis	"	"	Gloria in, Reim	
	3	60	a	1872	"	Ach Gott laß	
Leimrieth	1	66	f	1886	"	} Luc. 2. 14. Reime	
	2	50	f	"	"		
Leislau	1	9..	as	1851	"	Soli Deo . . Tonreim	
	2	75	c	"	"	Deo dicatus . .	
	3	62	des	"	"	Deo gratias . .	
Lengfeld	1	122	es	1703	Joh. Ulrich	Reim	eherne Schlange u. Crucifix
	2	83	b	1880	Gebr. Ulrich	Tonreim	
	3	73	des	"	"	Namen	
Leutersdorf	1	85	f	1492	— —	o rex gloriae	
	2	65	c	—	— —	ave maria	

Ort	Zahl	Durchmesser	Ton	Jahr	Gießer	Inschrift	Verzierung.
Lichtenhain bei Gräfenthal	1	61	gis	1761	Joh. Mayer	Jahr	Herzogl. Wapp
	2	50	e	—	—	— —	
Lichtenhain bei Jena	1	100	fis	1696	J. Rose	Namen	
	2	77	g	1721	J. Chr. Rose	"	
	3	62	d	1801	Gebr. Ulrich		
Lichtentanne	1	102	a	1502	M. Rosenbege	Osanna heis ich	
	2	77	h	1740	C. S. Craulich	Reim	Wappen
	3	45	h	1568	[C. Rucher]	Spes mea in Christo	
Liebenstein kg 850	1	103	as	1892	C. F. Ulrich	Mat. 11. 28	
	2	85	c	"	"	Offenb. 3. 20	
	3	65	es	"	"	Mc. 10. 14	
Linden 151	1	85	b	1896	Gebr. Ulrich	Pf. 29. 2	
	2	65	dis	1893	C. F. Ulrich	— —	
	3	50	g	—			
Lindenau	1	110	as	1504	— —	credo sanctam	Matthäus
	2	68	c	1798	G. Hesse	— —	
	3	60	es	—		4 EVANGELISTEN	
Löbschütz	1	92	g	1714	Surber	Namen	
	2	72	h	1804	Gebr. Ulrich	Gott segne	sächs. Wappen
Lositz	1	53	f	1872		Vers	
	2	37	c	1648	Hans Berger	Gußangabe	
Marisfeld	1	94	gis	1498	— —	christe, osanna Evangelist.	
	2	83	h	1495	— —	ave maria	Grablegung
	3	45	f	—		A B C D E F G	
Marktgölitz	1	95	as	1890	C. F. Ulrich	Gott zu Ehren	
	2	75	c	1804	C. A. Mayer	Gußang. Namen	
	3	62	es	"	C. F. Ulrich	Guß	
Mehmels	1	60	d	1863	"	Namen	
	2	51	a	"		Gott segne	
Meiningen — Stadtkirche 1400	1	152	d	1658	M. Moerink	Luc. 2. 14. Joh. 3. 16	
	2	124	as	—	HERMANUS	GUSSANGABE	
500	3	57	b	—		ave maria	
900	4	83	f	—	.	— —	
700	5	76	g			EVANGELISTEN	
	6	95	b	1594	Chr. Glockengießer	Gußreim	Christoph, Wap
— Schloßkirche 900	1	82	b	1723	J. M. Derck	Chronogramm	Herzogl. Wapp
	2	71	es	1742		Gußangabe	" "
200	3	68	c	1697	P. Seeger	"	" "
250	4	59	f			"	
— Gottesackerkirche	1	50	f	1609	M. Moerink	"	
— kath. Kirche	1	74	d	1879	Gebr. Klang	Joh. 10. 27	guter Hirt
	2	59	f			o clemens — virgo maria	
Melsers	1	62	fis	1777	J. J. Kistner	Gußangabe	
	2	51	a	1786			
Mendhausen	1	100	g	1749	Joh. M. Derck	Gußangabe	
	2	80	h			Stiftung	
	3	66	f	1830	J. Wittorf	Verbum domini	Sündenfall, Cru
Mengersgereuth	1	108	as	1870	Bochum	— —	
	2	85	c	"	"	— —	
	3	74	es	"	"		
Meschenbach	1	70	ges	1844	Albrecht	Gußreim, Namen	Herzogl. Wapp
	2	63	ges	—	— —		
	3	52	b	—	— —	EVANGELISTEN	
Metzels	1	98	fis	1671	H. H. Rausch	Gloria in. Gußang.	Lamm Gottes, M
	2	80	h	1606	H. Moerink	Gußangabe	
	3	65	dis	1861	C. F. Ulrich		
Milda	1	115	d	1796	Gebr. Ulrich	Brandnachricht	
	2	90	g	"	"	Gloria in	
	3	75	h	"	"	Soli Deo	

Ort	Zahl	Durch- messer	Ton	Jahr	Gießer	Inschrift	Verzierung.
Milz	1	115	f	1767	J. A. Mayer	Gußangabe	
	2	90	h	—	—	—	
	3	75	d	—	Joberlt Keßler	Gußangabe	
Möckers	1	70	d	1888	C. F. Ulrich	"	
	2	45	fis	1869	H. Bittorf	"	
Möhra	1	108	fis	1883	Gebr. Ulrich	Ein veste Burg } Stif-	
	2	87	a	"	"	Erhalt uns Herr } tung	Luthers u. f. Eltern Brust
	3	73	cis	"	"	Es wolle Gott }	
Molau	1	92	ais	1741	J. G. Ulrich	Wach auf (Gußreim)	
	2	75	cis	1781	Gebr. Ulrich	Gloria in . . Gußang.	
Mosen	1	74	cis	1880	Gebr. Ulrich	}Gußang. { Pf. 146. 1	
	2	27	c	—	—	{ Gebt uns. Gott	
Münchengosser- städt	1	75	c	1856	C. F. Ulrich	Tonreim	
	2	62	e	1837	Gebr. Ulrich	Gloria in	
Rupperg	1	114	f	1784	J. Mayer	} Gußangabe	Wappen
	2	92	a	"	"	} Blitzschlag	
	3	76	c	—	—	}	
Reibschütz	1	74	cis	1792	Gebr. Ulrich	Luc. 2. 14	
	2	60	e	1880			
Neubrunn	1	95	g	1600	M. Moerinck	Gußangabe	
	2	82	h	1846	C. F. Ulrich	Segen über. Ohne Geist	Rundschafter
	3	65	d	1828	J. Bittorf	Dem grossen Gott	
Neuhaus	1	100	a	1869	Bochum	Friede	
	2	83	cis	"	"	Eintracht	
	3	(.8	e	"	"	Hoffnung	
Neustadt a. R.	1	68	c	1837	Gebr. Ulrich	Ein feste Burg	Luther
	2	50	a	1823	Albrecht	Soli Deo	Sächs. Wappen
Niederschmal- kalden	1	61	f	1730	J. M. Derck	Stiftung, Chronogramm	
	2	50	ges	1801	Bittorf Sohn	Gußreim	Henneb. Wappen
Nordheim	1	110	d	1802	Gebr. Ulrich	Gott segne. Namen	Wappen v. Stein und
	2	92	a	1860	C. F. Ulrich	Pf. 100. 2	Rundschafter
	3	70	c	1742			Wappen
Oberellen	1	117	e	1863	R. Mayer	Schiller. Umguß	
	2	84	cis	1792	Chr. Peter	Gußangabe	
	3	44	cis	—	—	—	
Oberkatz	1	88	ais	1868	Bochum	Glaube	
	2	75	cis	"	"	Liebe	
	3	63	fis	"	"	Hoffnung	
Oberlind	1	126	b	1783	J. Mayer	unkenntlich	
	2	94	g	1879	C. F. Ulrich	Namen	
	3	80	b	"	"	Gott segne	
Oberloquitz	1	93	as	1893	C. F. Ulrich	}	
	2	75	c	"	"	} Luc. 2. 14	
	3	62	es	"	"	}	
Obermaßfeld	1	95	gis	1602	H. König	Gußangabe	Kreuzigung, Himmelfahrt
	2	73	h	"	"	"	
131	3	59	es	1881	C. F. Ulrich	Gott segne	
Oberneubrunn	1	50	c	1862	R. Mayer	Gemeinde O.	
Obernitz	1	68	a	1891	C. F. Ulrich	Pf. 103. 1	
	2	52	cis	"	"	Luc. 2. 14	
Oberpreilipp	1	120	g	1674	Chr. Rosa	Komm Preilipp	Rundschafter
	2	90	g	1680	Joh. Rosa	Arceat alma	Crucifixus
	3	60	d	1811	Chr. A. Mayer	Namen	
Oberstadt kg 847	1	92	as	1886	C. F. Ulrich	Brand	
	2	72	c	"	"	}Luc. 2. 14	
	3	62	es	"	"		
Oberwellenborn	1	100	g	1519	[M. Rosenberger]	Ecce crucem. Gußang.	
	2	75	c	"	"	O Jesu reg. verbum dni.	
	3	64	g Dis.	1698	"	Allein Gott	
Depfershausen 100 179	1	87	a	1884	C. F. Ulrich	Luc. 2. 14. Namen	
	2	70	cis	1881	"	Hebr. 13. 8	
	3	53	g	1653	— —	V.I.V.I.T.	

Ort	Zahl	Durchmesser	Ton	Jahr	Gießer	Inschrift	Verzierung.
Ofthausen	1	114	d	1842	B. Sorge	Reim. Namen	
	2	90	g	"	"	" — "	
	3	73	h	1843		— —	
Pfersdorf	1	79	c	1506	P. Gareis	Gußang. ave maria	
	2	65	es	1889	J. P. Lotter	Reim	
71	3	50	g	1888	C. F. Ulrich		
Pößneck	1	154	c	1490	J. Kantebon	Pulcriter ornata Derbum caro	Maria, Bartholom.
	2	125	f	—	— —	HEYLGER HERE BARTHOLMEUS	Diele Medaillon.
	3	110	g	1705		Quaerite dum. Umguss	Wappen
	4	80	—	1515	[M. Rosenberger]	O Ihesu rex gloriae	
	5.6		—		[unzugänglich]		
— Gottesackerk.	1	50					
	2	40		1530	J. W. Geyer		
Poppenhausen	1	103	fis	1840	Albrecht	Schiller	
	2	90	h	1621	M. J. König	Gußreim	
	3	50	e				
Prießnitz	1	87	gis	1730	J. C. Fischer	Brand, Umguß, Namen	Wappen
	2	72	c	1860	C. F. Ulrich	Mc. 10. 14	
Probstzella	1	120	e	1852	C. F. Ulrich	Luc. 2. 14. Reim	
	2	97	a	1752	J. A. Mayer	Namen	
	3	70	c	1820	J. F. Albrecht	"	
Queienfeld	1	100	f	1864	C. F. Ulrich	} Allein Gott in der Höh.	
	2	81	a	"	"		
	3	65	c	"	"		
Rauenstein	1	50	b	1853	F. A. Belz	Gußangabe	
	2	38	des	1878	Gebr. Ulrich	" —	
Reichenbach bei Saalfeld	1	72	g	—		— —	
	2	52	c	1824	C. A. Mayer		
Reichenbach bei Gräfenthal	1	75	gis	1506		Jahr	Crucifixus
	2	65	e	1857	R. Meier		
Reichmannsdorf	1	85	a	1873	Gebr. Ulrich	Gußang. Namen	
	2	68	cis	"	"	" "	
	3	56	e				
Rentwertshausen	1	78	h	1886	C. F. Ulrich	Gott segne. Namen	
	2	72	e	1867		Namen	
Reurieth	1	90	c	1895	Gebr. Ulrich	Gottes Wort u. Luthers Lehr	Relief Luthers
	2	85	e	1884	"	Luc. 2. 14	
	3	56	b	"		Gott segne	
Riechheim	1	87	h	1743	P. H. Hahn	Reim	Crucifixus
	2	75	dis	1648	J. König	Gußangabe	
Rieth	1	110	fis	1832	J. Albrecht	Namen	
	2	84	h	1811		— —	
	3	78	cis	1845	[Mayer]	Schiller	
Rippershausen	1	75	c	1872	Gebr. Ulrich	} Luc. 2. 14. Gott segne	
	2	60	e	"	"		
Ritschenhausen	1	80	f	1871	C. F. Ulrich		
	2	63	a	"		Allein Gott in	
Robameuschel	1	50	fis	1664	J. Berger	Namen	
	2	42	ais	—		— —	
Röblitz	1	95	b	1745	Joh. Fehr		
	2	72	d	"	"		
	3	62	f	1791			
Röbelwitz	1	58		1778	Mayer	Gussang. Namen	
	2	57		—		— —	
	3	20		—		A. O. MARIA a b c d ... q	
Römhild 1100	1	120	e	1610	M. Moering	Luc. 2. 14 } Brand	
600	2	100	gis	"			
	3	74	h	1689	M. Kennel	Reim	

Ort		Zahl	Durchmesser	Ton	Jahr	Gießer	Inschrift	Verzierung.
Rosa		1	80	c	1842	J. Bittorf	Klangreim	Kreuzigung
		2	66	es	1753	J. M. Derck	Namen	
		3	nicht zugänglich					
Roßdorf		1	98	fis	1883	Gebr. Ulrich	} Luc. 2. 14	
		2	78	ais	1876	„		
		3	64	cis	„			
		4	58	es	1847	W. u. H. Bittorf	V. D. M. I. Æ, Namen	
Roth		1	85	b	1858	C. F. Ulrich	Reim, Namen	Christuskopf
		2	65	d	1869	Gebr. Ulrich	Gott segne	Schillers Kopf
		3	55	f	1871		zur Friedensfeier 1871	
Saalfeld		1	165	e	1500	[H. Siegler]	Consolor viva	4 Medaillons
		2	140	g	1353	—	NON EGO CESSO	11 "
		3	125	b	1501	[H. Siegler]	consolor viva	3 "
		4	113	d	1832	F. Mayer	Namen, Gottes Friede	
		5	72	e	1504		Maria	
		6	54	—	1673	Joh. Rose	Gottes Wort bleibt	sächs. Wappen
Sachsendorf		1	90	d	1876	Gebr. Ulrich	Gebt unserm Gott	
		2	77	a	1884		Friede auf Erden	
		3	67	f	1757	J. A. Mejer	Reim	sächs. Wappen
Salzungen		1	150	c	1851	R. Mayer	Gott allein, Reim	Flammensäule
		2	120	e	1791	Chr. Peter	Soli Deo. Brand	Gießerwappen
		3	100	g	1851	R. Mayer	Brand	
		4	75	c			Reim	
Schalkau		1	120	f	1753	J. A. Mayer	Gußang. Namen	sächs. Wappen
		2	95	as	1845	J. C. Albrecht	Reim	"
		3	74	des	1764	J. A. Mayer	Gußangabe	"
Schierschnitz		1	45	b	1721	J. B. Herold	Gußang. Stifter	
		2	35	d	1716			
Schlaga		1	46	g	1743	Joh. Feer	Gußang. Namen	
		2	43	b	1497	Hans Mers (?)	Jahr. ave maria	
Schlechtsart	220	1	87	a	1495		Ehre sei. Gußang.	
		2	71	d	1885	C. F. Ulrich	e Jhesu rez gloriae	
Schlettwein	110	1	65		1519	[R. Rosenberger]	Namen	
		2	52		1832	Gebr. Mayer		
Schleußlau		1	61	f	1853	Gebr. Ulrich	Ach Gott lass	
		2	48	a	„		Hebr. 13. 8	
Schmeheim		1	71	fis	1857	C. F. Ulrich	Ps. 106. 1	
		2	57	a	1850	„	Glaube, Liebe, Hoffnung, Joh. 18. 37	
Schmiedebach		1	80	h	1856	„	Hin geht die Zeit	
		2	65	dis	„	„	Apg. 4. 12	
		3	53	fis			Reim	
Schmiedefeld	256 130 50	1	80	b	1891	C. F. Ulrich	Schiller	
		2	64	d	1896		Ehre s. Gott	
		3	51	f	1835	F. Mayer	Gußangabe	
		4	45	b	—			
Schmiedehausen		1	122	f	1769	Gebr. Ulrich	Gloria in. Ps. 150. 6. Namen	
		2	96	a	1817	„	Reformation	
		3	80	c	„		Gott segne	
Schnett	208	1	86	as	1867	R. Meyer	Schiller	
		2	67	d	1886	C. F. Ulrich	„	
		3	50	es	1857	R. Meyer	—	
Schwallungen		1	102	g	1803	B. Bittorf	Namen	
		2	78	es	„	„	„	
		3	64	c	„	„	„	
Schwarzbach bei Wasungen		1	60	g	1784	G. J. Klaus	P. H. V. P. D E	
		2	50	a				
Schwarzbach bei Eisfeld		1	85	es	1885	C. F. Ulrich	Namen. Luc. 2. 14	
		2	64	g	1878	„	Ps. 95. 7	Anker, Kelch, Kreuz

Ort	Zahl	Durch-messer	Ton	Jahr	Gießer	Inschrift	Verzierung
Schweikershausen	1	71	des	1890	C. F. Ulrich	Luc. 2. 14. Mc. 10. 14. Spr. 14. 32	
	2	53	fis	1637	H. G. K.	vivos voco. Namen	
	3	42	h	1886	C. F. Ulrich		
Schweina	1	125	es	1833		Gott segne. Namen. Reim	sächs. Wappe
	2	95	ges	1862	Gebr. Ulrich	Gußreim. „	
	3	75	b	„		Stiftung. „	
Schwickershausen	1	70	cis	1877	C. F. Ulrich	„	
	2	60	eis	1830	J. Bittorf	Dem grossen Gott. Namen	Kreuzigung
Seeba	1	63	d	1890	C. F. Ulrich	Gott segne. Namen	
	2	46	a	1728	J. M. Derck	vor die Gemeinde	
Seibewitz	1	65	g	1859	C. F. Ulrich	Gußang. vivos voco	
	2	50	h	„	„	Namen	
Seibingstadt	1	106	fis		„	Gußang. Brand	
	2	84	ais		„	„	
	3	69	cis		„	„	
	4	50	fis	1851	„	„	
Sieglitz	1	95	gis	„	„	Off. 14. 13. Pf. 95. 6, 7	Kundschafte
	2	74	ais	„	„	Ebr. 13. 8. Mc. 10. 14	
	3	61	h	„	„	Gott gieb. Stiftung	
Simmershausen	1	89	b	—	—	ave maria	
	2	74	d	1484	—	Jahr	
Solz	1	76	e	1419	—	ave maria	
	2	70	cis	1520	—	„	Kundschafter. M
Sonneberg	1	120	d	1844	C. F. Ulrich	Gußreim	
	2	110	fis	„	„	Gußreim, ohne Geist	
	3	65	a	„	„	Tonreim	
Spechtsbrunn	1	72	c	1846	„	} Luc. 2. 14. Gußang.	
	2	59	f	„	„		
	3	48	a	1872	„	Meine Töne (Reim)	
Stebten	1	65	e	—			
	2	54	f	1818	Gebr. Ulrich	Reim. Gott Preis Ruhm u. Ehre	
Stebtlingen	1	95	c	1595	M. Moerinck	Gußang. Luc. 2. 14	Crucifixus
	2	70	g	1823	M. u. C. Rißner		
Steinach	1	78	c	1845	C. F. Ulrich	ohne Geist	Kundschafte
	2	62	e	1842	„	Gott segne. Schiller	
	3	45	a	1825	Ch. A. Majer	Namen	
Steinbach	1	80	b	18·9	G. A. Janet	Gott segne, Namen	
	2	66	c	1884	Gebr. Ulrich	Jerem. 22. 29	
	3	55	es	1739	J. M. Derck	dum trahor, Namen, Reim	
Steinheid	1	80	d	1892	Gebr. Ulrich	Gott allein. Kirchweih-jubiläum	
	2	63	fis	1895	„	Gott schütze. 25. Jubeljahr	Stiftung
Stelzen	1						
	2						
Stepfershausen	1	110	g	1851	C. F. Ulrich	Glaube, Liebe, Hoffnung	
	2	85	f	„	„	Reime	
	3	70	d	„	„	Pf. 100. 2	Kundschaft
Streffenhausen	1	84	d	1889	J. P. Lotter	Gott segne	
	2	68	fis	1887	„	„	
	3	57	a	„	„	Gott schütze	
Streufdorf	1	108	f	1504	—	vox ego sum vitae	Jakobus b. sächs. Wapp
	2	100	as	1761	J. A. Mayer	Namen	
	3	82	h	1889	J. P. Lotter	„	
Sülzdorf	1	54	gis		—		
	2	46	ais	1878		Gott segne	
Sülzfeld	1	122	as	1860	C. F. Ulrich	Luc. 2. 14. Gott segne, Brand	sächs. Wapp
	2	98	des	„	„	Joh. 14. 6. Off. 14. 13	
	3	80	f	„	„	Pf. 95. 6. Mc. 10. 14	

Ort	Zahl	Durchmesser	Ton	Jahr	Gießer	Inschrift	Verzierung.
Themar	1	150	d	1520	— —	Evangelisten	Barbara, Bartholomäi
	2	120	e (f)	1507	P. Roreis	Maria sum nominata	
	3	100	cis(d)	—	— —	EVANGELISTEN	
	4		b		[unzugänglich]		
Thierschneck	1	65	d	1819	Gebr. Ulrich	Namen	
	2	51	fis		"	Pf. 150. 6. Reim	
Treppendorf	1	74	f	1816	"	Gott segne. Ach Gott	
	2	62	g		"	Gott Preis	
Tultewitz	1	80	b	1782	"	Brand. Gloria in	
	2	60	es	"	".	In deo spes meo, Namen,	
						Reim	
Ummerstadt	1	94	a	1663	H. H. Rausch	Gußang. Namen	
	2	85	fis	1840	Albrecht	Namen	
	3	67	d				
Unterlatz	1	83	c	1855	Bittorf	Luc. 2. 14	
	2	60	g	—	— — —	PROTEGE REX	
						CHRISTE	
	3	43	d	—	—	EVANGELISTEN	
Untermaßfeld	1	105	c	1860	C. F. Ulrich	Gußang. Reim	Kreuzigung
	2	84	d	1838	Bittorf	Luc. 2. 14. Reim	Sündenfall
	3	68	fis	1860	C. F. Ulrich	Luc. 18. 16	Kundschafter?
Unterneubrunn	1	95	c	1706	Joh. Ullrich	Gußang.	
	2	80	d	1767	L. A. Meyer	" Soli Deo	
	3	65	g	1819	Chr. A. Mayer	" Stifter	
Unterwellenborn	1	106		1485	J. Rantebon	vox clamantis, Evang.	
	2	96		1728	Gebr. Moering	Namen. Gußang.	
	3	75		1818	Mayer	"	
Unterwirbach	1	66	ges	1826	C. A. Mayer	Namen	
	2	55	b	1878	Gebr. Ulrich	Pf. 84. 5	
	3	47	des			Pf. 35. 6	
Utenbach	1	96	gis	1500	— —	Jahr	Wappen von Halle
	2	79	ais	1822	Gebr. Ulrich	Namen	
	3	67	cis		"	Reim	
Utendorf	1	87	h	1891	C. F. Ulrich	Pf. 103. 1	
	2	75	d		"	Luc. 2. 14	
	3	43	fis	1697	H. H. Rausch	Gußreim	Kundschafter
Bachdorf	1	116	f	1847	C. F. Ulrich	Glaube, Liebe, Hoffnung	Kundschafter?
	2	95	a	1586	C. Kucher	Gußreim	
	3	76	c	1847	C. F. Ulrich	ohne Geist	
Beilsdorf	1	122	e	1604	H. Konigl	Gußang. en ego campana	
	2	93	gis	1481		Gloria in. Evangelisten	
	3	72	cis	1769	J. A. Mayer	Gußangabe	
Vierzehnheiligen	1	87	a	1776	Gebr. Ulrich	Brandnachricht	
	2	68	cis			Soli Deo	
Volkmannsdorf	1		as	1782	Joh. Meyer	Namen. Soli Deo	
	2		des	1623	M. Moering	"	
Wachenbrunn	1	68	d	1890	C. F. Ulrich	Luc. 2. 14	
268	2	52	fis		"	Gott segne	
Wahns	1	90	b	1880	"	Gott segne	
584	2	70	d	"	"	Luc. 2. 14	
	3	60	f		"		
Wallbach	1	80	h	1858		Luc. 2. 14	
	2	65	dis	1847	Gebr. Bittorf	Friede auf. Stiftung	
	3	52	fis			Luc. 2. 14	
Walldorf	800	1	115	f	1887	Gebr. Ulrich	Luc. 2. 14	
	550	2	92	a	1636		Pf. 90. 7. Soli Deo
	350	3	72	g	1678	H. W. Geyer	Gußangabe	
	200	4	48	h	1821	J. Bittorf	Gußreim	

2*

Ort	Zahl	Durchmesser	Ton	Jahr	Gießer	Inschrift	Verzierung.
Wallendorf	1	83	c	1830	Chr. A. Mayer	Augsb. Confession. Namen	Wappen
	2	67	a	1792	Joh. Mayer	Namen	
	3	58	h	1849	C. u. R. Mayer	Gott segne	
Wasungen	1	109	g	1631	F. Ragle u.	Gußangabe	2 Siegel. Kreuzig
	2	81	h	"	S. Boillo	Joh. 14. 6	Kreuzigung
	3	70	d	1841	J. Bittorf	Reim	
Weischwitz	1	66	f	1792	J. Meyer		
	2	49	g	1860	C. F. Ulrich	[unbestimmbar]	
Weißbach		52	a				
Weißen	1	93	a	1665	Chr. Rose	Gußang. Reim	
	2	65	c	1587	M. Moering	"	
Weitersroba 209	1	63	d	1892	C. F. Ulrich	Gott segne. Stiftung	
	2	52	f	"	"	"	
Welkershausen	1	61	e	1860	"	" Reim, Namen	
	2	53	h	1889	"	"	
Wernshausen	1	90	g	1838	R. Mayer	Seelenzahl 980	
	2	72	h	1733	J. M. Derck	Gußangabe	sächs. Wappen
	3	60	d	1735	"	"	
Westenfeld	1	97	as	1850	C. u. R. Mayer	Schiller	Wappen
	2	67	es	1777	J. A. Mayer	Pf. 95. 6	
Westhausen	1	110	g	1520	— —	ave maria	Urban Anna
	2	98	b	1835	R. Meyer	Ich rufe	
	3	81	es	"	"	Schiller	
Wichmar	1	110	fis	1830	C. F. Ulrich	Augsb. Confession	
	2	80	ais	[1732]	Sorber	Gußreim	
Wittmanns-gereuth	1	75	fis	1509		Jahr	
Witzelroba	1	77	a	1832	Chr. A. Mayer	Namen, Reim	
	2	64	d	1852	R. Mayer	Gußangabe	
Wölfershausen	1	72	fis	1781	Rutschbach	Namen	
	2	58	c	1892	Gebr. Ulrich	Luc. 2. 14. Gott schütze	
Wolfmannshausen	1		e			Ave Maria	
	2		e	1783	F. Ludwig Fürst		
	3		g	[unzugänglich]			
			h	1482		virga de radice	
Würchhausen .J	1	71	c	1840	C. F. Ulrich	Luc. 2. 14. Stifter	
	2	54	a	1806	J. C. Heim	Louise v. Gensau	
Zeilfeld	1	100	c	1874	Gebr. Ulrich	Namen	
	2	78	e	1853	F. Ulrich	Pf. 103. 1	
	3	50	a	1874	Gebr. Ulrich	Gott segne.	

Im Nachfolgenden sind besondere Typen verwendet:
für ROMANISCHE,
gotische Inschriften, ferner für

solche des 16. Jahrhunderts,   für verschwundene gotische,
  „ 17. Jahrhunderts,   „   „ neuere,
  „ 18. Jahrhunderts,   „ Übersetzungen,
  „ 19. Jahrhunderts,   „ Chronogramme,
                                  „ andere Inschriften,
                                  „ alte Texte.

Fig. 2. Fries an der großen Glocke in Beilsdorf.

3. Die Stimmung der Glocken.

Von Seminarlehrer Johne in Hildburghausen.

Die statistische Zusammenstellung der Klangbilder der einzelnen Geläute ergiebt drei verschiedene Arten von Klangbildern. Abgesehen von den vereinzelten Fällen, in denen überhaupt nur eine Glocke in der Gemeinde vorhanden ist (Altenbreitungen, Heubisch, Oberneubrunn, Weißbach), bilden die Haupttöne eines Geläutes entweder eine harmonische, oder melodische, oder eine aus beiden gemischte Reihe. Die Zusammenstellung mehrerer Glocken zu einem Geläute bietet dem Gießer so manche Schwierigkeit. Hin und wieder wurde der beabsichtigte Ton einer Glocke nicht getroffen trotz mehrfacher vorheriger Berechnung ihrer Größe und Schwere. Ferner sind die Nebentöne (Ober=, Aliquottöne) wohl zu bedenken und zu berechnen. Da die Glocke wie jeder tonerzeugende Körper nicht nur als ein Ganzes, sondern gleichzeitig in bestimmten Teilen vibriert, so entsteht außer ihrem Haupttone (das schwingende Ganze) noch eine Reihe von Nebentönen (die schwingenden Teile), welche, wenn sie auch leiser erklingen als der Haupttton, doch von jedem musikalischen Ohre vernommen werden. Diese Nebentöne, die man am Klaviere bei aufgehobenen Dämpfern deutlich erkennen kann, dürfen bei mehreren Glocken nicht in scharfer Dissonanz zu einander stehen, falls das Geläute ein wohlklingendes sein soll. Sie verleihen dem Geläute Glanz und Fülle, ähnlich den „gemischten" Stimmen der Orgel, sie bewirken, daß bei einem Geläute von zwei in reinen Quarten oder reinen Quinten gestimmten Glocken diese Intervalle doch nicht leer und hohl klingen.

Die bei weitem überwiegende Anzahl Klangbilder der Geläute im Herzogtum Meiningen beruht auf dem Dur=[1] und Mollbreiklange,[2] deren Teilen (große[3] und kleine[4] Terz), sowie auf deren Umkehrungen (Sext=[5] und Quartsextaccord).[6]

[1] Belrieth, Bettenhausen, Biberschlag, Bibra, Cafekirchen, Catharinau, Crock, Dingsleben, Eckards, Eckolstädt, Eishausen rc.

[2] Achelstädt, Großgeschwenda, Harras, Hildburghausen (Stadtkirche), Jübewein rc.

[3] Arnsgereuth, Aue, Beinerstadt rc.

[4] Adelhausen, Aue a. B. rc.

[5] a dur Bebheim, Frauenbreitungen rc. b moll Effelder, Schwallungen rc.

[6] a dur Brünn, Linden, Metzels rc. b moll Kranichfeld.

Von den beiden Dreiklängen dominiert wiederum der helle Durdreiklang über dem tiefernstklingenden Molldreiklange. Dies Verhältnis würde sich vielleicht noch vergrößern, wenn man bedenkt, daß einzelne Glocken nicht den ursprünglich beabsichtigten Ton geben, daß für einige Geläute nicht der Moll-, sondern der Durdreiklang bestimmt war (Stadtkirche Hilbburghausen). Aus diesem Grunde ist wohl auch das Vorkommen des übermäßigen (Bachfeld as c e) und des verminderten Dreiklanges (Neustädter Kirche Hilbburghausen fis a c, Häselrieth g b des, Streufdorf f as ces) zu erklären. In die Kategorie der Dreiklänge und ihrer Umkehrungen gehören ferner alle Geläute von zwei Glocken, deren Intervalle reine Quarten (Boblas h e, Dreißigacker e a, Hinbfeld b es, Langenschabe a d, Reichenbach bei Saalfeld g c, Rentwertshausen h e, Schlechtsart a d, Tultewitz b es, Volkmannsdorf as des), reine Quinten (Gleicherwiesen d a, Grub g d, Holzhausen c g, Leutersdorf f c, Lositz f c, Mehmels d a, Seeba d a, Stedtlingen c g, Wellershausen e h, Westenfeld as es), Sexten (Lichtenhain bei Gräfenthal gis e, Neustadt a. R. c a, Reichenbach bei Gräfenthal gis e, Solz e cis, Würchhausen c a) oder Oktaven (Lausnitz b b) bilden.

Außer dem Dreiklange findet der Septaccord Vertreter, wie in Camburg d a c, Gräfenthal es g b des, Heubach d a c, Lengfeld es b des, Marisfeld gis h f, Menbhausen g h f, Nordheim d a c, Depfershausen a cis g, Reurieth c e b, Saalfeld e g b d e, Stepfershausen g f d).

Alle diese Geläute würden sehr monoton klingen, wenn das Hin- und Herschwingen der einzelnen Glocken gleichmäßig schnell vor sich ginge, wenn also die Töne stets zusammenträfen. Ein solches Geläut melodisch gestimmter Glocken würde geradezu unmöglich sein, da in diesem Falle ein fortwährender Zusammenklang von großen und kleinen Sekunden zu vernehmen wäre — eine höchst widrige Klangwirkung. Da aber die größeren Glocken langsamer schwingen als die kleineren, so entsteht beim Läuten ein unausgesetzt rhythmisch wie tonisch sich änderndes, kaleidoskopartiges Klangbild, das um so mannigfaltiger und reizvoller wird, je mehr Glocken in dem Geläute vorhanden sind. Die Geläute rein melodischen Charakters sind auf diese Eigentümlichkeit angewiesen und erhalten ihren besonderen Reiz eben durch die so mannigfaltigen tonischen und rhythmischen Kombinationen. Geläute der dritten Kategorie, d. h. deren Glocken teils harmonisch, teils diatonisch (melodisch) gestimmt sind, finden sich in Eisfeld c e b f, Haina g a d, Heinersdorf g e f, Helbburg es f c as, Hellingen as c es f, Hirschendorf des c f, Kleingestewitz e h c, Leislau as c des, Lichtenhain b. Jena fis g d, Meiningen d as b f g b (St.), b es c f (Schl.), Pößneck, Probstzella e a d, Rieth fis h cis, Roßdorf ges b des es, Steinbach b c es, Stepfershausen g f d, Unterlatz c g d, Unterneubrunn c d g.

Fig. 13. Fries an der großen Glocke der Schloßkirche in Meiningen.

4. Statistische Beschreibung der Glocken im Herzogtum Meiningen.

I. Kreis Meiningen.

1. Ephorie Salzungen.

1. Dorf **Altendorf**. Hier stand vormals eine Kapelle des h. Jacobus, zu der gewallfahrtet wurde. Auf dem zum Teil noch ummauerten Platze derselben steht jetzt die mit einem Türmchen und **Glöckchen** versehene Flurknechts= und Hirtenwohnung. Brückner Lbsk. II. 24.

2. **Altenbreitungen**. In einer Kapelle, welche im 30jähr. Kriege als Wartturm benutzt wurde, jetzt als Privathaus dient, hängt ein Glöckchen (50 cm) ohne Inschrift und Verzierung, die man bei Begräbnissen, Feuersgefahr und zu den Tageszeiten läutet.

3. **Frauenbreitungen**. 3 Glocken.
   a. 110 cm. Inschr. in 2 Zeilen am Hals: Anno **1610** waren Henricus Schertiger Pfarherr Johann Wagker Amtsverwalter Hans Schmidt Nicolaus Heisthirdt [Geisthirdt?] Heiligenmeister Valentinus Thirgarten Urban Weyh Vormundere Da goss mich Melchior Möhringk zu Erfurt im Namen Gottes. — Darunter formloser Ornamentstreif.
   b. 87 cm. Inschr. in 1 Zeile am Hals: Anno **1610** goss mich Melchior Möhringk zu Erfurt im Namen Gottes. — Darunter Ornamentstreif, schmaler als bei a.
   c. 55 cm. Inschr. und Verzierung wie bei b.

   Anm. c dient als Schul=, b als Tagzeitglocke, a während des Vaterunsers und zum Nachschlagen mit b 3 mal 3 Schläge. Taufen und Trauungen werden nicht beläutet, außer wenn besondere Tauf= und Traukirchen gehalten werden. Landestrauer wird reihum als Frone geläutet. Einläuten Samstags nachm. 2 Uhr. Zum Gottesdienst läuten die Schulkinder.

4. Gumpelstadt. 2 Gl. Volksmund: Kummt all, kummt all!

  a. 110 cm. Inschr. an der Fläche, vorn: Diese AO 1736 jn Gumpelstadt zersprungene Glocke wurde als Herr Joh. Christian Gotter Pastor daselbst u. zu Waldfisch, Joh. Werner u. C. Eck H. Erb u. Joh. Fladung Vorsteher David Malsch u. Joh. Stuch Heiligen Meister waren in Meiningen durch Joh. Melchior Dercken mit gottes Beistand umgegossen — Jesus laesset lehren. Hinten:

> Mein Klang ruf Euch zum Wort
> das an diesem heilgen Ort
> drum kommet recht zu hören
> doch höret nicht allein
> ihr müsst euch auch bestreben
> Thäter des Worts zu sein
> nach solchem recht zu leben
> wen Jesus Wort allhier
> Gnad Trost u. Heil anbeut
> Ŭ. dem ders treulich hält
> giebt ewge Seligkeit.

Am Hals und Schlag zopfige Pflanzenfriese. Relief: Kundschafter mit der Traube.

  b. 100 cm. 1850 von C. F. Ulrich in Apolda mit der historischen Nachricht: diese 1464 gegossene, 1722 gesprungene, 1730 umgegossene, 1850 gesprungene Glocke ward umgegossen im Monat August 1850, und mit vielen Namen.

5. Helmers. 2 Glöckchen.

  a. 47 cm. 1839 von Jakob Wittorf in Seeligenthal feuer [für] die Gemeinde Helmers, Namen, Vers.

  b. 30 cm. Am Hals: 1743 + Joannes weist auff Jesum Christ, zwischen 2 einfachen Rundbogenfriesen. An der Fläche:

> I. I. H. N. P.
> I. A. J. M.
> A. K. A. C. R. OP.
> A. L. S.
> I. H. F. M.

Am Schlag einfache Zierlinien, Gießer unbekannt.

Anm. Wenn mittags 12 Uhr die große [!] Glocke geläutet wird, so pflegen die Leute zu sagen: „Jetzt wird der Helmerser Schmälztiegel gescharrt."

6. Immelborn. 2 Gl.

  a. 73 cm. 1889, C. F. Ulrich, Apolda. Kosten 540,80 M. Vers. Fries von Eichenzweigen.

b. 55 cm. 1485. **Anno Dom T m Tttt Tlxxxx,** *(Im Jahre des Herrn 1485)* zwischen Strichlinien, die Inschr. ist durch Antoniuskreuze **T** interpungiert. Darunter Spitzbogenfries mit Nasen und Lilien (?) und 2 Medaillons mit einem Heiligenbild.

Anm. Das Läuten wird unentgeltlich von den Schulkindern besorgt, Zeitläuten mit a, bei der Taufe wird mit b „geklängt."

7. Langenfeld. 2 Gl.

a. 74 cm. Inschr. an der Fläche v o r n: Deo soli gloria. h i n t e n: Kutschbach goss mich. Anno 1780. Den Gemeinden zur Kirche in Langenfelda. Fries von Flachsblüten, am Schlag Palmettenfries.

b. 60 cm. 1822 Gebr. See. Vers: Die Lebendigen rufe ich 2c.

Anm. „Heiligabendläuten" Samstag ½2 Uhr 3 Pulse mit b, 3 mit a u. b. Tote werden am Tag vor der Beerdigung vorm. 10 Uhr hingeläutet in 9 Abschnitten (3mal mit a, 3mal mit a u. b, 3mal mit a, nur bei Kindern mit b). Bei Taufen werden soviel Pulse geläutet als Täuflinge vorhanden sind. Zeitläuten mit b, mit neunmaligem Nachbimmeln von a. Das gewöhnliche Geläut besorgen die Schulkinder, bei ehrlichen Trauungen beziehen die Läutknaben 1,70 M, sonst 1 M. Abergläubische Eltern feilen Glockengut ab und geben die Späne Kindern, die an Krämpfen leiden, als Heilmittel ein.

8. Liebenstein. 3 Glocken. 1892 von Franz Schilling (i. F. C. F. Ulrich) in Apolda, a. 103 cm. Matth. 11. 28. b. 85 cm. Offb. 3. 20. c. 65 cm. Mc. 10. 14.

9. Möhra. 3 Gl. 1883 von Gebr. Ulrich in Apolda für 969,07 M mit eisernem Stuhl.

a. 108 cm. Ein veste Burg ist unser Gott, Gestiftet von Herzog G e o r g II. von S. Meiningen zum 10. Nov. 1883.

b. 87 cm. Erhalt uns Herr bei deinem Wort. Am Revers Luthers Brustbild mit Unterschrift 1483 D. M. Luther 1883, rechts seines Vaters, links seiner Mutter, am Schlag: Gestiftet von evangelischen Schulen Deutschlands zum 10. Nov. 1883.

c. 73 cm. Es wolle Gott uns gnedig sein. Am Schlag wie bei b.

Anm. Das Läuten geschieht durch Schulkinder für 30 M. Zeitläuten mit und Nachbimmeln mit a. Nur ehrliche Trauungen werden beläutet.

10. Oberellen. 3 Glocken.

a. 117 cm. 1863 von Rob. Mayer, Ohrdruf op. 219 E mit Gewicht der alten Glocke 16 Ctr.

b. 84 cm. Inschr. am Hals: A prece principium Dei prece finis erit. An der Fläche: Campana haec longinquo usu ab anno MCCCCXXXIII rupta consensu generosissimorum patronum de Hanstein iustitiario J: C: L: Schellhas pastore H. E. Haberland renovata est Chr. Peter Homberga Hassus anno

MDCCXCII. 1792 *Mit Gott fang an, mit Gott hör auf.*
Diese Glocke nach langem Gebrauch seit dem Jahre 1433 ge-
sprungen ist mit Zustimmung der hochedeln Patrone von
Hanstein unter dem Amtmann Schellhas u. dem Pastor Haber-
land renoviert. Chr. Peter aus Homberg in Hessen im Jahr
1792.

c. 44 cm. Ohne Inschrift und Verzierung. Schulglocke.

Anm. Bei einem Todesfall in der Patronsfamilie der Freiherrn v. Hanstein
wird 4 Wochen lang täglich eine Stunde zur Trauer geläutet, die Trauung gefallener
Personen wird mit der Schulglocke beläutet.

11. **Salzungen.** 4 Glocken. a. c. d. 1851 von Rob. Mayer in Ohrdruf von
150, 100, 75 cm.

b. 120 cm. Am Hals: Soli Deo Gloria, *(Gott allein die Ehre)*
an der Fläche v o r n: Christoph Peter zu Homberg in Hessen
goss mich, darunter dessen Zeichen, in einem Schild 2 gekreuzte
Schlüssel, h i n t e n: Mein Daseyn war zwar durch den grossen
Brand 1786 zerstehret aber durch die Vorsorge des durch-
lauchtigen Herzogs Georgs zu Meiningen ist es 1791
wieder hergestellt worden, dass ich den Einwohnern
Salzungens in Freud und Leid diene und sie zur wahren
Gottesverehrung in diesem Tempel einladen soll. Nur am
Hals doppelter Laubfries.

Anm. An Bußtagen wird das Vaterunser mit 3mal 3 Schlägen von a begleitet. Das Läuten besorgt der Türmer und 6 Männer für 216 ℳ.

12. **Schweina.** 3 Glocken. a. 125 cm. 1833 C. F. Ulrich. b. 95 cm und
c. 75 cm. 1862 von Gebr. Ulrich in Apolda. An die alte b knüpft
sich die Sage, daß sie in der Wüstung Atterode von einem Schwein ausgewühlt sei; sie trug das Bild des h. Laurentius mit dem Rost.

13. **Steinbach.** 3 Glocken.

a. 80 cm. 1889 G. A. Janet in Leipzig.

b. 66 cm. 1884 Gebr. Ulrich.

c. 55 cm. Inschr. an der Fläche v o r n:
Als Hr. Joh. Paul Erckenbrecher P. Justus Malsch u.
Friedr. Schacht V. Nikl. Salzmañ u. Hern Kasp. Malsch H.
in Steinbach! wurde unter goettl. Segen ich gegossen in
Meiningen durch Joh. Melchor Dercken 1739. h i n t e n:
Hildebrand: Dum trahor audite voco vos ad sacra venite.
Während ich gezogen werde, höret; ich rufe euch zu heilgen
Dingen, kommt!

Kommt! lasst euch erwecken
einzusehen u. zu schmecken
gottes grosse gütigkeit
Preisset ihn u. dankt der gnaden

die euch nach dem Feuerschaden
wieder Freude zubereit.

Anm. Am Karfreitag wird während des Liedes: O Traurigkeit, o Herzeleid geläutet. Glocke a war 1788 1012 Pfd., 1852 1250 Pfd. schwer, bei den Akten der Pfarrei ist ein Gießervertrag von 1788 mit Chr. Peter zu Homburg und der Entwurf einer Läuteordnung von etwa 1790.

14. **Wernshausen.** 3 Glocken.

   a. 90 cm. 1838 von R. Mayer in Ohrdruff mit Seelenzahl 980.

   b. 72 cm. Am Hals: Joh. Melchior Derk goss mich in Meiningen vor die Gemeinde Wernshausen 1733, zwischen reichen Barock=friesen. An der Fläche das sächs. Wappen, am Schlag schmaler Blattfries.

   c. 55 cm. Am Hals: Joh. Melchior Dercke goss mich in Mei-ningen 1735. Laubfriese wie bei b. Kosten 105 fl.

Anm. Im Gemeindebuch die Nachricht, daß 1689 „die gleine glock" durch den ungenannten Gießer in Walldorf [es kann nur Matthäus Tennel gewesen sein] von 188 Pfd. auf 241 Pfd. um 24 fl. 12 Batzen fortgegossen und 1689 Dez. 24 aufgehängt sei. In der Besoldungsdesignation des Schuldieners von 1670 ist be=merkt: Begrebniß giebt jeder nachtbar nach seinem Vermögen an gelt waß er wiel, wie auch ein Leib brodt, ein Leuthleib genannt. — Das Läuten wurde bis 1896 von Schulkindern unentgeltlich verrichtet. Am Bußtag wird während des Vaterunsers angeschlagen, am Karfreitag während des Kanzelverses mit allen Glocken geläutet.

15. **Wildprechterode.** In der v. Butlerschen Privatkapelle ein kleines Glöckchen Ton Es ohne Inschrift und Verzierungen. Für das Läuten bezieht der Kirchner 2 Malter Korn, bei Casualien 50 Pf. Das Zeitläuten ist abgestellt.

16. **Witzelroda.** 2 Glocken.

   a. 77 cm. 1852 Rob. Mayer, Ohrdruff op. 156.

   b. 64 cm. An der Fläche vorn: Salzungae consil. et jud. prae-fecturae W. E. Volckhart Superint. J. P. P. J. C. Scharfen-berg J. Witzelrodae P. HCR. D. Wallich erant, hinten: haec compana regente optimo duce S. Meining. Aug. Frid. Carolo MDCCLXXXI conflata est p. Kutschbach, *diese Glocke ist unter der Regierung des besten Herzogs A. F. Carl 1781 durch Kutschbach gegossen,* am Schlag J. H. Kalenbach Praetor. Am Hals und Schlag Akanthusfries. Schulglocke.

2. Ephorie Wasungen.

1. **Wernshausen.** 2 Glocken.

   a. Am Hals in 2 Zeilen: Da pacem Domine in diebus nostris Anno Domini 16XXXI (1631) V. D. M. I. Æ. *Gieb Frieden Herr in unsern Tagen. Das Wort Gottes bleibet in Ewig-keit.* An der Fläche beiderseits eine Apostelfigur, vorn und hinten 2 Kreuze, unter denen die Inschrift O Jesu miserere nostri. *O Jesus, erbarme dich unser.*

b. **Am Hals: Johannes Georg Ulrich goss mich Ano 1699 Her Eucharius Hufnagel Pasdor in Bernshausen.**

2. **Eckardts.** 3 Glocken.

   a. 61 cm, alt, ohne Inschr. am Hals 2 Linien.

   b. 51 cm. 1477. Am Hals zweizeilig zwischen Stricklinien: ſanſ. lor.ncius (ora pro nab'?) *Heilger Laurentius bitt für uns.*

   ✳ yn ✳ di ✳ crc ✳ gotes ✳ und ✳ marian ✳ br ✳
(n + ich + gossen) mccccljyyn ✳

✳ yn ✳ di ✳ crc ✳ gotes ✳ m ccccljyyn ✳

Fig. 4. Inschrift an der mittleren Glocke in Eckardts.

   c. 42 cm. 1485. Am Hals zwischen Stricklinien: ● aut ● maria ● gracia ● plena ● domnus ● (dcum) mccccljyyv. *(Sei gegrüst, Maria, voller Gnade, der Herr ist mit dir.)*

Anm. a wird morgens und abends, b mittags, a u. b bei Begräbnissen, c bei Taufen geläutet.

3. **Friedelshausen.** 3 Glocken. 1869 von Gebr. Ulrich umgegossen, da beim Mittagsläuten eine zersprungen, und Glaube, Liebe, Hoffnung genannt, kosten 220 Thaler.

4. **Hümpfershausen.** 3 Glocken. 95, 75, 60 cm. 1873 von C. F. Ulrich, als eine der frühern beiden gesprungen war, für 1854 ℳ, wozu Se. Hoheit 600 [oder 200] ℳ und ein Kanonenrohr aus der französischen Beute schenkte.

5. **Kaltenlengsfeld.** 4 Glocken. 90, 72, 65, 58 cm. 1881 von C. F. Ulrich im Gesamtgewicht von 838 kg nebst 2 Schlagschalen von 87 kg.

6. **Mehmels.** 2 Glocken. 68, 51 cm. 1863 von C. F. Ulrich.

7. **Metzels.** 3 Glocken.

   a. 98 cm. Am Hals 3zeilig: **Diese Glocke ist bey des durchlauchtigsten Fürsten und Herrn Herrn Ernsten zu Sachsen Landes Regierung wegen gehabten Rifs auff Anordnung des Fürstl. Durchl. Ambtmanns im Wasungen Sandt und Frauen-Breitungen Herrn Veit Ludwig Gockels und des Superintendenten zu Wasungen Herrn M. Johann Linckens gem[acht].** An der Fläche vorn: **Herr Johann Michael Winther Pfarrer und Heinrich Schneider Schultheiss zu Mezels Anno 1671,** hinten **Gloria in excelsis Deo.** durch Gottes Hilffe goss mich Hans Heinrich Rausch von Erffurdt. Darunter Medaillon: Lamm Gottes. Beide Inschriften von Eichenlaubkranz eingefaßt. Die Silben IN und GEM sind eingegraben.

   b. 80 cm. Am Hals zw. Linien: **Anno MDCVI (1606) da goss mich Hieronimus Moerinck zu Erffurdt im Namen Gottes.**

   c. 65 cm. 1861 C. F. Ulrich.

Anm. Im Archiv der Pfarrei finden sich Nachrichten, wonach 1672 des Glockengießers Werkzeug von hier nach Gotha gefahren, ferner ein Gießervertrag über c mit Balthasar Bittorf in Seeligenthal von 1811 und über dieselbe die Korrespondenz mit C. F. Ulrich von 1861. — Bis 1844 besorgte der Lehrer das Läuten, seit 1896 wird während des Vaterunsers 9mal mit a angeschlagen.

8. **Möders.** 2 Glocken. a. 70 cm. 1888 von C. F. Ulrich für 466 ℳ. b. 45 cm. 1869 von Heinrich Bittorf.

Anm. a war bis 1869 die einzige Glocke, mit der Inschrift *Eckart kvgler gos mich MDXCI* (1591). — Als die kleine Glocke 1869 in Möders ankam, war man sehr begierig zu hören, ob das Geläut harmonisch sei, und da die Vorrichtung zum Aufhängen derselben noch nicht fertig war, hing sie der damalige Schultheiß Henkel an einen Schaukelring seiner Wohnstube auf. Man öffnete die Fenster und das Probeläuten begann. Plötzlich brach der Ring und die eben erst angekommene Glocke lag zerbrochen in der Stube. Ein Gedicht im „Thüringer Hausfreund," welches die Geschichte verherrlicht, beginnt mit den Worten:

> In dem Dörfle M . . . . . .
> Is' der Glockenstümmer dehäm.

Das Zeitläuten besorgt der Gemeindediener, sonst die Schulknaben. Es wird auch zu Gemeinde-, Land- und Reichstagwahlen, früher auch zum Schütten des Pfarr- und Schulkorns geläutet.

9. **Niederschmalkalden.** 2 Glocken.

Fig. 5. Fries an der großen Glocke in Niederschmalkalden.

a. 62 cm. An der Fläche vorn: Gott zu Ehren legirten hierzu aus christl. Milde H. Georg Leberecht Spiegel 50 Fl u. Paul Fischer 40 fl. Fr. Chronogramm:

eILt eILet betreVbte LaVfft nahet herzV

hIer fInDet Ihr gnaDe trost Leben VnD rVh, welches 1780 ergiebt. Hinten: Als H. JO. Georg Silchmuller Pf. Jo. Casp. Matthes Schuldh. V. Fischer Kirchen Sen. Andr. Pursch I. Guth u. Sigm. Wedel Vorst. M. Göbel A. Weyrauch G. Ambrun u. Bar. König Vierer waren, wurde unter göttl. Beystand diese Glocke gegossen durch Joh. Melchior

Dercken in Meiningen. Am Hals reiche Frucht= und Blumen=
ſchnüre. (Fig. 5.)

     b. 50 cm. Von Bittorf Sohn für 45 fl. 11 gr. 4 pf.

10. **Oberkatz.** 3 Glocken mit 88, 75, 63 cm Durchm., Glaube, Liebe, Hoffnung
genannt, von Bochumer Verein Gußſtahl 1868 für 225 Thlr. — Die
beiden früheren waren a. 260 Pfd. 1666 von Hans Heinrich Rauſch in
Erfurt mit der Inſchr. *Kommt lasst uns anbeten, knieen und
niederfallen vor dem Herrn.* b. 156 Pfd. 1636 von Michael
Specht in Suhl mit der Inſchrift *Gottes Wort bleibet ewiglich.*
Koſten 6 Gulden 14 Batzen.

11. **Oepfershauſen.** 3 Glocken. a. 87 cm 1884, b. 70 cm 1881 von C. F. Ulrich.
c. 53 cm. Am Hals 3zeilig ➤ V. I. V. I. T. ANNO CHRISTI
CIƆ IƆ C L III. (1653) M. JOHANNES LINK WASING DECAN
+ VALENTIN WENDELINVS VACH. OPFERSHVS. PAST.
NICOLAVS ELTNER PRAETOR + RAPHAEL IOHANN
AVROCHS. Tauf=, Fron= und Schulglocke.

12. **Roſa.** 3 Glocken. a. 1842 J. Bittorf, b. 66 cm. 1753 J. M. Derck, am
Hals: Vor die Gemeinde zu Rosa goss mich in Meiningen
Joh. Melchior Derck 1753. An der Flanke: Derzeit waren
Joh. Jeremias Hufnagel Pfarrer Joh. Sebast. Cyrus Schul-
meister Joh. Adam Döll Schultheis Joh. Adam Ruſs
Heiligenverwalter. Die kleine Glocke iſt unzugänglich.

13. **Roßdorf.** 4 Glocken. a. 98 cm. 1883 Gebr. Ulrich, b. 78 und c. 64 cm.
1876 Gebr. Ulrich, worüber Vertrag im Pfarrarchiv. d. 58 cm. 1847
(1653) von Wilh. u. Heinrich Bittorf in Seligenthal. Taufglocke.
Alte Inſchrift wieder verwandt, 2zeilig am Hemb: **Johann von
Eschwege Krafft Moritz Heinrich Hans Kaspar Philipp + 1653**
(Akazienblatt.) **und Raab v. Wechmar W. D. M. J. AE.** (verbum
domini etc.) **M. J. F. E. P. V. W. Z. M. S. M. L. S. Rosdorf.**

Anm. c. wird als Schulglocke, beim Fruchtſchütten für den Ziegenhirten, zum
Einläuten der vierteljährlichen Jahrmärkte durch den Flurdiener gebraucht. Sie ſoll
ſilberhaltig ſein. Sonſt beſorgen Kinder das Läuten.

14. **Schwaſungen.** 3 Glocken von 102, 78, 64 cm, 1803 B. Bittorf in Seligenthal für 440 fl. 16 gr. 10 pf., worüber der Vertrag im Pfarrarchiv.
Zur Uhr gehören 2 Gl. von 45 und 30 cm, erſtere ebenfalls von
Bittorf unter Pfarrer Joh. G. Silchmüller (1712—31) gegoſſen, letztere
ohne Inſchrift. Doch kommt ein Bittorf in der frühen Zeit nicht vor,
wahrſcheinlich iſt die alte Inſchrift wieder verwandt worden.

15. **Schwarzbach.** 2 Glocken.

     a. 60 cm. Am Hals zw. Blumenſtreifen (Fig. 1): Vor die Gemeinde
Schwartzbach goss mich Georgius Josephus Claus in Stadt
Fladungen, an der Flanke: Der Zeit waren anno 1784 Herr
Johann Georg Köhler Pfarr, Johann Georg Göpfert Schul-
diener, Johann Daniel Fleischmann Schultheiſs.

b. 50 cm. Am Hals:

Fig. b. An der kleinen Glocke in Schwarzbach.

Sie soll aus dem im Bauernkrieg zerstörten Dorfe Lückershausen stammen. Man wird den 6 Buchstaben schwerlich einen verborgnen Sinn unterlegen dürfen. Vielleicht ist nur der verstümmelte Anfang des Alphabets, A und B verkehrt D, E, P für F und H darin zu erblicken, deren Formen der Gießer zufällig besaß.

16. **Unterkatz.** 3 Glocken.
   a. 83 cm. 1855 Bittorf.
   b. 60 cm. Am Hals leoninischer (gereimter) Hexameter:
   PROTEGE REX CHRISTE QVOS CONTINGIT SONVS ISTE AMEN.
   Schütze, König Christus, die, welche dieser Ton erreicht.

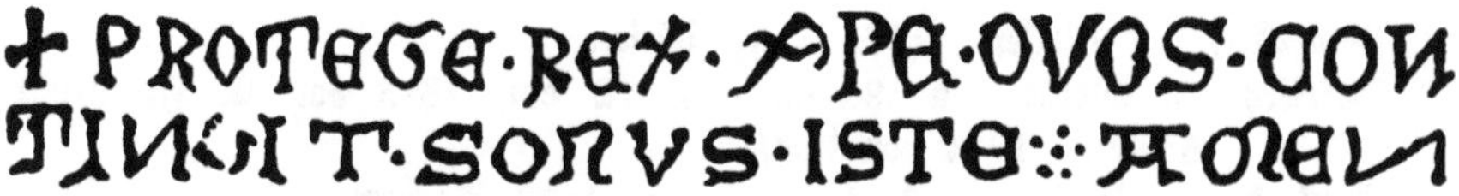

Fig. 7. Inschrift an der mittleren Glocke in Unterkatz.

   c. 43 cm. Am Hals:

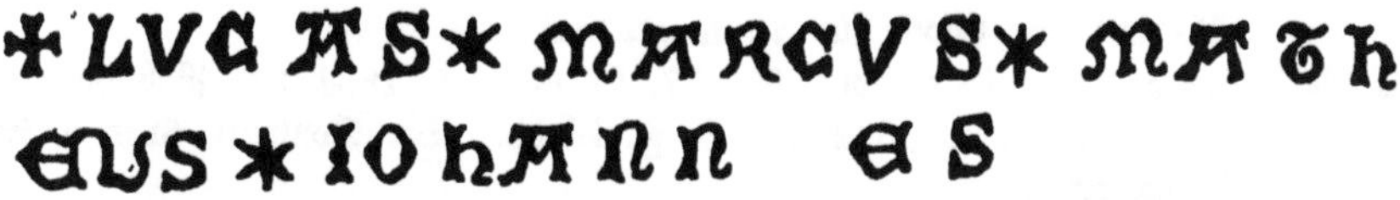

   Nach der Form der schon mit Unzialen gemischten Majuskeln aus dem 13. Jahrh. Bei c sind dieselben Formen der Majuskeln wie bei der Meßglocke in Meiningen verwandt.

17. **Wahns.** 3 Glocken, 90, 70, 60 cm, 1880 von C. F. Ulrich für 1100 𝓜.
18. **Wallbach.** 3 Glocken, 80, 65, 52 cm. a. 1858 C. F. Ulrich, b. und c. 1847 von W. u. H. Bittorf.
19. **Wasungen.** 4 Glocken. d. hängt außen unzugänglich, Totenglocke genannt.
   a. 109 cm. 1631. Am Hals Spiralengewinde mit Engelsköpfen, dazwischen Inschrift: **campana haec denuo fusa meliorem formam induit an. dom. MDCXXXI past. et superint. H. L. V. D. M. [huius loci verbi dominici minister?] Æ Joh. Frid. Hanvacker coss [consulibus] Joh. Salend et Casp. Arts. Jesu salva nos. Johanne Eberto sub. praef.** *Diese Glocke neugegossen zog eine schönere Gestalt an etc. Jesus rette uns.* An der Fläche

vorn:  **F. Ragle Lotaringus me feelt**, davor dessen Zeichen, Glocke auf einem Schildchen, darüber das Stadtsiegel, Gross Insigil der Stat ᵒWasungen, darunter ein Kreuz mit 2 Querbalken (Patriarchenkreuz), das mit Blumengewinden belegt ist. Hinten Kreuzigungsgruppe und Inschrift: **Claude Voillo Lotaringus**

me fecit. Am Schlag unbeutlicher Weinblattfries. Die Buchſtaben
dieſer Lothringer umherziehenden Gießer ſind nicht ausgeſchnitten, ſondern
mit der Wachsunterlage
aufgeklebt: **FRAGLE.**

b. 81 cm. 1631. Am Hals zw. Weinblattfrieſen: **Anno domini
MDCXXXI. Christus ait: Ego sum via veritas et virta [vita].
nemo venit ad patrem nisi perme. ego vivo et vos vivetis
J. E. S.** [Joh. 14.6]. An der Fläche vorn Siegel der Stadt,
Siegel Hanwackers (Henne): Iohann Friderich Hanwacker, Doppel=
kreuz wie bei a und ebenſo **Claude Voillo Lotharingus me fecit,**
hinten ebenſo: **F. Ragle Lotharingus me fecit.**

c. 70 cm, 1841 von Jakob Bittorf.

3. Ephorie Meiningen.

1. **Bauerbach.** 3 Glocken. 1875 C. F. Ulrich.
2. **Belrieth.** 3 Glocken. a. 96 cm, b. 78 cm, 1875 von C. F. Ulrich.
c. 65 cm. 1884 von demſ.
3. **Berkach.** 3 Glocken. 142, 115, 92 cm, 1870 Bochumer Verein Gußstahl
für 1121 Thl. 3 Gr., wobei das alte Geläut von Bronze für 673 Thl.
6 Gr. übernommen wurde. 1717 hat ein Gießer von Coburg (M. Joh.
Mayer) eine Glocke für 40 R geliefert.
4. **Bettenhauſen.** 3 Glocken von 95, 77, 67 cm. a. 1854 von Rob. Mayer
op. 167. b. c. 1882 von C. F. Ulrich. Der Kontrakt über a im
Pfarrarchiv.
5. **Bibra.** 3 Glocken. 130, 94, 78 cm, b, c. 1875 von Gebr. Ulrich.
a. 130 cm. Um den Hals einzeilig: CASTOREAE. PRAESVL: GENTIS.
LAVRENCIVS. ANNAM: ME. IVSSIT. MAGNO. SACRA. BOARE. TONO.
1513. *Ein Bischof aus dem Bibergeschlecht hiefs mich Anna
mit lautem Ton das Heilige beläuten.* An der Fläche das Wappen
der v. Bibra. Sage in Bechſtein, Sagen des Rhöngebirges S. 288.
Eine zweite von Lorenz v. Bibra (1495—1519 Biſchof von Würzburg)
geſchenkte Glocke *Anna Maria* von 1514 wurde 1781 in Flabungen
umgegoſſen, aber im Ton wenig getroffen, ſprang 1870 und wurde
1875 in ihre gegenwärtige Form gebracht. Eine alte Glocke von faſt
cylindriſcher Form, von ſchönem hellen Klang mit einer unleſerlichen
Majuskelinſchrift um den Hals, 259 Pfb. ſchwer, iſt leider ohne nähere
Nachricht in den 60er Jahren [oder erſt 1875] umgegoſſen.

Anm. Das Läuten geſchieht von unten mittelſt Seilen von Schulknaben, nur
das Zeitläuten vom Ortsbiener. Bei Todesfällen in der Patronatsfamilie wird vom
Todestag bis zum Begräbnis mittags von 11 Uhr in 3 Pulſen mit allen Glocken,
bei Hochzeiten wird nicht mehr, bei Kindtaufen ſtets, bei der Kommunion am Kar=
freitag bis zum Schluß der Spendung geläutet. Die zweite Glocke rief früher die
Gemeinde zur Jagd und herrſchaftlichen Fronen, jetzt noch zum Fruchtſchütten für
Ortsbiener und Flurer, ſowie zu Gemeindeverſammlungen.

6. **Dreißigacker.** 2 Glocken. a. 90 cm. 1869 Gebr. Ulrich.
   b. 70 cm. An der Fläche v o r n: Als der durchl. Fürst u. Herr
   Herr Ernst Ludwig H. Z. S. I. C. U. B. E. U. W. glor-
   würdig regierte. wurde durch dero reichel. Beytrag diese
   Glocke umbgegossen u. vergrössert in Meiningen durch
   Joh. Melchior Dercken. dIr rohen sÜnter rVffe ICh hIe-
   her thV bVss pekerm DICh. Das Chronogramm ſoll nach einer
   Aufzeichnung im Kirchenbuch, wo sVnDer geſchrieben iſt, 1724 ergeben.
   Beiderſeits das ſächſ. Wappen, h i n t e n: Derzeit waren H. Joh.
   Heinrich Rumpel Pfarrer Kaspar Koch Schulth. u. Andr.
   Koch Vorsteher zu Dreissigacker.

7. **Ellingshauſen.** 2 Glocken. 1874 von E. F. Ulrich. Koſten 1111 ℳ ab
   674 für altes Glockengut = 437 ℳ.

8. **Einhauſen.** 3 Glocken. a. b. 1884 E. F. Ulrich.
   c. 75 cm. 1469, am Hals 1zeilig: + lucas + marcus +
   mattheus + iohannes + anus + dm + m + cccc + lxviiii.
   Die trennenden Kreuzchen an den Armen in Dreipäſſen auslaufend.

9. **Geba.** 2 Glocken. 1875 E. F. Ulrich.

10. **Helba.** 2 Glocken. 1896 und 1884 von E. F. Ulrich.

11. **Henneberg.** 3 Glocken. b. und c. 1884 E. A. Bierling, Dresden. (1850
    beide unharmoniſch von R. Mayer.)
    a. 100 cm. 1605, am Hals: **Ehre sei Gott in der Höhe.
    Anno MDCV da gos mich Melchior Moeringk zu Erfurdt im
    Namen Gottes V. D. M. I. Æ.** (verbum dei manet in aeternum).

12. **Herpf.** 3 Glocken. b. 1872 Gebr. Ulrich, c. 1828 J. Bittorf.
    a. 102 cm. 1730, an der Fläche v o r n: Als diese Glocke vor
    die Gemeinde Herpf in Meiningen gegosen wurde waren:
    H. JO. Jac. Lingk P. H. Jo Andrs Seifert P. S. Io.
    Griesmann Schulm. J. IO. N. Lemut Schulz Io. Seb. Erck
    u. Jo. G. Nattermann Kirchaelteste Sr. Ambach I. Tho-
    mas I. W. Heinrich Jo. Döll A. Göpfert Casp. Döll u.
    Math. Erck Baumeister Io. Mich. Weber, Io. Sachss Nic.
    May u. Alb. Schad.
    Ich fiel u. sprang als ich gethönet huntert Jahr
    durch Derckens Guhs bin ich nun wieder die ich war.
    Mensch denk an deinen Fall in dieser Gnadenzeit
    so fÆLLst DV nICht DereInst Ins VVeh Der eVVIchkeIt. =12̇

13. **Hermannsfeld.** 3 Glocken. 1850 E. F. Ulrich um 526 Rth. 29 gr. 8 pf.,
    vorher 2 Gl. aus vorreformatoriſcher Zeit und von 1837. Die Gl.
    ſind Eigentum der politiſchen Gemeinde. Türkenläuten um 10 Uhr.

14. **Jüchſen.** 3 Glocken.
    a. 118 cm. Am Hals zwiſchen barocken Blattfrieſen (Fig. 43): Goss
    mich J. A. Mayer in Koburg 1782. An der Fläche: Be-
    wahre deinen Fuss wenn du zum Hause Gottes gehest
    und komme dass du hoerest.

3

b. 85 cm. An der Fläche vorn: Unter gottl. Seegen goss mich vor die Gemeinde Juchsen Joh Melchior Derck in Meiningen A. 1743. Am Hals boppelte Frucht- und Blumenschnüre, im obern Streifen seltsame Figuren: Kundschafter mit der Traube, ein Mann trägt ein nacktes Weib in Armen, 2 Knaben greifen ihn mit einem Spieß an, den sie zusammen tragen. Am Schlag schmaler Akanthusstreif.

c. 1891 Gebr. Ulrich.

15. **Leutersdorf.** 2 Glocken.

    a. 85 cm. 1492 am Hals: o ihesu + rex + glorie + veni + cum + pace + m + ccct + lxxxxii. *O Jesu, König der Ehre, komm mit Frieden.* Die trennenden Kreuzchen laufen in Dreipässe aus.

    b. 65 cm. Am Hals: **Ave • maria • grazia • plena • dominus • tecum.** *Gegrüßt seist du Maria, gnadenvoll, der Herr ist mit dir.* Oben Zinnen, unten Spitzbogenfries mit Lilien besetzt. Die Worte sind durch eingegossene kleine Glöckchen getrennt.

16. **Meiningen.** Stadtkirche. 6 Glocken.

    a. 152 cm. Am Hals 2zeilig, von schönen Barockfriesen eingefaßt: + Ehre sei Gott in der Höhe Friede auf Erden und den Menschen ein Wohlgefallen + Lucae am 2 Capittel + + Anno **MDCXVIII** gen Meiningen gos mich Melchior Moerink zu Erfurdt in Namen Gottes + Am Schlag: + Also hat Gott etc bis hat seinen Sohn nicht gesandt in die Welt dass er D. W. R. s. D. D. W. D. J. S. W. + Es war nach Erfurt Metall einer alten zerschlagenen Glocke u. bergl. zus. 18 Ctr. geschickt, die Kosten beliefen sich bis zum Gebrauch auf 1013 fl. fränkisch. Der Türmer muß die volle Stundenzahl darauf durch einen Hammer mit Zugeinrichtung nachschlagen.

    b. Betstundenglocke. 124 cm, um 1360 von Herman, Glockengießer in Nürnberg, am Hals zwischen Linien

+MAGISTER · HERMANVS · FILIVS · SIFRIDI ·

DE NVREN BERG · FECIT · ISTAM · CAMPANAM

Meister Herman Sohn Siegfrieds von Nürnberg machte diese Glocke.

    c. Meßglocke 83 cm. Am Hals:

+LVCAS * MARCVS * MATh

EVS * IOHANN ES

Fig. 8. Inschrift an der Meßglocke in Meiningen.

Die ſchon gotiſierenden Majuskeln weiſen die Glocke in das 13. Jahrhundert.

d. Lutherglocke 76 cm, hing bis 1763 in der oberſten Spitze des Turmes;
als letztere in dieſem Jahr abgetragen wurde, blieb die Glocke außer
Gebrauch. Im Jahr 1817 wurde ſie unter dem Namen Reformations-
oder Lutherglocke neu geweiht und in den kleinen Turm gebracht.
Eine Inſchrift iſt nicht daran, am Hals ein breiter gotiſcher Laubſtreifen.

e. Kleine Glocke 57 cm. Am Hals **ave maria gracia plena**
dominus tecum.

f. Schlagglocke 95 cm. Am Hals Rundbogenfries mit Naſen und Blättern
beſetzt, darunter: **chriſtof glockengiſſer zu nurnberg**
goß mich. gottes wort bleibt ewig glaub dem mit
der that biſt ſelig. An der Fläche Hochrelief eines Mannes
in bürgerlicher Kleidung mit Stab, Buch oder Käſtchen
und Reiſetaſche, deſſen Beziehung zu Meiningen ich
nicht zu erklären vermag. Andrerſeits das Henneberger
Wappen auf einem Schild, darüber 1594

christof glockengiesser

Fig. 9. Schlagglocke in Meiningen.

10. Fig. an der
Schlagglocke in
Meiningen.

II. Schloßkirche. 4 Glocken.

a. 82 cm. Am Hals: FVSOR APPELLATUR DERCKIVS MEINVNGÆ
HABITANS, darüber prächtiger Rokokofries mit dem myſtiſchen Dreieck,
darunter reiches Fruchtgehänge (Fig. 4). An der Fläche vorn:

Ich rufe dahin wo man lehret ohne Trennen
In einem drei, in dreien eins bekennen
Kommt lernet doch vom Vatter Sohn u. Geist
Daſs er ein Gott in drei Perſonen heisst.

Hinten das ſächſ. Wappen, darüber E. L. K. Z. S. Am Schlag
eine Guirlande mit Quaſten.

b. 71 cm. An der Fläche: For die hochfürſtliche Hofkapelle in
Meiningen gos mich Joh. Melchior Derck 1742. Frieſe und
Wappen wie bei a.

c u. d. Schlagglocken als Schalen, beide mit Inſchriften: **Gos mich**
Paulus Seger zu Gotha anno 1697. B. H. Z. S.

3*

III. **Gottesackerkirche.** 1 Gl. 50 cm, um den Hals **Anno MDCIX gos mich Melchior Moerink zu Erfurdt,** dahinter ſein Gießer=
zeichen, darunter Fruchtgewinde, in denen ein Hirſch erkennbar.

IV. **Katholiſche Kirche.** 2 Gl. 1879 von Gebr. Klang in Heidingsfeld.

17. **Melkers.** 2 Glocken.

    a. 62 cm. Am Hals zwiſchen Palmettenfries: Johann Joseph Kistner in Mellrichstadt goss mich 1777.

    b. 51 cm. Am Hals wie bei a. 1786.

18. **Neubrunn.** 4 Glocken.

    a. 95 cm. Am Hals: **Anno 1600 gos mich Melchior Moerinck zu Erfurdt im namen Gottes,** darunter Blumengewinde.

    b. 1846 von C. F. Ulrich,

    c. 1828 von J. Bittorf mit Nachricht vom Umguß 1681.

    d. ein „Männerglöckchen" in der Laterne des Turmes, welches zu Gemeinde=
verſammlungen und zum Fruchtſchütten läutet.

19. **Nordheim.** 3 Glocken. a. 1802 Gebr. Ulrich, b. 1860 C. F. Ulrich. c. Am
Hals lebhafte Rokokofrieſe, an der Fläche vorn Wappen v. Stein
(ein Linksſchrägbalken, oben Adlerflüge), darunter 1742. Am Schlag
Akanthusfries. Nach den Verzierungen kann nur Derk der Gießer
ſein. Inſchrift fehlt.

Im Kirchenbuch findet ſich zu 1742 die Bemerkung, daß Derck ein ganzes
Geläut neu gegoſſen, 3 Gl. zu 25 Ctr. Die vom damaligen Pfarrer gefertigten
Inſchriften lauteten:

    a. *Quoties sonus aeris sonoris aures tuas penetravit, toties
recordare vitae tuae fragilitatem et quando intras sancti
limina templi, sapientissimi illius consilium ob oculos pone:
Observa pedem tuum cum adis domum dei; mundi ma-
china et omnia in mundo corruent, sed verbum dei manet
in aeternum.* So oft der wohlklingende Ton des Erzes an
deine Ohren klingt, gedenke an die Gebrechlichkeit deines
Lebens, und wenn du die Schwelle des heiligen Tempels über-
schreitest, so halte dir den Rat jenes Weisesten vor Augen:
Bewahre deinen Fuss, wenn du zum Hause Gottes gehst; der
Bau der Welt und alles, was darinnen ist, zerfällt, aber das
Wort Gottes bleibet in Ewigkeit.

    b. *Haec campana una cum duabus minoribus auspiciis et
iussu perillustris et generosissimi Domini Friderici Augusti
Liberi Baronis de Stein Tit: tot: in honorem dei fusa
est a Melchiore Derckio.* Diese Glocke wurde zusammen
mit den beiden kleinern mit Gunst und auf Befehl des hoch-
berühmten und wohledlen Herrn Friedrich August Freiherrn
von Stein zur Ehre Gottes gegossen von Melchior Derck.

Im der Weihpredigt wurde vom Urſprung und Gebrauch der Glocken ge=
handelt. — Das Läuten wird von den Schulkindern, nur das Zehnt= (Türken=)

und Vesperläuten vom Ortsdiener verrichtet. Bei Taufen wird mit der kleinen Glocke geklingelt. Beim Tode eines Mitglieds der Patronatsherrschaft wird bis zum Beerdigungstag täglich ½ Stunde in 3 Pulsen geläutet.

20. **Obermaßfeld.** 3 Glocken.

    a. 95 cm. Am Hals: **Durch das Feuer bin ich geflossen Herman König von Erfurt hat mich gegossen 1602**, darunter Weinrankenfries. An der Fläche einerseits Relief der Kreuzigung, andererseits der Himmelfahrt Christi.

    b. 75 cm Inschrift und Verzierung wie bei a.

    c. 1881 von C. F. Ulrich. Auch diese war 1602 von König gegossen mit der Inschrift *Herman Königk goss mich*
                    Gottes Wort bleibt ewig 1602.
    Sie wurde 1641 vom schwedischen General Tarras nach Untermaßfeld entführt und kam erst 1680 wieder hierher.

21. **Rippershausen.** 2 Glocken. 1872 von Gebr. Ulrich.
22. **Ritschenhausen.** 2 Glocken. 1871 von C. F. Ulrich.
23. **Schwickershausen.** 2 Glocken. 1877 von C. F. Ulrich, 1830 J. Bittorf.
24. **Seeba.** 2 Glocken. a. 1890 C. F. Ulrich.

    b. 46 cm. An der Fläche in Minuskeln: vor die gemeinde serba ward ich gegossen in meiningen durch joh. melchior derckes 1725.

25. **Solz.** 2 Glocken.

    a. 70 cm. 1520. Am Hals: ave maria. gracia. plena anus.
                         domini 1520.

    b. 76 „ 1419. „ „ Ave maria gracia plena a. dni
                            m cccc xix (?)

    Bei beiden unter der Schriftzeile Kreuzbogenfriese mit Blättern.

26. **Stedtlingen.** 2 Glocken. b. 1823 von Michael und Euchar Kißner.

    b. 95 cm, Am Hals unter reichem Barockfriese mit Laubgewinde elegantester Zeichnung (Fig. 11) zweizeilig: **Anno MDXCV (1595) da goes mich Melchior Moerink zu Erffurdt im Namen Gottes. Im Evangelisten Luca am anderen Capitel: Ehre sey Gott in der Hohe Friede uf Erden und den Menschen ein Wolgefallen. Am Schlag: Nicolaus Eberhardt Pfarrer Jorg Ziegler Schultheiss, Caspar Henneberger Baumeister Valten Ditz, Merten Ziegler Heiligmeister.** An der Fläche Relief Christi am Kreuz.

Fig. 11. Fries an der Glocke in Stedtlingen.

27. Stepfershausen. 3 Glocken. 1851 C. F. Ulrich. In einem Pfarrlehnbuche ist bemerkt, daß die große Glocke 1669 zu Erfurt von H. H. Rausch, die mittlere zu Flabungen 1764 von Joh. Simon Claus, die kleine von Joh. M. Derck 1721 in Meiningen gegossen wurde. Die große wurde 1835 von Bittorf gegossen, sprang schon 1842 und mußte von demselben laut Akkord kostenlos erneut werden.

28. Sülzfeld. 3 Glocken. 1860 C. F. Ulrich.

Über die älteren Glocken und alle damit zusammenhängenden Fragen hat Herr Pfarrer Sprenger einen ausführlichen Bericht geliefert, welcher mit wenigen Kürzungen folgen mag.

1. Über den Untergang der frühern Glocken erzählt zunächst die Inschrift auf der jetzigen größten folgendes:

Sülzfelds Glocken gingen am 9. Junius 1858 unter in den Flammen; neu sind sie wieder hervorgegangen im September 1860 unter der Regierung und durch die Munificenz Sr. Hoheit des Herzogs Bernhard von S. Meiningen aus der Glockengiesserei von K. Fr. Ulrich zu Apolda.

Über die frühern Glocken findet sich in der von Pfarrer Motz abgefaßten Turmknopfeinlage vom 5. Sept. 1860 folgendes:

„In ihm [nämlich in dem ausgebrannten Turme] befanden sich, außer der ... Uhr, 3 Glocken, wovon die kleinste noch aus catholischer Zeit herstammen sollte. Es wird erzählt, Sülzfeld habe vordem blos 2 Glocken gehabt, die kleine und eine ganz große, letztere habe man umgießen lassen und dadurch 2, die große und mittlere, Glocken erhalten. Gewiß ist es, daß die beiden größern Glocken von dem zu seiner Zeit berühmten Glockengießer und Oberbürgermeister Derk zu Meiningen im Jahre 1751 gegossen worden sind. Die mittlere zersprang indeß durch übermäßiges Läuten bei einer Leiche am 28. März 1828 und wurde im Oktober desselben Jahres zu Seligenthal im Kurheß. durch Jacob Bittdorf umgegossen. Es war ein herrliches, kräftiges und volltönendes Geläute, obgleich die kleinste Glocke nicht ganz harmonierte ...“

Nach dem Inventarverzeichnis vom Jahre 1610 fanden sich jedoch in der Kirche zu Sülzfeld schon 3 Glocken. Auch werden in den Kirchrechnungen von 1616, 1618 u. a., wo es sich um Ausbesserung von Glockensträngen handelt, 3 Glocken genannt, nämlich: 1. die große, 2. die Wag= und 3. die kleine Glocke.

2. Beim Umguß 1751 durch J. Mich. Derk, Bauinspektor in Meiningen, erhielt die große Glocke die Inschrift:

Mein Klang verging, als ich geklungen
Zwei Hundert drei und Vierzig Jahr.
Durch Derkens Hand, dem ich verdungen
Kling ich nun wieder hell u. klar.

Beklage Sülzfeld Adams Fall
Dein Herz u. Sinn zu Gott hinrichte
Bedenke der Posaunen Schall
Der dich einst ruft zum Weltgerichte.

Eine zweite Inschrift lautete:

Auf Sülzfeld, weile nicht, eile herzu
Ich bringe dir Freude, Trost, Wonne u. Ruh!

Gewicht: 16 Ctr. 57½ Pfd.

3. Die mittlere, die oben genannte Wagglocke, hatte die Bestimmung, den Leuten das Zeichen zu geben, wann die Mühlwage geöffnet wäre, daß sie ihr zum Mahlen bestimmtes Getreide brächten oder ihr Mehl abholten. Es findet sich darüber in der Sülzfelder Gemeindeordnung von 1625, Dorffs-Ordnung Art. 15 folgendes:

„Der Wagmeister Ambt vnd Verrichtung soll sein, das wo nicht alle bede, doch zum Wenigsten derselben einer alle tag zu bestimbter Zeit, wann die Wagglocke geleuttet wird, in der gemeinen Mühlwag erscheine, neben dem Schullmeister das getreidich vnnd Mehl treulich abwege, das gehaltene gewicht fleissig vffschreibe, vnndt allen möglichen fleis ankehre, das sowol denn Müllern als den Mahlgästen gleich vnnd recht geschehe.

Insonderheit soll von ihnen mit allem fleiß in acht genommen werden, das der Schulmeister vnd Wagmeister eine stund lang nach der Wagglocken, welche von Michaelis ahn biß vff Ostern nach drey und Vier Uhren, von ostern biß vff Michaelis nach Sechs oder Sieben Uhren nachmittag geleuttet werden soll, in der Mühlwag vfwarten, Sonsten aber nicht schuldig sein sollen, außer solcher Zeit iedem seines gefallens die Wag zu öffnen vnd vffzuwarthen, es sey denn, das der Müller wegen mangelung waffers denn mahlgast nicht fördern vnd zue gehörter Zeit mit dem mehl nicht abfertigen können," . . .

1751 wurde von Joh. Melchior Derk in Meiningen neben der großen auch die mittlere Glocke umgegossen. Sie wog 8 Ctr. 63 Pfd. und hatte folgende Inschriften, welche 1828 vom Lehrer Dürer abgeschrieben wurden. Unter der Krone an der sog. Stürze stand:

aVf sVLzfeLD! ansChICke DICh

heVte zVr bVsse.

aVf eILe! VerweILe Ietzt nIСht.

fALL gott zV fVsse.   (1751)

Die lateinische Inschrift vorn lautete:

Verbum Domini Manet in Aeternum!

hinten: *Mit gnädigstem Landesherrschaftl. u. dero fürstl. Consistorial-*
Consens wurde diese Glocke verfertigt durch Joh. Melchior
Derken in Meiningen.

Die Glocke zerſprang am 28. März 1828 durch übermäßiges Läuten bei einer Leiche. Dasſelbe beſorgen die jungen Burſchen, welche früher eine Ehre darein ſetzten, die Glocken möglichſt hoch zu ſchwingen oder gar ſich überſchlagen zu laſſen. Die Glocke wurde im Oktober beſſelben Jahres von Jacob Bittorf in Seligenthal bei Schmalkalden umgegoſſen und bekam folgende Inſchrift:

> *Ich läute zum Gebet,*
> *Zur Predigt, zu den Leichen.*
> *Ich melde Feuer und Krieg*
> *Und gebe Friedenszeichen.*
> *Gieb Jesu, dass mein Ton*
> *In Frieden stets erschall.*
> *Bewahre Dorf u. Land*
> *Vor Feuer und Ueberfall.*

4. Die **kleine Glocke** ſtammte aus katholiſcher Zeit. Eine Jahrzahl trug ſie nicht, doch kann man ſie dem 15. Jahrh. zuſchreiben, da die Namen der 4 **Evangeliſten** mit Mönchsſchrift (Minuskel) unter der Krone angebracht waren.

5. Nachdem dieſe 3 Glocken bei dem Brande am 9. Juni 1858 geſchmolzen waren, bekamen die Sülzfelder auf ihren Antrag aus dem Herzogl. Baumaterialienmagazin zu Meiningen ein Glöckchen von ca. 150 Pfd. geliehen. Es war früher für die damalige Schloßuhr zu Sophienluſt (jetzt Amalienruhe) angeſchafft worden und mit der Inſchrift verſehen:

> *Elisabethe Sophie, geb. Prinzessin von Brandenburg etc. 1720.*

Dies Glöckchen wurde auf der Schule aufgehängt. Nachdem es nicht mehr gebraucht wurde, wurde es auf Verfügung des Herzogl. Hofmarſchallamtes zu Meiningen am 26. Oktober 1860 an das neugegründete Rettungshaus zum Fiſchhaus bei Hermannsfeld abgegeben.

Der Guß der 3 neuen Glocken für die Kirche zu Sülzfeld wurde dem Glockengießer Karl Friedrich Ulrich aus Apolda übergeben. Koſtenbetrag 3726 fl. Die Gothaiſche Bank hatte 1253 Pfd. altes gerettetes Glockenmetall um die Verſicherungsſumme, den Centner zu 25 Thlr. preuß., der hieſigen Gemeinde abgelaſſen. Der Glockengießer Ulrich übernahm aber von der Gemeinde den Centner wieder zu 43½ Thlr. Für den Centner neues Metall mußte ihm 53⅛ Thlr. gezahlt werden.

Am 24. September 1860 wurden die neuen Glocken in Gegenwart einiger Männer aus der hieſigen Gemeinde zu Apolda gegoſſen. Am 4. Oktober kamen ſie hier an. Mit Laubgewinden geſchmückt, wurden ſie abgeholt und von der Gemeinde empfangen. Unter Geläute des proviſoriſchen Glöckchens auf dem Schulhauſe und unter Vortritt des hieſigen Muſikcorps wurden ſie zur Kirche gefahren. Dem Aufziehen der Glocken ging eine religiöſe Feier voran, an der ſich die ganze Gemeinde beteiligte. Abends 6—8 Uhr wurde Probe geläutet und am andern Tag von 6—12 Uhr mittags.

Nach der Kirchrechnung von 1635/36 wurde der ſtrang zur großen glocken von den Kayſ: Soldaten bey abführung deß Maßfelder geſchützes weggenohmen.

6. Das Läuten besorgen die Schuljungen, wofür 18 ℳ jährlich aus der Kirchkasse gezahlt werden. Bei Leichen besorgen es die jungen Burschen.

Die Glocken sind wie das Kirchengebäude Eigentum der Gemeinde und von dieser bei der Feuerversicherungsbank in Gotha mit 6390 ℳ versichert.

Verschiedene Arten des Läutens: Zum Sonntags= und Festgottesdienst wird in 3 Pulsen mit halbstündigen Zwischenpausen geläutet, das erste und zweite Mal mit der mittleren resp. großen Glocke, das dritte Mal wird mit allen Dreien zusammengeschlagen. Sonn= und Festtage werden am Tage vorher mittags 1 Uhr eingeläutet, wobei die große Glocke beginnt, dann die andern einfallen. An den hohen Festen wird früh 6 Uhr und abends 6 Uhr mit 3 Glocken geläutet, in der Neujahrsnacht zwischen 12 und 1 Uhr in 3 Pulsen, dazwischen Gesang des Kirchenchors vom Turm oder von den Kirchenstufen aus. Zu Taufen wird mit der kleinen Glocke, zu Trauungen gar nicht, zu Beerdigungen dreimal wie zu gewöhnlichem Gottesdienst geläutet. Täglich wird früh $3/_4 7$ Uhr (Winters $3/_4 8$), mittags 12 Uhr, abends 6 Uhr (Winters bei Eintritt der Dunkelheit) mit der kleinen Glocke geläutet (Gebetläuten) mit nachfolgendem 9maligen Anschlagen der mittleren Glocke und vormittag 10 Uhr mit der mittleren Glocke ohne nachfolgendes Anschlagen. Die Frühglocke (Betglocke), beim Volk noch immer das „Sechsuhrläuten" genannt, obgleich es nicht mehr um 6 Uhr geschieht, ist jetzt für die Kinder das Zeichen, daß sie zur Schule kommen sollen. Zu den Freitagsbetstunden (Sommers $1/_4 8$ Uhr, Winters $1/_4 12$ Uhr vormittags) wird zweimal mit der mittlern Glocke geläutet.

7. Die Betglocke kommt in der Sülzfelder Gemeindeordnung von 1625 wiederholt vor, z. B. Dorff=Ordnung Art. 2, wo die „schwermer, nachtraben, Sauffer, Spieler vnd dergleichen böse buben" mit einem halben Gulden Strafe bedroht werden, „so offt sie nach der Betglocken vfn gaßen, im Wirthshauß, oder andern verdechtigen ortten betreten werden," Art. 17, wo von der Gemeindebadstube und dem Bader die Rede ist, der nicht verbunden sein soll, „Sommers Zeit nach der gewöhnlichen Bettglocken vnd fruelings, Herbst vnd Winters Zeitt nach Acht Uhren die Badtstuben Zue heizen oder einem vnd andern lenger vffzuewarten;" nach Art. 2 ist auch dem Wirth verboten, „nach der gewöhnlichenn Behtglocken den iungen Bursch das Zechen zu verstatten;" nach Art. 47 der Feld=Ordnung wird mit einem „halben ortsgulden" bedroht, „welcher vor oder nach dem gebettleuten hinausleufft" und Obst unter den in der Flur stehenden Bäumen aufliest.

Über das Sturmläuten heißt es in der genannten Gemeindeordnung, Art. 21 der Dorff=Ordnung: „Wan in Feuers= vnd andern nöthen mit zwo oder mehr glocken zuegleich Sturm geschlagen wird, welcher nachbar alsdan den negsten nicht zueleufft, soll der gemein ein halben gulden zur straff verfallen."

Über das Zusammenrufen der Gemeinde durch die Glocke heißt es in der erwähnten Gemeindeordnung Art. 20: „Wan die gemein durch die gewöhnliche glocken Zuesammenberuffen wird, soll der gemeine Knecht eine halbe stunde nach dem geleut vmbfragen, welcher nachbar alsdann nicht vorhanden ist, soll vmb ein groschen neun Pfennig gestrafft werden."

Hier ist der Aberglaube verbreitet, daß, wenn die Uhr ins Taufläuten schlägt, das Kind bald stirbt, ferner daß, wenn die Uhr ins Grabgeläute schlägt, bald eine Person im Dorfe stirbt, und zwar wenn die große, die Stundenglocke ins Grabläuten schlägt, so stirbt eine erwachsene Person, schlägt die kleine, die Viertelglocke hinein, so stirbt ein Kind.

Während des Einläutens des **Weihnachtsfestes** am Weihnachtsheilig-abend mittags 1 Uhr binden viele Leute im Dorf Strohseile um ihre Obstbäume. Es muß aber während des Läutens und schweigend geschehen. Dadurch sollen nach dem Aberglauben der Leute die Bäume im kommenden Jahre besser tragen.

29. **Untermaßfeld.** 3 Glocken. a. u. c. 1860 von C. F. Ulrich, b. 1838 Bittorf.

30. **Utendorf.** 3 Glocken. a. b. 1891 C. F. Ulrich.

     c. 43 cm. An der Fläche:

> **In Utendorf ghör ich**
>
> **Gott den Höchsten dien ich**
>
> **Allen Christen ruff ich**
>
> **Hans Heinrich Rausch in Erfurt goss mich 1657.**

Am Hals Blumenfries, 2 Stricklinien, an der Fläche Relief der Kund-schafter.

31. **Vachdorf.** 3 Glocken. a. u. c. 1847 von C. F. Ulrich.

     b. 95 cm. Am Hals: **Deines Lebens Anfang und auch End**

> **Stet alles in Gottes Hend**
>
> **Der uns auch sein heiligen Geist sent.**

darunter barocker Rankenstreif. Am Schlag:

> **Als do man schrieb fünfzehnhundert Jahr**
>
> **Nach Christi Geburt sechsundachtzig zwar**
>
> **Mich Eckardt Kucher gegossen hat**
>
> **Zu Erfurt in der heiligen stad**
>
> **Zu christlicher . .**

Auf der früheren mittleren stand **ave Maria gracia_plena dominus tecum,** auf der kleineren **matheus marcus lucas joanes.**

32. **Walldorf.** 4 Glocken. 16, 11, 7, 4 Ctr. a. 1887 von Gebr. Ulrich, d. 1821 von J. Bittorf.

     b. 92 cm. Am Hals zw. Blumenfriesen: **HEUTE . SO . IHR . SEINE . STIMME . HÖRET . SO . VERSTOCKET . EVRE HERTZEN NICHT PSL. 36 M. S. + D. P. + NH . HS + SOLI DEO GLORIA.** Auf der Fläche ein gleicharmiges mit Blumen belegtes Kreuz. Die Worte sind durch Rhomben getrennt. Der Form der Buchstaben nach ist die Glocke in den Anfang des 17. Jahrh. zu setzen.

     c. 72 cm. Am Hals zwischen Bänderfriesen: **Mit Gottes Hilfe gos mich Hans Wolf Geyer in Erffurt anno 1678.** An der Fläche **H. W. G.,** darunter des Gießers Wappen.

Die große Glocke hatte vor dem Umguß die Inschrift: *1634. 7. Octobris sind diese Glocken von Croaten verbrannt & 1636 wieder von neuem gegossen worden Psl. 150.*

*Lobet den Herrn mit hellen Cymbeln. M. S. + D P +
N H H S Soli Deo Gloria.* Der ungenannte Gießer kann mit
dem von b. identisch sein. Der Psalmvers findet sich oft auf Moering=
schen Glocken.

33. **Welkershausen.** 2 Glocken. 1860 und 1889 C. F. Ulrich.

Die größere hatte folgende Inschrift, am Hals: *Zu der Zeit war
Herr Johann Caspar Gögel Schultheiss.* An der Fläche vorn:

*So ruf ich euch ihr Menschen zu
Wie bald wie bald wie bald
Denn hier habt ihr doch keine Ruh
Wie bald wie bald und kalt
Wie bald seid ihr doch todt
Drum ruf ich stets wie bald wie bald!*

hinten: *Mit der Gotteshilfe goss mich Johann Simon Claus
in Stadt Fladungen für die Gemeinde Welkershausen
anno MDCCLXVIII,* am Schlag:

*Heinrich Christian Türk hat zuerst 50 Gulden dazugethan
Johannes Wagner geht eben mit 30 Gulden diese Bahn 1768
Dass ich euch nun bald an Tod erinnern kann.* — Es
scheint, als habe der Schultheiß diese Verse selber gemacht, um deren
Willen er einen Platz in jeder Litteraturgeschichte verdient.

34. **Wölfershausen.** 2 Glocken. 1892 Gebr. Ulrich.

II. Kreis Hildburghausen.

4. Ephorie Themar.

1. **Beinerstadt.** 2 Glocken. 1798 von J. Gottlob Hesse in Coburg.

   a. 90 cm. Am Hals: Mich goſs Johann Gottlob Hesse in Coburg
   a. 1798, darunter Palmettenfries. An der Fläche vorn: Friedrich
   Wilhelm Beumelburg Pfarrer Joh. Wolfgang Essing Schul-
   diener. Kommt und lasst euch Jesum lehren. Meininger
   Wappen, hinten: Zacharias Bube Schuldheiss. N. Knoth
   Vorsteher. Die Sechser sien: A. Lamber, C. Otto,
   H. Werner. H. Wiener. H. König. M. Ebert. Wappen.

   b. 70 cm. Verzierung und Gußangabe wie bei a, an der Fläche:

   Zu Freud u. Leit
   Bin ich bereit
   In Noth u. Todt
   Bin ich der Both.

2. **St. Bernhardt.** 2 Glocken. a. 1887 C. F. Ulrich. b. 1877 Gebr. Ulrich.

3. **Dingsleben.** 3 Glocken von 1765/66 J. A. Mayer, Coburg.

Auf a—c: An der Fläche vorn: Sub regimine Friederici duc. Sax. Goth. et Ernesti Friederici duc. Sax. Cob. Saalf., auf a u. b hinten: nec non D<u>n</u> Wilh. Henr. Schulthes consil et praefecti D<u>n</u> Adami Gottl. Axt Past. Prim et decani D<u>n</u> Joh. Wilh. Brust loci pastor. Joh. Paul Pohlig Schulth. Joh. Matth. Hoffmann Vorsteher Joh. Pet. Schad Heil. Meister goss mich J. A. Mayer in Coburg 1766, auf c 1765. — Das Hinläuten heißt „das Zeichen," das Taufläuten heißt „Klingeln," der Taufgottesdienst „die Klingelskirche."

4. **Exdorf.** 3 Glocken. b u. c 1871 C. F. Ulrich.

a. 102 cm, um 1580 von Christoph Glockengießer, am Hals Fries von Vierpässen und Rundbögen, darunter: Christof Glockengiehser zu Nürnberg goß mich * Gottes Wort bleibt ewig * glaub dem mit that mirst selig.

5. **Grub.** 2 Glocken, a. 1809 J. Fr. Albrecht.

b. 45 cm, am Hals Weinrankenfries. An der Fläche: Vor die Gemeinde Grub goss mich Joh. Melch. Derck in Meiningen anno 1739.

6. **Henfstädt.** 2 Glocken. b. 1878 Gebr. Ulrich.

a. 75 cm. Weinrankenfries, an der Fläche: Als Herr C. L. Sartorius Pfarrer H. D. Reinhardt Schulm. H. J. G. Bittorf Schulth. G. E. Hoffmann Vorst. zu Henfstet wurde unter göttl. segen aus zweien alten Glocken diese gegossen in Meiningen durch Joh. Melchior Dercken.

Gott zV steten rVhM VnD ehren

Lassen WIr Vns täglICh hören (1732.)

Die kleine Glocke zur Uhr ist eine Stiftung der hier ansässigen Familie v. Hanstein.

7. **Lengfeld.** 3 Glocken.

a. 122 cm. Inschrift am Hals: Gott zu Ehren und zu Beförderung seines Dienstes goss mich zu Lengfeld 1703 Johann Ullrich von Hirschfeld, an der Fläche 2 Crucifixe, darunter einerseits: Christus die eherne Schlange allein macht uns von allen Sünden rein, andrerseits Christoph Friedrich Heyder J. J. Past.

Eine Schlagglocke hängt außen und dient als „Viertelsglöckchen."

8. **Marisfeld.** 3 alte Glocken.

a. 94 cm. 1498. † christe rum * tua * part * mauritius * patronus * osanna * anno * domum * m * cccc * lXXX * xviii. Die Worte sind durch geschwänzte Punkte getrennt. Darunter an den 4 Seiten matheus — lucas — marcus — iohannes unter jedem Namen ein Kreuz. Sie soll von der Lorenzkapelle bei Schmeheim stammen und von einer Sau ausgewühlt sein. Human, Marisfeld S. 5.

b. 83 cm. 1495. Am Hals: ✝ ihs + ave + maria + gratia + plena + anno + domum + m + cccc + l + xxxx + v. Am Kranz margareta. Unter der Inschrift Relief der Grablegung Christi. Im 17. Jahrh. Bauernglocke, jetzt Elfläutsglocke genannt.

c. 45 cm. Alphabetglocke, am Hals:

Fig. 12. Inschrift an der kleinen Glocke in Marisfeld.

Auf den dazwischen eingegossenen Medaillen die Evangelistenzeichen. Die Formen der Buchstaben weisen in die Mitte des 13. Jahrh. Die Glocke soll vom alten Schloß stammen.

9. **Oberstadt.** 3 Glocken, 1886 C. F. Ulrich.

10. **Neurieth.** 3 Glocken, a. 1895, b. c. 1884 Gebr. Ulrich, a war 1793 von Joh. Gottl. Hesse.

11. **Schmeheim.** 2 Glocken, 1857, 1850 C. F. Ulrich.

12. **Themar.** 4 Glocken, wovon d unzugänglich in einem Fenster hängt. ·

a. 150 cm, 1520. Am Hals zweizeilige Inschrift: 1. Medaillon mit Adler,

Fig. 13. Inschrift an der großen Glocke in Themar.

Diese 4 (Evangelisten), o Christus, und dieser Ton mögen die Übel abwenden.

sanctus matheus marcus lucas johannes, 2. Pelikan ave maria gratia plena dominus tecum benedicta tu Ω in mulieribus ✝ anno domini 1520, darunter nasenbesetzter Spitzbogenfries mit Lilien. An der Fläche vorn weibliche Heilige mit Kelch und Inschrift sancta — barbara T hinten Heiliger mit Inschrift: sanctus — bartholomeus T

b. 120 cm. 1507 Peter Koreis, am Hals: ✚ maria • sum • nata • (nominata) contra • tonitrus • facta • themar • patronus •

elretus ⚬ bartholameus ⚬ anno a salutis partu quin=
gentesimo septimo ᛈᛖᚱ s ᛈᛖᛏᚱᚢᛗ s ᚴᛟᚱᛖᛁᛋ

Fig. 14. An der Maria in Themar.

Maria bin ich genannt, gegen die Donner gemacht, zu Themar,
erwählter Schutzheiler ist Bartholmeus, im Jahr des Heils
1507 durch Peter Koreis.

Die Worte sind durch geschwänzte Punkte getrennt, einige Buchstaben
stehen verkehrt, schief und auf dem Kopfe.

    c. 100 cm. Am Hals: [AVE] MARIA GRACIA PLENA

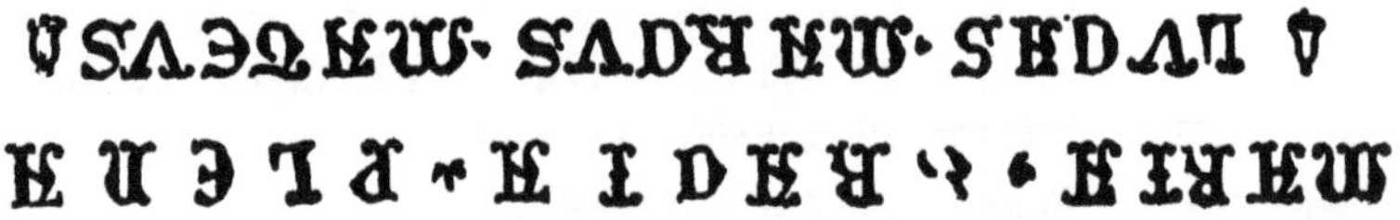

ᚡ ᛁᚢᚨᛒᛟᛕᛖᛌᚢ· ᛋᚨᛒᚤᛕᛖᚢ· ᛋᚺᛒᚨᛁ ᚡ

ᚦᛖᚢᚹᛁᚨ · ᚤ ᚱᚨᛁ ᛁᚱ · ᚱ ᛁᛕᛖᚤ ᚤ · ᛕᛁᚤᛕᛖᚢ

Fig. 15. Inschrift an der kleinen Glocke in Themar.
(JOHANNES ist unzugänglich.)

13. **Wachenbrunn.** 2 Glocken. 1890 C. F. Ulrich.

5. Ephorie Römhild.

1. **Behrungen.** 3 Glocken. a. 120 cm, 1834 J. Fr. Albrecht.

    b. 98 cm, 1705 Hans Ulrich, am Hals 4zeilig: Zacharias Fridericus
Zembsch Pfarrherr | Johann Peter Franck Ambtsverwalter|
Johann Caspar Krieg Schultheiss * B * R * W * L * R *
Baumeister | Durchs Feuer must ich fliesen Hanns Ulrich
that mich giesen | Anno 1705 Behrungen im Grabfeld.
Am Hemb sächs. Wappen mit der Umschrift: HEINR . D . S . I .
C . ET . M . A . ET . W.

    c. 60 cm, 1646 Jacob König, am Hals 2zeilig: Matthaeus Gottwald
Pfarrer . Hansin Bawmester Balh . sar Landgraf Babawmeim_{ter}
Jacob Koigner hadt mich gegossen durch feir bin ich ge=
flossen zu Erfurdt Anno MDCXXXXVI. Darunter Arabesken=
kranz, an der Fläche einerseits Engelskopf, andrerseits Crucifixus.

Die vom Herrn Pfarrer P. Koch aus der kirchlichen und Gemeindechronik ge=
zogenen Nachrichten sind vielfach von einzigartiger Originalität. Sachlich ist den=
selben kürzlich zu entnehmen, daß a 1720 neugeschafft und von Derck gegossen
wurde, bereits 1758 sprang und [von J. A. oder Joh. Mayer] in Coburg er=
neuert, 1834 nochmals von J. Fr. Albrecht umgegossen wurde. b war 1607 zu
Coburg gegossen, sprang 1705 und wurde von Hans Ulrich auf dem Kirchhof er=
neuert; eine kleinere war 1694 ebenfalls im Dorfe gegossen, welche auch 1705
sprang. Von den 5 1705 in Nürnberg erkauften Glöckchen hängt eins im Fenster.
Über den Guß von c sind Nachrichten nicht erhalten. Der Bericht führt diese
Thatsachen nun weiter aus:

Kirchl. Chronik: Die ältesten Behrunger Glocken, deren größte 24 Centner wog, sind Aō 1546 durch Feuer zerstört worden, als der Ort durch Kriegsvölker in Brand gesteckt worden war.

Anno 1694 ist um Bartholomä herumb das kleine Glöcklein, so einen Spalt oder Bruch gehabt, ohne vorerst des Pfarrers Rath zu hören, daß es sollte umbgegossen werden, herunter geworffen worden, ingleichen auch ein Schmelzoffen ohne begrüßung meiner gemacht. Da ich aber als ehrwürdigster Pfarrer dieses Orts deswegen Nachfrag gehalten und zu wissen begehret, wer solches angeordnet und auf wessen befehl solches geschehen, und ob ich als ehrwürdigster Pfarrer dieses Orts nichts davon dürfft wissen, wem Kirche und Schule wäre anvertrauet, da konnte denn mit der Sprach Niemand heraus, die Gemeinde schob es auf die Zwölfer, die Zwölfer wollten auch nicht alle Schuld daran haben, sondern schoben es auf den Schultheißen und Dorfmeister, von den Dorfmeister und Schultheißen kam es auf den Herrn Ambtsverwalther; da ich aber mit demselben redte, leugnete er es und schob es auf den Schultheißen und auf die Dorfmeister; da ich aber den Glockengießer fragte, wer ihm das Glöcklein angedinget, gab er mir zur Antwort, der Herr Ambtsverwalther hätte ihm das Glöcklein angedinget, der Schultheiß aber und die Dorfmeister hätten im Nahmen der Gemeinde ihn bezahlet, welches factum ich denn auch an den Herrn Kirchenrath und Superintendenten anher Römhildt berichtete.

..... „den 7. 1705 August, als man zur Mittagsbettstunde läutete, so zersprang auch die kleine Glocken; Gott behüte uns vor Unglück.

Gemeinde-Chronik: Als in diesem 1705. Jahre den 5. May von dem lieben Gott vermittelst zeitlichen Todes Ihro Königl. Kayserl. Majestät Leopoldus der Erste dieses Nahmens im 47. Jahr Kayserlicher Regierung und 65. Jahre Dero Alters aus dieser Zeitlichkeit in die Ewigkeit versetzet und dadurch das Kayserthum auf dero kayserlichen Sohn Herrn Josephum gebracht worden, und ♂ den 2. Juny war der andere Pfingstfeyertag, nach abgekündigter Trauer das Trauergeläute, welches 1¼ Tage von 11 biß 12 Uhr, Mittags geschah, man angefangen und bey dem ersten Anzuge unsere Anno 1657 zu Coburgk gegoßene große Glocke 5 Centner 45 Pfd. schwehr, einfolglich ☿ den 7. Augusti zu Mittag bey zusammenschlagung zur Bethstundte auch die kleine glocke 1 Centner 61 Pfd. schwer zersprungen, wurde den 4. Septembris anstatt der zersprungenen großen glocken, nachdem vorher eine Gemeinde zur vergrößerung derselben zu Nürnberg etliche Centner Ertz, welches in 5 gantze glöcklein, so in dem Bayerland, als derselbe Churfürst wider den Kayser rebelliret, die Alliirten Kriegsleute erbeutet und nach Nürnberg nebst vielen andern Glocken verhandelt gehabt, von einem Rothgießer daselbst erkauft, von welchen das eine glöcklein 2 Centner 28 Pfd. schwer aufgehangen und die übrigen nebst noch mehr beygeschafften Engelländischen Zinn und Kupfer zur neuen Glocke verwendet worden, eine andere neue große glocke Zwoelff Centner und etliche zwantzig Pfund schwer, von Johann Ulrichen, Glockengießer von Hirschfeld, p: t: zu Oypffershausen wohnend, auf dem allhiesigen Kirchhofe gegoßen. · Und bekam derselbe zum gießerlohn von der Gemeinde sechs und zwantzig Thaler und 2 Eymer Bier und mußte er sich selbsten verköften, die Gemeinde gab darzu Unschlitt, Wachs, Flachs, Eyer und dergleichen und leistete die Handreichung.

Kirchl. Chronik: Anno 1706 den 17. October starb in seyner fürstlichen resibentze der durchlauchtigste Fürst und Herr, Herr Ernst, Hertzog zu Sachsen ꝛc. im 61. Jahre seines hochfürstlichen Alters. Hier wurde 4 Wochen von 10 biß 11 Vormittag zusammen geschlagen u. f. w.

Anno 1707 den 28. Aprilis ist zu Eisenbergk höchstselig entschlafen der durchlauchtigste Fürst und Herr, Herr Christian, Hertzog zu Sachsen und wurde von Misericordias Domini die Trauer angekündigt und verordnet vom Tage des Hochfürstlichen Todesfalls an 4 Wochen von 10—11 zu läuten.

Anno 1709 den 24. Augusti starb im Herrn selig zu Butzbach auf ihrem Wittumbs Sitz die durchlauchtigste Fürstin und Frau Elisabetha Dorothea, Landgräfin zu Hessen-Darmstadt, geb. Hertzogin zu Sachsen-Jülich-Cleve ꝛc. Es wurde eine Landtrauer ausgeschrieben, 4 Wochen von 10 biß 11 Uhr geläutet . . . . .

Gemeinde-Chronik: Anno 1720 den 8. Juny wurde hiesige Gemeinde schlüssig, eine neue Glocke zu schaffen, dahero schrieb man an H. Joh. Melchior Dercken, Glockengießer in Meiningen, mit welchem folgender Accort getroffen worden.

1.) versprach besagter Glockengießer Derck eine Glocke von 18 Centner tüchtiger und sauberer Arbeit, gutem und reinem Klang, so zu hiesigem Geläuthe richtig stimme in Zeit von zwey Monaten zu verfertigen, auch selbige auf Jahr und Tag zu gewähren und falls sie sollte binnen dieser Zeit Schaden nehmen, auf seyne Kosten wieder umbzugießen.

2.) Hingegen soll die Gemeinde allhier darzu 19 Centner und 80 Pfd reines tüchtiges Metall anschaffen, auch auf ihre Unkosten nach Meiningen vor den Ofen liefern und erwähnten Glockengießer richtig zuwägen, auch wenn die Glocke fertig, solche ebenfalls auf ihre Kosten von Meiningen nach Behrungen schaffen.

3.) Was das Gießerlohn anlangt, hat vermeldter Herr Derck von 1. Centner Gießerlohn 11 Thaller wovon die Hälfte bey Abholung der Glocke, die andere Helfte aber Weyhnachten richtig ausgezahlet werden solle.

4.) verspricht die Gemeinde Behrungen mehr vermeldtem Glockengießer bey Überlieferung der Glocken zu einem Drank Geld 6 Thlr., vor welches Drankgeld der Glockengießer die Glocke auf seine Gefahr mit seinem Seil und Flaschenzügen auf den Thurm schaffen.

5.) Wenn die Glocke fertig, will mehr besagter H. Derck selbige der Gemeinde richtig vorwägen und falls einige Pfund über die 18 Centner lauffen sollten, jedes Pfund vor 10 g. gr. sich zahlen zu lassen, sollte aber die Glocke etwas weniger wägen, soll derselbe vor jedes Pfund der Gemeinde 8 g. gr. vergüten. — Der Herr Glockengießer aber hilt auf seiner Seiten den Accort schlecht, zumahl was die Förderung der Glocken anlangt. Denn obgleich die

Gemeinde an ihrer Seiten nichts ermangeln ließ, sondern das Metall eylichst anschaffete, nl: 16 Centner neues Kupfer aus der Schmelzhütten Glücksbrunn genand bey dem Dorff Schweina den Centner vor 30 Thaller und dann 4 Centner engelländisch Zinn von Frankfurth den Ctr. vor 24 Rthlr., so ver-zögerte es sich doch so lang, daß aus Johannistag Weyhnachten wurde. Wäget nun also die große Glocke in einer Summa 20 Centner und 2 Pfd. und der Klüpffel wieget 56½ Pfd.

Gem.-Chronik: Den 11. Juny 1758 unter dem Trauergeläute der Durchl. Fürstin und Frau Verwitb. Hertzogin wurde hiesige Gemeinde un-glücklich, indem die große Glocke zersprung, so 1720 zu Meiningen gantz neu gegossen worden, und da sie einen Lücken im Leüten bekommen, so wollten sich einige Handwerksleute unter den hiesigen finden, welche das zersprungene Stück wollten rauß schneiden, andere wollten mit Eysern meßeln daß Stück rauß meßeln, ein ander wollte den Sprung rauß bohren, aber es war alles vergebens, es konnte einer so wenig dran machen, als der ander und war kein ander Mittel, die große Glocke mußte um gegossen werden. So hat man beim Hochfürstl. Consistorio mit dem Glockengießer in Coburg folgenden Accort verfasset, wie folgt:

Daß die alte zersprungene Glocke die Gemeinde solte auf Coburg führen lassen, vom Centner 6 fl. Ümgießer Lohn, Von 1 Pfund Zusatz 10 g. gr. 6 pf. Bezahlen, und vom Centner 10 Pfund abgang gebilligt sein, mit der Bezahlung wurden wir mit einander einig, daß, wenn die neue Glocke verfertiget und wieder hierher bracht, auf den Thurm gezogen und geleutet worden, So werden alle Kosten zusammengerechnet und die Helfte Baar be-zahlet, die andere Helfte bleibt wegen der Gewährschaft 1. Jahr stehen, Hierauf wurde den 14. Jul. die zersprungene Glocke vom Thurm oben auf 2 Bäume zum Loch rauß gethan und runter gestürzt, hernach gewann die Gemeinde den Römhildter Schwanen Wirth, die alte Glocke auf Coburg und die neue wieder hierher zu führen und mußte ihm 26 fl. fränk. zu Lohn geben, der Wirth hieß Schober.

Die neue Glocke wurde oben auf Bartholomä umgegossen, in Gegen-wart meiner und des Dorfmeister, nebst noch viel Zuschauer, und den 12. Sept. wieder hierher geführt, den 16. Sept. wurde sie glücklich auf den Thurm ge-zogen, Wir haben den Glockengießer vor das Seil, Flaschenzüge und vor die inscription 12 fl. Extra bezahlet, die Zehrung hatte er dem Accort gemäß nicht verlangt, jedoch ist's nicht läär abgegangen. Sobald die neue Glocke geläutet wurde, so erschrak ich und noch viele mit mir, Weilen sie so dummer lautet, a b e r s i e h a t s i c h b i ß h e r V i e l g e b e ß e r t, Sie hat an Gewicht 21 Centner 95 Pfd., Gott verhüte, daß die Gemeinde führo hin mit der-gleichen Kosten Verschont bleibt, jedoch will ich dieses melten, daß mann nun behuthsamer mit der große Glocke Verfähret, als bißhero geschehn, Mann hat fest die zwey Nachbar mit Nahmen genannt, welche uhrsach an dem Sprung gewesen, indem sie beim Trauergeläut die Glocke gar zu sehr geläutet, und mag wohl einer beim schnell aufhören den Klüpfel ergrifen haben und mit

4

seinen Hut an die warme Glocke Kommen sein, dahero soll fernerhin nicht mehr verstattet werden, daß Große starke Junge Pursch oder Männer oben bey denen Glocken läuten, sondern sie sollen unten gewöhnlich und nicht all-zustark leuten, auch wenn etwann nach Gottes Willen solte wieder Trauer geläutet werden, daß man nicht zu Lang oder gar zu schnell auf einander läutet, damit die Glocken fein jederzeit wieder Kalt werden, wir haben dieses Mahl Kosten und Mühe Genug gehabt, doch sey Gott gedankt, daß sowohl beim runder Werfen, als Wieder aufziehen ohne Schaden und Unglück ist abgegangen.

Die neue Glocke hat sich sehr gebeßert, So daß jedermann darmit zu-frieden, die kleine Glocke hält den Thon D, die Mittlere A. und die Große wieder D. Daß Geläut wird Von vielen fremden sehr gelobt. Diese Große glocke hat der Gemeinde 392 fl. fränckisch, inn Gieserlohn, alles zusammen gekostet.   den 13. Jul. 1759.

1772 Gemeinde-Chronik: Diesen Monat (July) wurde vom Röm-hilder Zimmermann Schippel ein neuer Glockenstuhl verfertiget, Man kann aber nicht sagen, daß dieser neue Glockenstuhl fleyßig gemacht sey, er bewegt sich, wenn geleutet wird, Gar viel und sind die Glocken alle schwer zu leuten, den Sonntag vor Michaeli fiel die große Glocke zu Mittag beym erstmal leuten gar vom Stuhl runter, blieb aber Gott sey dank beim Stuhl auf den Bothen liegen; die Ursach mochte sein, das der Standt etwas weiter als der alte gemacht und die Zapfen zu beiten Seiten etwas Kurtz und das Leute-scheidt mogte sich auf den Riegel gefangen haben; jedoch ist Sie wieder glück-lich aufgehangen, nur ist schwär zu leuten, da auch die Jungen in der Schule an der Zahl gering, so hat mann 2 junge Pursch Gemeind wegen bestellt, das solche, so oft alle 3. glocken gelautet werden, zum Leuten kommen müssen, ihr Lohn besagen die Gemeinde und Heiligenrechnung: 1 Thlr. für leuten der großen Gl. an Sonn- u. festtagen.

2. Eicha. 2 Glocken.

a. 107 cm. 1485 Frater Joh. Rossangus, am Hals:

Fig. 16.   Inschrift an der großen Glocke in Eicha.

Anno. dni. m. cccc. lxxxv. vT ista T campana T est. reformata T in T honors. (honorem) Sti T anthii (an-thonii) per. frez (fratrem) T iohem (iohannem) rossangus (Fig. 16). Der Name des Gießers ist wohl Rossang oder Rosanger. P. Balthasar Baum 1571 deutet seine falsche Lesung per fratres auf die Antoniusbrüder, von denen allerdings mehrere in Eicha und

Gleichamberg wohnten und das Recht hatten, 4 sogen. Antoniusschweine im Dorfe mit einer Glocke am Hals herumlaufen zu lassen, welche von den Leuten gefüttert wurden. Brückner, Landeskunde II. 229.

b. 87 cm. 1715 Joh. Mayer. Am Hals: Gos mich Johann Mayer hier in Eicha. Darunter Fries von Engelsköpfen. An der Fläche vorn: Ernst Christian Heyder Pfarr. Joh. Bopp. Schulz Ernst Rosteuscher Caspar Graft Dorffs. M. Jacob. Hernlein Joh. Schlimbach. Heilgen. M. l. W. S., hinten 1715, am Schlag: Kombt Menschenkinder kombt zu eures Gottes Haus wer Gott hier zeitlich dient dem hilfft er ewig aus.

3. **Gleichamberg.** 4 Glocken.

a. 100 cm, 1470. Am Hals zwischen boppelten Strichlinien: flevch. hagel. vnd. wint. das. hilf. maria. vnd. ir. liebes. kint. rrrr. Iyy. iar. Die Worte sind durch Glöckchen und Kännchen getrennt.

b. 77 cm, 1741 Joh. Mayer. Am Hals: Goss mich Johann Mayer in Coburg 1741, an der Fläche vorn: Herr Joh. Peter Gütlich hochfürstl. sächss. gemeinschäfftl. Rath und Ambtmann wie auch Assessor des geistl. Untergerichts zu Römhild hat bey der damaligen Superintendenturvacant das Ambt verwaltet, hinten:

> In Gottes Hand ich hang
> Und ruf mit meinem klang
> Zur Kirch und zur Gemein
> Wohl wer sich stellet ein

Herr Georg Wolfgang Pommer, Schultheifs, Georg Pommer iun. Dorfmeister Joh. Müller Kastenmeister.

c. 55 cm. Am Hals:

$$\text{SPIRITVS REPLE TVORVM}$$

Fig. 17. Inschrift an der kleinen Glocke in Gleichamberg.

† . VENI . SANCTE . SPIRITVS . REPLE . TVORVM (Fig. 17.) *Komm heilger Geist erfüll die (Herzen) deiner (Gläubigen).* Die Worte sind durch Rosetten getrennt, die Buchstabenform weist in das 13. Jahrh.

d. ein kleines Schlagglöckchen unzugänglich außen an der Turmspitze.

4. **Gleicherwiesen.** 2 Glocken.

a. 1480, am Hals: anno . domini . tausend . vierhundert. (Fig. 18, s. umst.) vnd . in . dem . achzigisten . iar. Darunter Kreuzbogenfries mit Lilien. Die Worte sind abwechselnd durch Glöckchen und Kännchen getrennt.

Fig. 18. Inschrift an der großen Glocke in Gleicherwiesen.

b. 65 cm. 1722 Derk. Am Hals unter schönem Blumenfries das Chronogramm:

ICh rVff Den rohen sVnDer heer Dass es zVr bVsse sICh bekehr.

Nelke. An der Fläche v o r n:

DER ZEIT WAREN
H. JOH. GEORG GOEBEL PFARR.
JOH. VALT. TRIEBEL SCHULM.
CONR. SCHUNCK SCHULTH.
FRIED. RUDOLF ZOLLER, U.
NICOL. EULL DORFFSM.

hinten: UNTER GOTTL. SEGEN
UND GLUECGL. REGIERUNG
DERER
REICHS = FR = HOCH = WOHL = GEB. HERREN
H. R. JOH. ERNSTS u HR. HEINRICH CARLS
VON BIBRA
WURDE DIESE GLOCGE AUF KOSTEN
DER GEMEINDE GLEICHER WIESEN
GEGOSSEN

am Schlag: IN MEININGEN DURCH JOH. MELCHIOR DERKEN, barunter schmaler Akanthusstreif.

5. **Sülza.** 3 Glocken.

    a. 100 cm. Am Hals zwischen zopfigen Laubstreifen: Goss mich J. A. Mayer in Coburg 1777, vorn: Auspiciis serenissimorum Duc. S. Cob. Saalf. et Ducc. S. Cob. Meining. aere conflata ad cultum dei publicum et privatum excitandum Ao MDCCLXVII. *Mit Gunst der durchlauchtigen Herzöge von S. Coburg-Saalfeld und Coburg-Meiningen in Erz gegossen, um den öffentlichen und häuslichen Gottesdienst zu erwecken.* hinten das sächs. Wappen. Diese Glocke war zuvor 1649 in Robach gegossen.

    b. 90 cm. Am Hals Verzierung und Gußangabe wie bei a, 1758, vorn: Ad res divinas populo pia classica canto ex mandato seren. princip. Dom. Anton. Ulrici et dom. Franc. Josiae duc. Sax. J. C. et Mont. & & aere conflata *Zu den göttlichen Dingen singe ich dem Volke fromme Zeichen, auf Befehl etc.*

    c. 70 cm, wie bei b. iussu seren. princip — sacris publicis inservio.

6. **Sinnfeld.** 2 Glocken. 1870 Gebr. Ulrich.

7. **Linden.** 3 Glocken. 1896 Gebr. Ulrich, 1893 C. F. Ulrich, c. alte Todten=
glocke ohne Inschrift 14. Jhd.

8. **Mendhausen.** 3 Glocken, wovon die 3. 1830 von J. Bittorf.

  a. **An der Fläche vorn:** Als die durchl. Fürsten u. Herren, Herr
  Anton Ulrich, und Herr Franz Josias Herzoge zu Sachsen,
  I. C. u. B. a. E. u. W. christ fürstl. regiereten, wurde,
  unter gottl. Seegen diese Glocke, welche 1650. in Coburg
  gefertiget, und 1749. zersprungen, in eben diesem Jahr
  wieder umgegossen, durch Joh. Melchior Dercken in Meiningen. Hinten: Der Zeit waren, Herr Caspar Philipp
  Heusinger Pastor, H. Joh. Martin Scheller Schuldiener.
  H. Joh. Nicolaus Koob Schultheis. Andreas Thomas u.
  Joh: Balth: Hoffmann Heiligenmeistere. Simon Wachmar,
  u. Joh. Wachmar Dorffsmeistere in Menthausen.

  b. **An der Fläche vorn:** Als Herr Casp. Phil. Heussinger Pfarrer.
  H. Joh. Georg Ant. Deecken, Schulmeister. H. Nicol. Koob,
  Schultheis. Hans Mich. Wagner u. Mich. Elssner Hl.meistere
  in Mendhaussen, Gofs mich in Meiningen,

  Ioh. MeLChIor DerCk. (1752.)

  Hinten: Hierzu hatten weil. | Hr. D. Med. Joh. Georg
  Wagner, | u. dessen Fr. Eheliebste, | Johanna Margaretha,
  geb. | Goldhammerin, aus christl. Milde legiret, | 50. Gul-
  den fr. |

Einem Bericht des Herrn Pfarrers B. Hertel werden folgende Nachrichten
entnommen:

  a. Vertrag mit dem Glockengießer Gg. Werther von Koburg v. 3. Okt. 1650.
Demnach die Gemeinde zue Menthausen entschloßen, Ihre große Glocken
ohngefehr auf 18 Cent: Schweer so vor etzlichen jahren einen spalt bekommen,
wieder umbgießen zuelaßen, alß hat dieselbe mit einwilligung des Herrn
Superintendenten des fürstl. Ambts und des Herrn Pfarrers mit dem Ehren-
geachten und Kunstreichen Herrn Georg Werthern, Stück- und Glockengießer
zue Coburg nachfolgendes Geding getroffenn, Erstlichen soll der Glockengießer
so viel sichs wegen des abgangs leiden will, die Glocken wieder in ietzige und
in keine größere Form bringen, Vors andere so balt die Form zuegerichtet
es der Gemein wißend machen, daß Sie ein baar auß ihrem mittel abordnen,
In welcher gegenwarth die Glocken gewogen, zerschlagen, Im Offen geworffen,
gegoßen, unnd so denn wieder gewogen werde, Vors Dritte, die Glocken guth
und tüchtig verfertigen, und es dahin richten, daß solche einen starcken Klang
und hellen *resonant* bekomme, solche auch auf zwey jahr lang zuegewehren
schuldig sein, Vors vierte den alten Klöpffel zuerichten, daß solcher wieder
zue der newen Glocken zue gebrauchen,

Vors fünfte, Daß jehnige waß am Metal oder Schaum übrig bleiben
möchte, der gemein, solches Ihres gefallens anzuewenden, unweigerlich folgen

laſſenn, Vors Sechſte, unten umb die Glocken des ietzigen Herrn Pfarrers, des
Schulzen, Heiligen und Dorfsmeiſters nahmen, wie auch die jahrzahl'fertigen,

Vors Siebende Neben ſeinen geſellen die Glocken von Thurm herunder
bringen unnd wieder hinaufſchaffen helffenn,

Vors Achte will die Gemeinde auf Ihre Coſten die Glocken nacher
Coburg und von dannen wieder nach Menthauſen verſchaffen an andern
uncoſten aber, über den verabhandelten lohn, ſolche mögen nahmen haben
wie Sie wollen, nicht daß geringſte zuetragen verbunden ſeinn,

Vors Neunde Iſt Ihm zum geding verſprochen worden *Fuenffzig güllden,*
alß 15 fl. alſo balden bey den anfangt, 20 fl. nach verfertigter arbeit, unnd
15 fl. *Burckhardi* des 1651 jahrs, (worbey der Schulz bedinget, daß Er die
andere friſt der 20 fl. mit fünf S: Kornn zwey S: weitzen, zwey S:
Gerſtenn, unnd drey viertel Arbeiß bezahlen, und ſolch Getreidig nach Coburg
In daß Glockengießers gewahrſam liefern wolle, und ſollen über benante
fünfzig gülden, zwey Rthlr. denn geſellen, damit Sie deſtowilliger unnd fleißiger
ſein mögen, zum Tranckgeldt gegeben werden, Solchem allen trewlichen und
unbrüchig nach zue kommen haben beyde theil gelobet unnd handgebend verſprochen, unnd ſeind zur beurkundung Deßen, zwey gleichlautente Dingzettel
gefertiget, ſo wohl vonn den Herrn *Superintendenten* unnd fürſtl. Ambt alß
beydertheils *Contrahenten,* unterſchriebenn unnd vollzogen worden, So geſchehen
den 3 *Octobris* Des Eintauſend Sechs hundert unnd fünfzigſten jahrs.

　　　　　Johan Chriſtophorus Selbe D.
　　　　　Johann Georg förſter mp.
　　　　　Georg Werther Stück Vnd Glockengiſſer.

　　b. Vertrag mit Joh. Melch. Derck vom 3. Juni 1749.

Copia.　　　　　　　　*Actum Römhildt,* d. 3ten Juny, 1749.

　　　Vor fürſtl. Sächßl. Gemeinſchafftl. Geiſtl. Untergerichts-*Comiſſion* er-
ſcheinen:

　　　　Ehrw. Pfarr zu Mendhaußen, *Caspar Philipp* Häufinger, nebſt
　　　　dem daſigen Schultheiß, *Johann Nicolaus* Koob und dem Heil.
　　　　Meiſter *Andreas* Thomas,

und bringen den S. Meiningiſch. Hof- Stück- und Glocken-Gießer, Herrn
Johann Melchior Derck mit zur Stelle, in der Meynung, daß, weilen ihre
große Glocke ohnlängſten zerſprungen und unbrauchbar geworden, und ſie
ſolche umgießen laßen müßten, mit dieſem auf Genehmhaltung des hieſigen
Geiſtl. Untergerichts einen *Contract* zu ſchließen, und zwar müßte ſolche neue
Glocke ſo eingerichtet werden, daß dieſelbe ihr Gewicht, Ton und Klang
wieder erhalte.

　　　　　　　Herr Derck:

　　　Es wäre in der gantzen Welt gebräuchlich, daß von jedem Pfund 2 ggr.
Gießer-Lohn gegeben werde, welches wie eine Semmel am Laden ſeinen Satz
habe, was nun darüber am Gewicht wäre, würde ihm vor jedes Pfund
10. ggr. bezahlet; So viel aber die neue Glocke geringer wäre, würde ihm vor
jedes Pfundt 8. ggr. abgekürtzet, und davon könne er jetzo um ſo weniger

abgehen, als sowohl das Metall als Holtz und Kohlen theurer als in vorigen
Zeiten wären, da doch dieser Satz schon vor 100 Jahren wäre gebräuchlich
gewesen.

Ehrw. Pfarr u. Gemeine:

Sie wollten lieber sehen, wenn der *Contract* überhaupt geschlossen würde,
daß nicht hernach die *Extra*-Ausgaben sich noch allzu hoch beliefen; zumal
wolten sie auch dahin antragen, daß der *Contract* dahin miteinzurichten, daß
Herr Derck die alte Glocke auch vom Thurn herunter und die neue wieder
hinauf, auf seine Gefahr schaffe, wobey sie jedoch Hand mit anlegen wolten:
Ihre Meynung gienge dahin, daß sie die jetzige Glocke nach demjenigen Gewicht, wieder umzugießen, 100 fl. bezahlen wollten, und Herr Derck solche auf
seine Gefahr wieder auf den Thurn schaffe.

Herr Derck:

Er gehe zwar von dem Herkommen nicht gerne ab, doch wolle Er
100. rthlr. nehmen und die Glocke in dem jetzigen Gewicht, Ton und *Resonanz*
wieder und zwar frey auf den Thurn liefern, jedoch das Tranck-Geld, so er
in der Gemeine Willkühr stelle, und wovor die Gemeinde 2. Thlr. verwilliget,
ausgenommen, und zwar wolle Er die Glocke Jahr und Tag gewähren, vorher auch kein Geldt haben, sondern, wenn die Glocke fertig, solle die Helffte
zur Angabe gegeben, die übrigen 50. rthlr. aber binnen halben Jahresfrist
bezahlet werde; So viel aber die neue Glocke gegen die jetzige am Gewicht
übertreffe, oder geringer seye, davor müße ihm entweder bey dem Übergewicht
10. ggr. vor jedes Pfundt bezahlet, oder bey dem Abgang 8. ggr. *decourtiret*
werden.

Schultz und Heil. Meister:

Da sie es nicht weiter bringen könnten, wollten sie diesen *Contract*,
jedoch mit Genehmhaltung des Geistl. Unter-Gerichts eingehen und demselben
eine Genüge leisten.

Wie nun beyderseits *Contrahenten* auf diesen errichteten *Contract* und
zwar Herr Derck wegen tüchtiger Arbeit und *Caution* auch Gewährschafft, die
Gemeinde aber wegen schuldiger zu leistender Zahlung gerichtlich *stipuliret*;
Als hat man diesen Vergleich Geistl. Unter-Gerichts wegen *ratihabiret*, und
dieses nachrichtlich hieher *registriret*,

Actum ut supra.

H. Sächßl. Gemeinschafftl. Geistl. Unter-Gerichts *Commission* das.
P Grötzner mp.

c. Nachricht des Geistl. Untergerichts in Römhild an den Pfarrer Jakob
Salomon Krauß, vom 8. Dec. 1787, betr. die kleine Glocke.

Nachdeme der Schultheiß Andreas Amberg zu Menthausen zu vernehmen gegeben, daß der Glockengießer zu Stadt Fladungen die zu Menthausen zu verkauffen seyende kleine Glocken kauffen, und für das Pfd. 31 Xer
geben wollte, und dabey angefraget, ob solche Glocke dafür hingegeben werden
sollte, Als wird dem Eh. Pfarr Krauß zu Menthausen hiervon andurch
Nachricht gegeben, und demselben dabey bekannt gemacht, daß, um wegen des

Preiß der Glocke desto gewißer zu werden, man von den Glocken-Gieser zu Coburg die Nachricht erhalten: Daß wenn die Glocke von einer Gemeinde zum Gebrauch erkaufft werden solte, das Pfd. 40 Xer werth, falls sie aber zum Einschmelzen hingegeben werde, mehr nicht als 31 Xer für das Pfd. zu geben seye, daher indeme anfänglich von wegen der Gemeinde Löwenhahn die Glocke gesucht worden, der Eh. Pfarr durch den Schultheißen und Heiligen- meister versuchen zu laßen, ob bey ersagter Gemeinde oder auch einer andern die Glocke das Pfd. um 40 Xer oder doch höher als 31 Xer anzubringen ist, außer dem aber solche an den Glocken Gießer zu Fladungen um 31 Xer so ferne er nicht zu einen mehreren zu vermögen ist, gegen gleich baare Zahlung hinzugeben, das Geld bey den Heiligen in Einnahme stellen zu laßen und von den Erfolg die berichtliche Anzeige anher zu thun, auch so eine *Inscription* auf der Glocke ist, solche vorher aufschreiben zu laßen und mit anher einzuschicken. Wornach sich zu achten. *Sig.* Römhild den 8 *Decemb* 1787.

Herzogl. Sächs. Gemeinsch. Geistl. Unter-Gericht das.

C P W Döbner. J T Saalmüller. J C E Döbner.

d. Konzept der Anzeige des Pfr. Krauß an das G. Unter-G. v. 2 Jan. 88. (1788.)

Die hiesige kleine Glocke ist den Tag vor dem neuen Jahr an den Schultheißen und Vorsteher von Löwenhahn, welche zu dem Ende mit einem Mann von der Gemeine zur Abholung hieher gekommen waren, durch den hiesigen Schultheißen und Heiligenmeister mit meiner Bewilligung verkauft worden. So große Mühe man auch angewendet hat; so hat man doch das Pfund nicht höher als 34 Xr verkaufen können, weil die Käufer vorwanden, sie sey ihnen zu klein. Weil auch Kaüfer dieser Waare selten u. leicht das Intereße so viel hätte austragen können, wenn nach langer Zeit ein beßerer Kaüfer wäre gefunden worden; Sie hat 77 Pfd. gewog, u. demnach 34 fl. 13 Bz 3 Xer gegolt; welche auch baar bezahlet w. Die Glocke war ohne *Inscription.*

e. Zu Trauungen ist kein Geläut mehr üblich. Früher muß es anders Sitte gewesen sein. So lesen wir in einem *Directorium* zum Hochzeittage des *Joh. Wilhelm Rußwurm* und der *Eve Rosine Koobin*, 27. April 1841:

1) Des Vormittags um 9 Uhr wird zum 1sten Mal geläutet.
2)   um 1/210 Uhr zum IIten Mal.
3) Mit dem IIten Mal Läuten ruft der Brautführer den Bräutigam mit seinen Gespielen usw.
5) Um 1/210 Uhr wird zusammengeläutet.

Bei Beerdigungen — nicht bei eintretendem oder nach eingetretenem Tode — wird geläutet, in drei Pulsen.

Bei Wahlen zum Reichs= oder Landtage, zum Ortsausschuße, zum Peters= gerichte (Versammlung der Gemeinde zum Abhören der Gemeinderechnung u. dgl.) wird mit der mittleren Glocke geläutet.

Ein 86jähr. Einwohner giebt an: Schlägt ein Ton aus, oder fällt er, z. B. beim Stundenſchlage, wo ſtatt drei Schlägen um 3 Uhr nur zwei angeſchlagen werden, ſo iſt bies ein Vorzeichen andrer Witterung.. Derſelbe: Die große Glocke kündet durch einen auffallenden „Trauerton" an, daß es auf den Tod eines Ortsbewohners zugeht.

f. Die auch ſonſt bezeugte Sitte, in gewiſſen bedenklichen Fällen von Leichen-gängen, wie bei Katholiken, nur teilweiſe die kirchlichen Ehren zu erweiſen, wird durch folgenden Beſcheid für unſere Parochie und Diözes bezeugt. Welcher Fall vorlag, iſt allerdings unbekannt.

(Titel.) Auf eingeſchickten Bericht wegen des verſtorbenen Schäfers zu Menthauſen habe nach geſchehener Comunication mit denn *Tit.* fürſtl. Herrn *Deputirten* ſollen zur Nachricht gedeien laßn, daß der verſtorbene ohne Leich Predigt zu begraben, zur Leichen mit den kleinen Glöcklein geläutet, auch Bußgeſänge beym Begräbnis gebrauchet werden, Geſtalt deñ in dergleichen Fällen auch vormals allhier in Römhild alſo iſt verfahren worden, Womit nebſt Empfehlung göttlicher Obhut verharre

Römhild den   Meines — —
  2. *Jun.* 1714.   *Joh Philipp.* Grötzner,
                             Sup.

9. **Milz.** 3 Glocken.

    a. 115 cm. Am Hals doppelter Blumenfries, an der Fläche vorn:

JUSSU
SERENJSSJMORUM PRJNC. CORREG. DUC. SAX
COB. SAALF. ET. MEJNJNGEN
HAECCE CAMPANA
PER FJSSURAM ANTE LAESA
AD PROMOVENDAM
DEJ. GLORJAM POPULJQUE PJETATEM
DENUO FUSA FEST COBURGJ
A. J. A. MAYER FUSORE DUCPRJVJL
MDCCLXVII.

Auf Befehl der durchlauchtigsten Fürsten, der mitregierenden Herzöge von S. Coburg-Saalfeld u. Meiningen ist diese Glocke durch einen Sprung vorher verletzt zur Förderung der Ehre Gottes u. des Volkes Erbauung neugegossen in Coburg von J. A. Mayer, Herzoglich privilegiertem Giefser 1757.

    b. 90 cm. Ohne Inſchrift, 15. Jahrh.

    c. 75 cm. Am Hals: JOBERLT KESSLR DER DIE GLOCKEN GEMACHT.

10. **Queienfeld.** 3 Glocken. 1864 von C. F. Ulrich.

Die alte große Glocke trug die Inſchrift: *Gegossen anno 1645 als M. Johann Stumpf Pfarrer war,* andrerſeits: *Christum lieb haben ist besser denn alles Wissen;* die mittlere war

1832 von Bittorf gegoffen, trug viele Namen und den Vers *Allein Gott in der Höh sei Ehr und Dank für seine Gnaden*, die kleine „Klingel" war ohne Inschrift. Das Viertelsglöckchen in der Turmspitze ist zersprungen, Inschrift: *Johannes Ulrich goss mich anno 1707.*

11. **Reutwertshausen.** 2 Glocken. 1886, 1867 C. F. Ulrich.

12. **Römhild.** 3 Glocken.

    a. 120 cm. Am Hals: **Ehre sei Gott in der Höhe, Friede auf Erden, und den Menschen ein Wohlgefallen, Lucae am andern Capitel.**

    vorn: **Als im taufentn sechshundertn und neundn Jhar**
        Der siebende Tag Septembris war
        Zu Abend um die siebende Stund
        Die Stadt Römhild gar im Fewr stund
        All Glocken sind alda zuflosfen
        Die Melchior Moerinck wiedr gegossen
        Zu Erfurt in der Friede Stadt
        Gott wohn uns bey mit feiner Gnad
        Anno Christi M D C X.

    b. 100 cm. Am Hals: **Anno 1609 den 7. Sept. auf den Abend umb 7 Uhr ist die Stadt Römhild gantz und gar verbrandt, und das Geleut zerflossen, welche Melchior Möringk zu Erfurth dieses Jahr wiederum hat gegossen.**

    c. 74 cm. Am Hals: **Ich ruf geht fort**
        Hört Gottes Wort.
        Mit Gott flos ich
        Matteus Tennel von Waldtorf gosf mich.
        Anno 1689.

Auch die hiesige Gottesackerkirche, zu der am 27. September 1708 der Grundstein gelegt wurde, hatte „drey Glöcklein, die ehedessen zu Trohstatt gewesen", die von Herzog Heinrich von S. Römhild „auf das mit Schiefer gedeckte Thürmlein verehret" worden waren. Dieses Türmchen soll in der ersten Hälfte des laufenden Jahrhunderts seiner Schwere wegen herabgenommen sein. Über den Verbleib der Glöcklein habe ich nichts erfahren können.

13. **Sülzdorf.** 2 Glocken. a alt, ohne Inschrift, b 1878 von C. F. Ulrich.

14. **Westenfeld.** 2 Glocken. a. 1850 C. u. R. Mayer.

    b. 67 cm. Am Hals: Goss mich J. A. Mayer in Coburg 1777, darunter Palmettenkranz, vorn: Kommt lasst uns anbeten und knieen und niederfallen vor dem Herrn, hinten sächs. Wappen.

Die Viertelglocke, welche nicht läutbar: **1598 GOSS MICH MELCHIOR MÖHRING IN ERFURT,** unzugänglich an der Turmspitze.

15. **Wolfmannshauſen.** 3 Glocken.

   a. 1783. Ave Maria gratia plena dominus tecum. Franz
Ludwig Fürst U. B. zu Würzburg AO 1783.

   b. unzugänglich.

   c. Am Hals: anno · domini · m° · cccc° lxxxii° g · · on · · nt · uirga · de · radice · iesse · Die Worte ſind abwechſelnd durch
Glöckchen und Kännchen getrennt, unter dem Schriftband Kreuzbogen-
fries mit Lilien.

6. Ephorie Hilbburghauſen.

1. **Adelhauſen.** 2 Glocken.

   a. 80 cm. Am Hals Palmettenfries, an der Fläche ſächſ. Wappen,
barunter vorn: Campana haec sub regimine principis ac domini dn. Ernesti Friderici Caroli ducis Saxoniae, hinten: cura
dni Johannis Caroli Christiani de Hessberg dynastae et
ecclesiae huius patroni fusa est, am Schlag: Goss mich
J. A. Mayer in Coburg 1764. *Diese Glocke ist unter der
Regierung des Fürsten u. Herrn, Herrn E. F. Karl, Herzogs
zu Sachsen durch Fürsorge des Herrn J. C. Christian von
Hessberg, Dynast u. Patron dieser Kirche, gegossen.*

   b. 60 cm. Am Hals: aue maria gratia plena dominus
tecum.

2. **Bedheim.** 3 Glocken. a 1863 R. Mayer, c 1838 Albrecht.

   b. 87 cm, 1515. Am Hals: aue maria gracia plena dominus
tecum · anno domini m° cccc xv, barunter Kreuzbogenfries
mit Lilien, bicht barunter Relief Jakobus des Ältern mit Hut und
Stab als Patron der Pilger.

3. **Bürden.** 3 Glocken. a u. c. 1835 R. Mayer, b. 1889 Gebr. Ulrich.

4. **Ebenhards.** 3 Glocken.

   a. 90 cm. 1508 Peter Koreis. Am Hals: † anno · domini · xv°·
und + ym vii + yare gos mich per (peter) gortiß + mara
patron + dises + gok + haus. aue maria + gracia +
plena + dominus. An der Fläche einerseits Maria mit dem
Kind in einer Gloria, anderseits Michael. Human, Ebenhards S. 22.

   b. 70 cm. Am Hals: hilf · maria · mir · us · not · de · libe ·
hi · der · sele · dar.

   c. 55 cm. Meßglocke ohne Inschrift, 14. Jahrh.

5. **Eishauſen.** 4 Glocken. a. 1883 Albrecht, b. 1853 K. F. Ulrich, c. 1882
Albrecht, d. 1804 Heſſe.

6. **Harras.** 3 Glocken. 1877, 1894, 1877 C. F. Ulrich.

7. **Häſelrieth.** 3 Glocken. a. 1888 C. F. Ulrich, b. 1876, c. 1889 Gebr. Ulrich.

8. **Heßberg.** 3 Glocken. c. 1896 Gebr. Ulrich.

    a. 85 cm. Am Hals: Goss mich H. Mayer in Coburg 1774, an der Fläche: Ludovicus Ernestus de Lindeboom et Ernestus Henricus de Beust, dynastae Hefsbergae ecclesiaeque patroni M.DCCLXXIV.

    b. 67 cm, mit berſelben Inſchrift.

9. **Hildburghauſen.** Stabtkirche. 4 Glocken.

    a. 1871 Gebr. Ulrich, b. 1837 Albrecht.

    c. 102 cm. Am Hals: Haec campana ex reliquiis anteriorum diro incendio die XIX Aug. (1779) consumtorum restaurata est cura et sumtibus senatus Hilperhusani consul Jo Christoph Schmalzio et arte Jo. Andr. Meier Coburg 1781, *Diese Glocke ist aus den Resten der früheren im grausamen Brande am 19. August zerstörten auf Veranlassung u. Kosten des Rates erneuert.* Einerſeits das ſächſiſche, anderſeits das Stabtwappen, zopfige Frieſe.

    d. 70 cm. Me cum tribus sororibus majoribus e ruinis restauravit senatus Hilperhusan. arte Meieriana Coburgi 1781. *Mich ließ mit 3 gröſsern Schwestern aus den Trümmern wiederherstellen der Rat zu Hildburghausen durch Meiersche Kunst zu Coburg.* Wappen und Zier wie bei c.

Die alten Glocken waren a. 1621 von Hier. u. Melch. Moering, b. 1705 von Magnus Schenck in Coburg, c. 1718 von Derck, d. ein kleines Glöckchen mit Mönchsſchrift, welche aber nicht zu leſen iſt, „weil es halb hinauswerts des Thurns hanget." Die Inſchriften bei J. W. Krauß Beyträge II. 142, deſſelben Antiquitates et Memorabilia von Hilbburghauſen 142, Human Chronik der Stadt Hilbburghauſen 383. 1685 wurde nach Krauß die Predigtglocke von 15 Ctr. dem Matthias Döhner zu Wallborf verdingt.

Neuſtäbter Kirche. 3 Glocken.

    a. u. c. 1836 Rob. Mayer, Inſchriften bei Human 405.

    b. Am Hals zwiſchen Rokokofrieſen: Quaerite dum resono christi pia tecta frequentes *Suchet während ich töne in Scharen das Haus Christi,* vorn das Herzogliche Wappen mit E H Z S. hinten bie Inſchrift:

        ✻ D . T . O . M . S ✻ (Deo ter optimo maximo sacra)
      ET . VTILITATI . PVBL . S . (publicae salutis)
   SERENISS . PRINCEPS . AC . DOM ✻
     DOMINVS . ERNESTVS . IV
   DVΛ · SAX . I . C . M . A . W . RELIQVA .
   COGNOMENTO . PROPRIA . BENIGNVS .
   A . CHR . MDCCVII . KL . QVINCTIL ✻ (1707 Juli 1.)
     F ✻ E (fusa est) ✻ PER ✻
   MAGNVS . SCHENCKEN ✻ am Schlag Rankenfries.

Katholische Kirche. 1 Gl. Am Hals: Johann Heinrich Graulich in Hildburghausen gos mich A. 1722, in der Mitte:

Christiadas Aes Sacrum Christi Ad Rostra Vocabis
Admonitos Claro nec Sine Mente Sono
Longius ut Puris onerent Jpsi Aethera Votis
Queis deducatur Laetior inde Deus, am unteren Rand:
Universa Terra Percrebuit Sonitus Eorum Et Ad Fines
Usque Orbis Habitati Eorum Personuit Rumor. Ep. ad.
Rom. Cap. X Vers. XVIII. Oben und unten finden sich Rokoko=
Ornamente, oben mit Engelsköpfen, sowie ein Monogramm.
Auf dem Rathaus unzugänglich die Wein= und die Sturmglocke.

10. **Leimrieth.** 2 Glocken. 1886 Gebr. Ulrich.

11. **Pfersdorf.** 3 Glocken. b. 1889 Lotter, c. 1888 C. F. Ulrich.
    a. 79 cm. 1506 Peter Koreis, am Hals: † anno . d m̄ . zu⁶ . unnd .
    zm . vi . zart gof mih peter korris . maria mdalena .
    sant nielas patron dises gohaus aue maria gracia.

12. **Roth.** 3 Glocken. 1858 C. F. Ulrich, 1869, 1871 Gebr. Ulrich.

13. **Simmershausen.** 2 Glocken.
    a. 89 cm. Am Hals: aue . maria . gracia . plena . dominus .
    tecum . benedicta . tu . in mulieribus . et . benedictus
    fructus . ventris . tui. Die Worte sind abwechselnd durch
    Glöckchen und Kännchen getrennt.
    b. 74 cm. 1484 am Hals: anno domini milesimo quadra=
    gentesimo octogesimo quarto. Darunter Kreuzbogenfries
    mit Lilien. Die Worte sind durch Kännchen getrennt.

14. **Streffenhausen.** 3 Glocken. 1889 / 87 / 87 Lotter.

15. **Streufdorf.** 3 Glocken, wovon c 1889 von Lotter in Bamberg.
    a. 108 cm. 1504, am Halse: † anno domini + m° cccc ✳ iiii •
    vox ego sum vite christum laudare O venite, *Im*
    Jahr des Herrn 1504. Ich bin die Stimme des Lebens, kommet
    Christum zu loben. Vor vox ein Glöckchen, nach laudare Medaillon
    mit Adler, an der Fläche Relief Jakobus des Ältern mit Hut und Stab.
    b. 100 cm. Am Hals zwischen Blattfriesen: Goss mich J. A. Mayer
    in Coburg + 1761. An der Fläche vorn das Herzogl. Wappen,
    darunter: Ernst Fridrich Carl Herzog zu Sachsen, hinten:
    J. N. Wedemann Pfarrer, J. C. Truetschel Schulmeister.
    L. Just. Leib Schultheis. J. R. Hessner Dorfm. J. P. Grass
    Castenm.

16. Veilsdorf. 3 Glocken.

a. 122 cm. Am Hals zwischen breiten Palmettenfriesen (Fig. 2 u. 19):

Fig. 19. Unterer Fries an der großen Glocke in Veilsdorf.

Consilio et opera nobilis ac magnifici viri Joh. Kasp. de Gotfart, illustr. D. Sax. Joh. Casim. consiliarii et marschalci. D. ✜ Stephano Franco pastore in Veilsdorf. Ädile Georgio Kunero fusa est haec cambana. Erfurd Hermanno Konigk. Anno MDCIV. *Auf Rat und Bemühung des edlen und glorreichen Herrn J. K. von Gotfart, des durchlauchtigen Herrn Herzogs Joh. Casimir Rat und Marschall, unter Herrn St. Frank, Pastor in Veilsdorf, und dem Schultheiß Georg Kuner ist diese Glocke gegossen. 1604.*

Am Schlag:

En ego campana nunquam pronuncia vana
Laudo deum verum plebem voco congrego clerum **1604.**
Sieh ich Glocke verkünde niemals Eitles, ich lobe den wahren Gott, rufe das Volk, sammle die Geistlichkeit.

b. 93 cm. Türkenglocke. Am Hals:

Fig. 20. Inschrift an der mittleren Glocke in Veilsdorf.

gloria in excelsis, darunter Kreuzbogenfries mit Lilien; am Schlag an den 4 Seiten marcus – iohannes – lucas – mathevs, dazwischen ein gotischer Laubstab. (Fig. 21.)

Fig. 21. Laubstab an der mittleren Glocke in Veilsdorf.

c. 72 cm. Am Hals zwischen Palmettenfries (Fig. 3): goss mich J. A. Mayer in Coburg 1769.

17. Weitersroda. 2 Glocken: 1892 Gebr. Ulrich.

18. Zeilfeld. 3 Glocken. 1874 Gebr. Ulrich, 1853 F. Ulrich, 1874 Gebr. Ulrich.

7. Ephorie Heldburg.

1. **Colberg.** 2 Glocken.

    a. 50 cm. Am Hals: Goss mich Johann Majer in Coburg 1736, vorn: Schultheiss Johann Hoffmann Dorfmeister Christoph Hoffmann Kastenmeister Michael Ameiss.

    b. 40 cm. Inschrift wie a.

2. **Gellershausen.** 2 Glocken.

    a. 102 cm. 1463, am Hals zwischen doppelten Striclinien:

Fig. 22. Inschrift an der großen Glocke in Gellershausen.

Anno . dm . m . cccc lxiii . maria . hris . mich . cristus . der . schuf (Fig. 22) mit ffiha, breite, schöne, sehr flache Minuskel, zuletzt kleiner werdend, die letzten 5 Buchstaben unverständlich. Auf der Platte 6 mal ein Schwert, das auf einem Schildchen liegt, an der Flanke die Linienfigur eines Heiligen in Diakonentracht mit Palme = Stephanus, darunter noch ein unkenntliches Gießerzeichen. Die Typen, die Schwerter und die Linienfigur weisen auf einen Erfurter Gießer, der von 1475—93 nachgewiesen ist, sich ein einzigesmal 1492 auf einer der Silberglocken des Erfurter Doms Johannes Kanttebon nennt und nach seinem Grabstein im Domkreuzgang 1495 gestorben ist. Die Worte: cristus der schuf mich, sind auf Maria, nicht auf die Glocke zu beziehen. Die Glocke ist bereits gedreht.

    b. 85 cm. 1499, am Hals: aue maria gracia plena dominus [ecum] anno m cccc gcig. Medaillon mit Adler, unter der Schrift Kreuzbogenfries mit Lilien. Die Minuskel ist lang und mager. Die Glocke ist gedreht.

    c. 65 cm. Am Hals: aue m (aria . gracia . plena.) benedicta . in . i . mulieribus. Die Worte sind durch Glöckchen getrennt, die Hälfte der Inschrift ist unzugänglich und ergänzt. An der Flanke Christus am Kreuz mit Maria und Johannes.

3. **Gompertshausen.** 3 Glocken. 1892 C. F. Ulrich, 1844 Rob. Mayer.

4. **Heldburg.** 4 Glocken.

    a. Brautglocke. 130 cm. 1864 C. F. Ulrich. Die Vorgängerin hatte nach Döler bei Krauß Beiträge I. 75 die Inschrift: **defunctos plango vivos voco fulgura frango Ao dn. m. cccc lxxxii** (1482.)

    b. 110 cm. Am Hals 3zeilig:

        1483 † **Exurgat . deus . et . dissipentur . inimici . eius T** (Ps. 68.2)

        Stans | Michael fortis pugnans . cum . principe . mortis T

        T ihs . maria . | M cccc . lxxxiii . sub . erasmo . abbate . ii

Es erhebe sich Gott und seine Feinde mögen zerstreut werden.
Es steht der starke Michael und kämpft mit dem Fürsten des
Todes Jesus Maria 1483 unter dem 2. Abt Erasmus.

Die Glocke stammt aus Kloster Veilsdorf, vergl. Human, Chronik von
Kloster Veilsdorf S. 19. 20.　　Erasmus Rausch war der zweite Abt
der neueingeführten Benediktiner 1469—94, vorher war das Kloster
mit Nonnen besetzt.　Krauß Beiträge I. 75.

c. Meßglocke.　95 cm, am Hals einzeilig:

> GEORG WERTER IN (Löwe) C (Löwe) GOS MICH +
> M(einen) CLANG GEB ICH +
> FROMEN KRISTEN RVF ICH
> TIE TODTEN BEWEIN ICH.

An der Flanke ein Ritter mit Banner, darüber I. C. (Joh. Casimir)
H. Z. S. C. V. B. AŌ 1626.

d. Taufglocke.　70 cm.　1319, am Hals:

> E . MARCVS . TMCAS . IOHANNES . MATHEVS . ANNO . MCCC . XVIIII

„Döler merkt in seinen Kollektaneen 1642 an, diese älteste sog. Taufglocke habe nach alter Leute Bericht vorher zu Westhausen gehangen,
worauf Matth. Marc. Luc. Joh. und MCCCXVIIII gestanden.“
Krauß Beiträge I. 46, 75, 429.

e. Sterbeglocke.　65 cm.　Am Hals:

> ave . maria . gratia . plena . dominus . tecum.

Die Worte sind durch Glöckchen getrennt.　Das Glöckchen wurde früher
Cäppelein genannt und soll nach Krauß I. 75 die Jahreszahl
MCCCCXIIX = 1418 gehabt haben, doch wäre die Schreibung IIX
für 8 im Mittelalter nicht möglich.　Eine Jahreszahl ist gar nicht
vorhanden. — Die Glocke, obwohl seit längerer Zeit gesprungen, wird
nach hergebrachter Sitte bei Leichenbegängnissen und Bußtagen mit dem
andern Geläut verbunden.

5. **Gellingen.** 4 Glocken. c. 1831 J. Albrecht, d. (Gleisack) 1892 C. F. Ulrich.

a. 101 cm.　An der Flanke vorn: J. G. Wagner Rath u. Amt-
mann. G. M. Kraus Superint. G. F. G. Friedlein Pfarrer
J. D. Ebert Cantor und Namen der Vorsteher Gos mich J. A
Mayer in Coburg 1786.

b. 81 cm.　An der Flanke vorn:

> Herr laſs dies tönernt Ertz
> Zu deinem Ruhm erklingen
> Der Glocke Schall ins Ohr
> Dein Wort ins Herze dringen.

Goss mich Mayer in Coburg 1774.

6. **Holzhausen.** 2 Glocken. a. 1863 R. Mayer.

b. 60 cm.　Am Hals über Eichenblattstreifen: Guss von Johann Mayer
in Coburg, an der Flanke vorn: Trivini (triuni) deo ter opt.

max. in hohnorem in sui andificationem (aedi-) et posteris
ad imitationem Comm. Holzhos. hanc campanam 150
cirtiter pondv habentem fundi curavit. Ano Christi 1728.
*Zur Ehre des dreieinigen, dreimal allerhöchsten Gottes lie/s
die Gemeinde Holzhausen diese Glocke von 150 Pfund Gewicht im Jahr Christi 1728 gie/sen.*

7. **Kässlitz.** 3 Glocken. 1897 von Anton Klaus. Vorher waren 2 Glocken
vorhanden.

    a. 85 cm. 1820 mit der einfachen Bezeichnung *Kässlitz* zwischen
Zinnen und Rundbogenfries, wahrscheinlich Nachahmung einer älteren,
aus dem Schlag war ein faustgroßes Stück ausgebrochen.

    b. 60 cm. Am Hals: ave . maria . gratia . plena . domi-
nvs . tr(cum), die Worte durch Glöckchen getrennt.

8. **Lindenau.** 3 Glocken.

    a. 110 cm. Am Hals: credo sanctam ecclesiam catho-
licam T eine heiligen Kristenlichen kirchen ano
domini 1505 (nach Krauß I. 377) darunter Kreuzbogenfries mit
Lilien, an der Flanke der Evang. Matthäus.

    b. Gebetglocke. 68 cm. 1798 von Gottlob Hesse in Coburg, am Hals
Palmettenfries, die Vorgängerin war von Georg Werther (1625—29.)

    c. 60 cm. Am Hals: LVCAS MARCVS IOHANNES MELCHIOR BAL
THASAR, darunter ein Perlstab.

9. **Poppenhausen.** 3 Glocken. a. 1840 Albrecht.

    b. 90 cm. Am Hals:

DORCH . DAS . FEIER . BIN . ICH . GEFLOSSEN .
M . IACOB . KONIG . v. ERFFVRT . HAD . MICH . GOSSEN .
ANNO . 1621

darunter Barokfries von Rankengewinde. (Nach einem Bericht ist die
Glocke von Dorscht in Coburg gegossen, wozu der Eingang DORCH
wohl die Unterlage bildet.)

    c. 50 cm. Ohne Inschrift, schlanke (Zuckerhut-)Form des 13. Jahrh.
Der Guß ist roh und körnig. — Ein zersprungenes Gemeindeglöckchen
ohne Inschrift läutet zu Fronen und Versammlungen.

10. **Rieth.** 3 Glocken. 1832 Albrecht, 1811 (?), 1845 (?).

11. **Schlechtsart.** 2 Glocken. a. 1885 C. F. Ulrich.

    b. 71 cm. 1495, am Hals zwischen Linien:

Fig. 23. Inschrift an der mittleren Glocke in Schlechtsart.

(Adler) ave maria gratia plena dominus [tecum] anno
domini m°ccccxcv (Fig. 23.) Hinter domini und plena ein
Kännchen. Unter der Inschrift nasenbesetzter Spitzbogenfries mit Lilien.

12. **Schweikershausen.** 3 Glocken. 1890, 1886 C. F. Ulrich.
　　b. 53 cm. 1637, am Hals: **H. A. E. T. S. P. T. H. E. N. E. L.**
　　— **H. G. K. 1637.**

13. **Seidingstadt.** 3 Glocken von C. F. Ulrich.

14. **Ummerstadt.** 3 Glocken. b. 1840 Albrecht u. Sohn.
　　a. 94 cm. An der Flanke: **Sub regimine celsissimi principis
　　Ernesti Pii ducis Saxoniae Gothae et praefecti Heldburgensis
　　Wilhelmi campana haec in usum ecclesiae Ummerstadianae
　　formata est.** *Unter der Regierung des erhabenen Fürsten
　　Ernst des Frommen Herzogs von S. Gotha und des Heldburger
　　Amtmanns Wilhelm ist die Glocke zum Gebrauch der Kirche
　　in Ummerstadt gebildet worden.* **Durch Gottes Hilffe goss
　　mich Hans Heinrich Rausch von Erffurdt. Anno 1663.**
　　c. 67 cm.

Einem durch Pf. Schmidt ausgezogenen Bericht aus der Chronik ist zu entnehmen, daß 1632 die Kirche samt den Glocken verbrannte, das geschmolzene Erz
in Kuchen gegossen, aber 1640 von den Kaiserlichen geraubt wurde und 1685 eine
mittlere Glocke von Wolff Hieronymus in Nürnberg gegossen wurde. Der Bericht
lautet:

fol. 8: 1633. Im Monat Maji hatt man durch die Kräzwäscher
Michael Lieb und Hansen Keßel, zu Goldlauter in der Herschafft Hennebergk
wohnend, die in die Aschen gelegte Klockenspeis wieder auswaschen, und umb-
gißen laßen, also daß Sie 12 gegoßene Kuchen geliefert, so 1125 Pfd. gewogen, über dieses noch an ganzen reinen Stücken befunden auch 11 Centner.
Gott gebe gnad daß solche zur Kirchen nuz rein zur Klocken gegoßen Und
mit beßerem friede lange zeit Können gebraucht werden. (1632 im September
ist Ummerstadt durch die Kaiserlichen geplündert worden. Die Pfarrkirche,
das Rathaus, das Diakonat, die Schule, das Haus des Stadtschreibers, zusammen 57 Wohnhäuser ohne Scheunen und Nebengebäude giengen in
Flammen auf.)

fol. 27: Umb diese Zeit (1640) sind die Keißerische und Baierische
Armee zue Salfeld gegen einander, in den Gebirgen gelegen und den 15. Maji
(1640) angefangen die Keißerlichen mit starcken Trouppen von 1000 zu Fuß
Und 3000 Pferden das Fürstenthum Coburg, Stifft Bamberg und Würtzburg
zu plündern, und zue verderben, dergleichen nit erhöret worden. Bei welcher
Plünderung unser Kelch und 20 Centner Klockenspeis neben dem Altar Tuch
und Kolberger Kirchenornat (Filial Colberg) auch mit weggenommen worden,
haben viel fromme Leuth Ihr Leben dabei eingebüßt, viel Frauen und Jungfrauen genott Züchtiget und Theils mit weggeführt worden, Gott erbarm sich
doch des elenden Wesens.

fol. 47: Anno MDCLXXXV (1685) ist die Mittel Glocke so
611 Pfd. wieget allhier geschaffet worden. Hr. Johann
Moritz Flohrschüz hat Persöhnlich in Nürnbergk die Glocken
bestellet den 5. 8bris. Hr. Nikolaus Kilian und Hans Ed

haben dieselbe zu Nürnbergk abgeholet, da sie dann glück-
lich mit der Glocken den 22. Novembris als Dom: 23 p. Trin.
zwischen beyden Kirchen ankommen. Den 26. Novembris ist
sie, da vorhero sie von dem Schmiedt Hanß u. Osterwaldt
Franzen angejochet worden, und mit Notthürfftigen Eisen-
werk versehn auf den Thurn gezogen, und in Glockenstuhl
gehanget worden. Der Centner ist bezahlt worden pro 28 ₰
Hrn. Wolff Hieronymo Heroldt stück- u. Glocken Gießer zu
Nürnbergk. Zur anschaffung dieser Glocken sind von denn Geistl. Unter-
Gericht 120 fl. von dem aus den verkauften Gotteskastenfeldern gelößten Geldt
zu nehmen vorwilliget worden, wozu nachgehends sämbtliche Bürgerschafft
einen freywilligen beytrag gethan, und ein ieder nach Vermögen dazu ver-
ehret, welches sich auch auff etliche 40 fl. belauffen, so hat auch Gemeine
Stadt etwas gewisses dazu hergeschoßen, daß also ohne schuldmachung die
Glocken bezahlet worden. Gott bewahre Unser Gotteshaus sambt denen
Glocken großmüthig vor allem Unglück, und laß dieselbe Uns und unsern
Nachkommen auff Viel Jahre genießen. Dom. 1. Advents ist das neue
Kirchen Jahr mit eingeläutet worden, und zu mittag aus Esa: 40 bereitet
dem Herrn den Weg eine Glocken Predigt gehalten worden.

15. **Weßhausen.** 3 Glocken. b. c. 1835 R. Mayer.

    a. 110 cm. 1520, am Hals: Pelikan in Rundmedaillon **aut maria
gratia plena dominus tecum anno domini 1520,**
barunter doppelter Rundbogenfries mit Nasen und Lilien, an der
Flanke: Relieffiguren einerseits Urban mit Beischrift **s — urbanus T**,
anderseits Anna selbbritt mit Beischrift: **s — anna T.** Die 5 in der
Jahreszahl hat die Form der 6 und Veranlassung gegeben, 1620 zu
lesen, welches aber wegen der Inschrift und Bilder sicher ausgeschloßen
ist. — Das frühere Gemeindeglöckchen, jetzt auf der Schule, ist alt,
ohne Inschrift und Zier.

8. Ephorie Eisfeld.

1. **Biberschlag.** 3 Glocken. a. b. 1893, 1874 C. F. Ulrich.

    c. 60 cm. Am Hals: Bekehret euch zu mir, so will ich mich
zu euch kehren. Zacharia 1. Cap. Umgoß mich Joh.
Mayer in Coburg 1740, da He. Joh. Werner Kraus Superinten-
dens und He. Joh. Georg Habermann Ambtmann in Eisfeld, He. Joh. Georg Circkel Pfarrer und Joh. Lorenz
Gribel Schultheiß in Biberschlag waren.

Über den Umguß der großen Glocke durch R. Mayer 1856 ist folgender
Vertrag im Pfarrarchiv:

„Geschehen Biberschlag b. 31. März 1856.

Vor dem unterzeichneten Pfarramte erscheinen die Vorstände der hies. Gemeinde und deren Ausschuß und der Glockengießer Herr Robert Mayer von Ohrdruf

und verhandeln über den Umguß der großen zersprungenen Glocke hies. Kirche wie folgt:

Die aus der alten Glocke umgegossene neue Glocke soll dasselbe Gewicht und denselben Ton wie die alte haben. Der Ton ist nach unserer Orgel G; nach der Pfeife des Herrn Glockengießers As; das Gewicht der alten Glocke soll vorher er= mittelt werden. Der Transport der alten Glocke nach Ohrdruf soll von Schleußingen ab, wohin die Gemeinde dieselbe zu schaffen hat, auf Kosten des Accordanten ge= schehen, sowie der Transport der neuen Glocke von Ohrdruf bis Schleusingen, von wo aus dann die Gemeinde ebenfalls die neue Glocke auf ihre Kosten abzuholen hat.

Die neue Glocke in oben angeführter Weise soll um den Preis von Ein= hundert Gulden rh. und Fünfzehn Gulden rh. hergestellt werden. Die Hälfte dieser Accordsumme soll der Accordant bei Lieferung der Glocke erhalten; die andere Hälfte von 57½ fl. soll in zwei Raten und zwar in jährlichen abgezahlt werden. Sollte die neue Glocke ein Mehrgewicht haben, so macht sich die Gemeinde ver= bindlich, dasselbe bis auf ⅛ Ctr., das Pfd. zu ½ ₰ Preuß. (52½ kr.), nach= zuzahlen. Das etwa fehlende Gewicht wird an der Accordsumme abgezogen. Die Lieferung der neuen Glocke ist auf die Pfingstwoche festgesetzt, und garantirt der Glockengießer auf 10 Jahre und zwar so, daß während dieser Zeit entstandene Schäden auf Kosten des Verfertigers mit Inbegriff des etwa nötigen Hin= und Rücktransportes herzustellen sind. Auf der einen Seite der Glocke sollen die Namen des Geistl., Lehrers, der 4 Vorstände hies. Kirchengemeinde, und auf der anderen Seite ein passender Spruch stehen. Der Klöpfel soll in Ohrdruf eingepaßt und die Kosten durch Rechnung belegt werden.

Vorstehender Accord soll vorbehaltlich Hoher Genehmigung auf beiden Seiten gültig sein und ist von denselben zu unterschreiben.

Biberschlag, d. 31. März 1856.

(Es folgen die Unterschriften.)

2. **Brünn.** 3 Glocken. a. 1893 C. F. Ulrich, c. 1824 C. A. Mayer. b. 50 cm. 1567, am Hals: † ave·maria·gratia·plena·dominus· ferum·benedicta·tu·in·mulis. Die Worte sind durch

Glöckchen getrennt, oben mit Zinnen, unten mit Rundbogenfries eingefaßt. An der Flanke einerseits Wappen, auf dem Schild 5 Lilien ⅔ gestellt, auf dem Helm 2 Büffelhörner, die in Lilien enden (Fig. 24), anderseits Recht= eckschildchen mit FBRP , darunter Maria mit Kind in der Strahlenglorie, am Schlag in Rechteckumrahmung:

EVSTACHIVS LORBERVS APVD
S. STEPHANVM PABEPERG ET
NOVI MONASTERY HERBIPOLEN
SIS CANONICVS HOC OPVS FIE
RI FECIT . M . D . L XVII

Fig. 24. Brünn mittl. Glocke.

Die Glocke ist jedenfalls 1804 in Bamberg gekauft.

Über die **a l t e n** Glocken finden sich folgende Nachrichten im Pfarrarchiv: 1723 wurde die **m i t t l e r e** Glocke von H. Johann Heinrich Gräulich, Glockengießer zu Coburg, gegossen; darauf stehen diese Worte:

Johann Gräulich

in Coburg goss mich 1723.

Anno 1729 wurde die **g r o ß e** Glocke von eben gedachtem Herrn Gräulich gegossen. Oben herum standen folgende Worte:

Johann Heinrich Gräulich

in Coburg goss mich 1729.

Dann findet sich in den hiesigen Akten eine Rechnung „über den Ankauf zwoer Glocken in **B a m b e r g** in die Kirche zu **B r ü n n** im Jahre 1804 für 295 fl. 8 kr. 13 pf."

3. **Crock.** 3 Glocken. a. 1870 C. F. Ulrich, c. 1876 Gebr. Ulrich.

   b. 100 cm. 1629, am Hals über Barockfries: **GEORG WERTER IN COBuRCK GOSS MICH IN CROCK HANG ICH FROMEN KRISTEN RUF ICH VNT DIE TOTEN PEBEIN ICH 1629.** An der Flanke Relief des Sündenfalls.

4. **Eisfeld.** 4 Glocken.

   a. **K l o e s h a f e n.** 155 cm. 72 Ctr. 1634, am Hals 2zeilig: **ANNO MDCXXXII D. I. OCTOB: PAPISTARVM IGNE DEVO-RABAR : SED. ANNO MDCXXXIIII LVTHERANORVM IG-NE RENASCEBAR. MICH: LATTERMANN AMBTSCASTNER IOHA: BERGER BVRGERM: GEORG HEIDER GASTEN-MEIST. ANTON NENTWICH STATSCHREIBER.** *1632 den 1. Okt. wurde ich durch das Feuer der Papisten verzehrt, aber 1634 durch das Feuer der Lutheraner wiedergeboren.* Am Schlag: **Anno M D C XXX IIII.** da gossen mich Hieronymus vnd Melchior Mehringe zu erfordt im Namen Gottes. Inschrift auch bei Krauß Beiträge III. 70 mit Abweichungen.

   b. **B a n z e r.** 128 cm. 39 Ctr. 1581 Christoph Glockengießer, am Hals: 🌸 Gottes wort das bleibet ewig ⚫ glaub dem mit der that biß selig ⚫ christof glockengiesser zu nurmberg gos mich, darüber Zinnen, darunter Fries von Vierpässen und nasenbesetzten Rundbögen, hinter selig ein Glöckchen. An der Flanke vorn Rechtecktafel mit

> IOHANNES BVRCKHARDVS
> ABBAS IN BANTZ ET MVNS
> TER SWARTZACH M. F. F. (me fieri fecit)
> ANNO DOMINI MDLXXVI

darunter dessen Wappen auf gekreuzten Abtsstäben, mit der Devise ✳ VIVIT . POST . FVNERA . VIRTVS ✳ (Fig. 25), hinten Crucifixus mit Maria und Johannes. Krauß l. c. nennt

Fig. 25. Banzer-Glocke Eisfeld.

ben Gießer Christoph Reistock, offenbar hat er cristof doppelt und das
2te Mal reistok gelesen. Der Familienname des Christoph war
aber „Glockengießer,“ s. diesen im Gießerverzeichnis. Thatsächlich steht
von reistock nichts da.

c. Meßglocke. 100 cm. 19 Ctr. 1537 (?), am Hals in kleiner,
dürftiger Minuskel: ✝ laus tibi domine . rex glorie
+ anno . domini . m ◦ ccccc xxx vii. Die letzte Zahl nicht ganz
sicher. Hinter domine und domini sind Glöckchen.

d. Stämm- oder Schulglöckchen. 39 cm, 1574, am Hals in Antiqua:
SANCTE EGIDI ORA PRO NOBIS M V C L XXIV, stammt aus der
Silber- oder Seigerhütte, nach deren Brand sie hierherkam. Krauß
hält sie für älter als die Kirche selbst.

5. **Gießübel.** 2 Glocken. a. 1849 Klaus.

b. 65 cm, 1734, an der Flanke vorn: Beim Anfang dien ich dir,
im Fortgang und am Ende, hor und verfuge dich zum
Gottes Haus behende, das Hertz. den Mund, die That,
laſs stimmen uberein, so WIrD IM AVsoang sVCh stets ChrIstI
Wonne sein. (1734.) hinten: Als Herr Joh: Jakob Lotz Pfarrer
zu U:Neubrunn, Joh: Daniel Widder Schultheiſs, u. Joh.
Christoph Grim Dorfmeister zu Gieſshugel Goſs mich Joh:
Melchior Dercke in Meiningen Anno 1734.

6. **Heubach.** 3 Glocken. b. 1862, c. 1864 R. Mayer.

a. 70 cm, 1702, an der Flanke vorn: HERR MAG: IOHANN B.
LANGGVTH · PASTOR ✱ IOHANN ✱ ERASMVS ✱ KOCH ·
LVDIMODERATOR ✱ IOHANN MVLLER . SCHVLTHEIS
NV (zu) HEVBACH ✱ GEORG WENTNEL SCHVLTHEIS
NV (zu) FEHRENBACH ✱ IOHANN BAVER ✱ INSPECTOR
✱ ANDREAS SCHILLING FORSTBEDIENDER ✱ OSWALT
GORING VND FRIEDERICH SCHMIDT BEIDE CASTEN-
oRSER (vorsteher) ✱ IOHANN LVTHER ✱ IOHANN IACOB
NICOLAVS GEIGER ✱ OSWALT STARCKER IOHANN
WEIGAND ✱ IOHANN WENTNEL ✱ IOHANN VLRICH
GEOS MICH ANO I 7oz (1702) ✱ H · B M ·

Über eine 1651 von Werter in Coburg für 111 Thlr. mit Glockenstuhl und
Schmiedearbeit angeschaffte Glocke ist folgender Gießervertrag im Pfarrarchiv:

Zu wissen, das heüt zu endtgesetztem Dato im h. Amt erschienen Clauſs
Sterker Schultheß unnd Clauß Mesch Castenmeister, beede zum Heubach, dann
Andreas Greiner von Fehrebach, von der Gläsergesellschafft daselbst abgeordnet
unnd gevollmächtigt, unnd gebührend angezeicht, Welcher gestalt Sie eine neue
Glocken gießen zu laſſen entschlossen, unnd derentwegen mit Meister Georg

Werther Stuck: unnd Glockengieſſer zu Coburg den Sie mit in's Ambt gebracht, uf nachfolgende Puncte einig worden, Mit untertheniger Bitte, ſolche
ihre abgeredete unnd mit dem handſchlagk becräftigte Punkten zue Pappier
zu bringen, unnd um mehrere nachricht willen iedem theil unter Ampts-
becräftigung auszuhendigen, Welchem billigmäßiger und ſoviel zu Gottes ehre
als beeder Dorfſchaften leibs unnd Seelen Wolfarth gereichendem begehrd,
Ambtswegen referirt worden, unnd ſoll vors

1.) die Glocken ungevehr uf ein 4 Centner, drunter oder drüber, was
das gewicht ausweißt, wird gemacht werden,

2.) Sollen unnd wollen beede Gemeinde vom Centner drey unnd zwantzigſt-
halben Reichsthlr. fränk. Wehrung bezahlen, unnd der Glockengieſſer alles uf
ſeine Coſten darzu verſchaffen.

3.) Künftig Montag über 14 tag, als den 16. bald eintrettenden Monats
Juny, ſollen hierauf unnd in abſchlagk 60 Reichsth. erlegt: unnd in des
Glockengießers ſichere gewahrſamb nach Coburg überliefert werden, unnd

4. der überreſt ſodann künftig Michaelis einſtehenden 1651ſten Jahres
ehrlich folgen, worüber uf Unverhoft des nicht Inhaltens das fr. Ambt zu
verhelffen,

5. Gleich wie obbemelte Schultheſſen, Caſtenmeiſter und abgeordnete
ehrliche Zahlung zuleiſten von beeden Gemeinden halber verſprechen, alſo auch
unnd hingegen hat Werther mit Handt u. mundt Zugeſagt, ein düchtig
Metall hierzu zu verſchaffen die gewehr, wie breüchlich uf 2 Jahr zu thun
unnd die Glocken uf's lengſt innerhalb 4 Wochen zu verfertigen.

6. die Abholung ſolcher Glocken ſollen die Dorffſchafften uf ihre Koſten
thun, nnnd dann vors

7. iſt abgeredet worden, wenn dieſe Glocken gehenckt u. ufgezog wird
der Glockengieſſer ſeinen Vetter, als einen geſellen, zur handtereichung, gegen
empfahung eines Reichsthlr. Trinkgeldes darzu ordenen ſoll unnd will, alles
treülich ſonder gefehrde,

Urkundtlich hab ich der Amptsverwalter das gewöhnliche fr. Ambts
Innſiegel hierfür geſtelt unnd mich eigenhendig unterſchrieben,

Geſchehen unnd geben in Ambt Eißfeldt Donnerstags den 29. May
Anno 1651.

(L. S.)   Johann Melling.

Unter dem 23. VIII. 1651 ſchreibt der Gießer:

Hirmit muß ich mit den Schultes in den Heupach wegen der Neuen
Glocken abgeret Wegen des Methal das mir der Kaufmann Jacob Butz von
Nurnberg mir das Methal Verſprochen und mir es in den preis nicht halten
Kan, und in Don Curfürſten Don Heitelberg Und Hanau Verboten iſt Und
keines auß den lant Zu folgen So Kane ich es den Cent. in den Geting
nicht geben. Und begere nicht mer als 6 Reichth. noch zu geben. Weil ich
es höher muß bezalen, Weil mich der Kauffmann nicht geweren kan, den ich
Keine mer an Nemen Wil, das ich den Cent. nicht anterſt als Umb 27
Daler geben kan, und Ver hoffe Kein Ver Zug lenger als in Virtzen Dagen

Wils Gott gißen weil den mein Frau den 27 Auguſt Witer nach Nurnberg
muß Wegen des Methal. Und Solle auch der gemein· Zum Heupach Keine
Unkoſten Verurſagt werten.

Geſchen in Coburgk den 23. Auguſt 1651.

Wen mir der Kauffman weil er das gelt in Seinen Henten hat den
Kauff halten wil Weil er nun in die 10 Wochen herget So ſolle die 6 Daler
Willich nicht begeren.

Georg Werther gloden

Und Studgiſſer Von Coburgk.

1663 bemerkt der Pfarrer: Die Mittelglocke zu Gotha gießen laſſen, wieget
2½ Centner, der Centner pro 24 Rthlr. koſtet mit Unkoſten u. Glockenſtuhl
faſt 70 Rthlr. Zu beiden Glocken hab ich Pfarrer mit allerlei Mitteln
fremente diabolo et mundo mannlich geholfen. Und wär ich verdroſſen und
blöde geweſen, es wär nimmermehr dazu kommen. Gott ſei aber Lob und
Dank, das ich's erlebet, das man nun hier auch 8 Glocken hat von guten Ton.

7. **Kirſchendorf.** 3 Glocken. a. 1889 C. F. Ulrich, b. c. 1805 von G. K.

8. **Neuſtadt a. R·** 2 Glocken. 1887 Gebr. Ulrich, 1823 Albrecht.

> Aus den Rechnungen geht hervor, daß 1738 Joh. Heinr. Greulich
> (graulich) zu Schleiz ein Glöcklein gegoſſen, an welchem bis 1741 be-
> zahlt wurde, daß 1757—67 wiederum zu Glocken geſammelt, 1767
> zwei ſolche von Meyer in Coburg gegoſſen, 4 Ctr. 69½ Pfd. ge-
> wogen und mit 348 fl. an den Gießer, 10 fl. 10 gr. an Trinkgeld
> und Zehrung bezahlt wurden.

9. **Oberneubrunn.** 1862 R. Mayer.

10. **Sachſendorf.** 3 Glocken. 1876, 1884 Gebr. Ulrich.

> c. 67 cm. 1757, am Hals zopfiger Fries und Goss mich J. A. Meyer
> in Coburg 1757, an der Flanke Palmettenkranz, ſächſ. Wappen,
> darunter: Gott zu Ehren
> lass ich mich hören.

11. **Schnett.** 3 Glocken. a u. c. 1867, 1857 R. Mayer, b. 1886 C. F. Ulrich.
Erſt 1830 wurden 3 neue Glocken angeſchafft.

12. **Schwarzbach**-Merbelsrod. 2 Glocken. 1885/87 C. F. Ulrich.

> Die größere war 1728 von Derck gegoſſen mit der Inſchrift: *Duce
> E. F. D. S. I. C. M. A. E. F. W. Dirigente E. L. Mar-*
> *schalch Pastore A. Fr. Först Confecit J. M. Dercke*
> *Meinungae 1728.*
>
> Die kleinere trug die Evangeliſtennamen: **mattheus, marcus, lucas,
> iohannes.**

13. **Stelzen.** 2 Glocken.

14. **Unterneubrunn.** 3 Glocken. c. 1819 C. A. Mayer.

  a. 95 cm. An der Flanke vorn: JOHANNES + VLLRICH + HAT + MICH + GEGOSSEN + INVNTER + NEI + BRIVN + Anno 1706 +

  b. 80 cm. Am Hals: Goss + mich + I. A. MEYER + in + COBURG + 1767, an der Flanke: SOLI + DEO + GLORIA.

III. Kreis Sonneberg.

9. Ephorie Sonneberg.

1. **Gefell.** 3 Glocken. b. 1845 C. F. Ulrich.

  a. 1740, an der Flanke vorn: Die Glocke wurde angeschafft Aus den Gottes Casten aō: 1740. Der Fürstl: S: Cobl: Meinungl: Beamte war Herr Johann Georg Meticke Der Herr Pfarrer zu Mupperg Herr Johann Friedrich Barnickel, Der Schultheiß von Gefell Nicolaus Stamberger Der Castenmeister Johann Weber, am Hals zwischen Palmettenfries: Goss mich Johann Mayer in Coburg.

  c. 50 cm. Ohne Inschrift, am Hals Zinnen und Rundbogenfries, 15. Jahrh.

2. **Heinersdorf.** 3 Glocken. a. 105 cm. 1604 H. u. M. Möhringk.

  b. 72 cm. Am Hals zwischen Stricklinien:

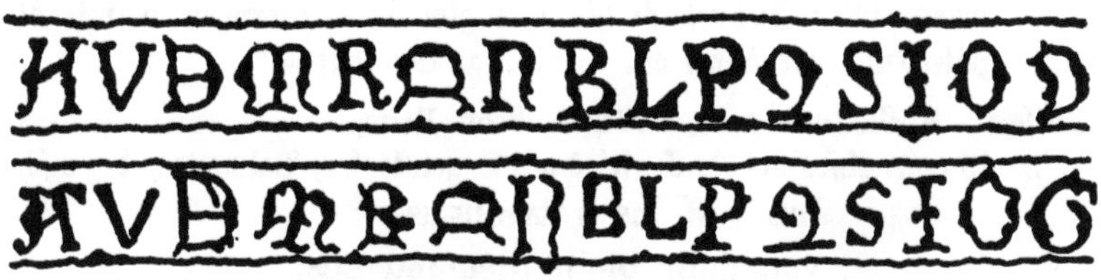

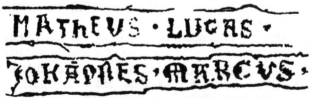

Fig. 26. Inschrift an der mittleren Glocke in Heinersdorf.

deutlich dieselbe, 2 mal mit **AVE** beginnende Folge von 15 Buchstaben, selbst das liegende **C** und das auf dem Kopf stehende **C** kehren genau in der 2. Reihe wieder. Ein Deutungsversuch scheint aussichtslos.[1] Die Glocke hat die oben breite Form des 14. Jahrh.

  c. 60 cm. Am Hals zwischen rohen Linien:

Fig. 27. Inschrift an der kleinen Glocke in Heinersdorf.

Der Schrift nach zu urteilen dürfte diese Glocke noch in das 13. Jahrh. gehören. S in Matthevs ist ausgebrochen, doch noch in Resten sichtbar.

---

[1] Lehfeldt, Bau- u. Kunstdenkmäler Thüringens XXVII. 7 erklärt: S. Johanne gratissime. Ave Maria carissima nobis benedicta lue peccata oder purgata. Das ist wertlos.

3. **Neußiß.** Seit 1871 auf dem Schulturm, Glöckchen von 53 cm aus der Kirche zu Mengersgereuth stammend, am Hals doppelter, formloser Fries, an der Flanke das Uttenhovensche Wappen (3 Balken, auf dem Helm ein Delphin, andrerseits die Inschrift:

MICH . GOS . IO . C . HESSE . IN . COBURG

HERRN

ANDON . V . UTTENHOFEN

LIES . DIESE . GLOCKE 1786

UND . ABERMAL 1793

UMGISSEN

ZUM . FREIWILLIGEN . GESCHENC

IN

DIE . KIRCH . ZU . MENGERSGEREUTH

4. **Judenbach.** 3 Glocken. a. 1882 Ebert Dresden, b. 1865 C. F. Ulrich.

    c. Meßglocke, soll silberhaltig sein. 55 cm, ohne Inschrift, am Hals Zinnen- und Rundbogenfries. 15. Jahrh.

    Liebermann, Geschichtl. aus Judenbach, vorl. Schriften Heft 25. S. 8 ist geneigt, ihr „tausendjährige Dauer" zuzuschreiben. 1767 goß J. A. Meyer von Coburg eine größere. 1555 bittet die Gemeinde den „hern Hauptmann" um Beihilfe zur Beschaffung einer Glocke, da ihnen „uffin Judenbach hie eine glocken abgegangen u. wir dieser zeiten nit mer dann ein ainiche glocken haben."

5. **Lauscha.** 3 Glocken. a. c. 1884/85 Gebr. Ulrich.

    b. 65 cm. Am Hals Rankenfries mit Engelsköpfen, Palmetten, dazwischen:

Ich ruff ins gotteshaus

von dahr bleib niemand aus,

am Schlag: Goss mich Johann Mayer in Coburg 1733.

    Eine alte Betstundenglocke sprang um 1780 beim Trauerläuten und wurde 1785 umgegossen. Daran stand *Johann Friedrich Greiner*, jedenfalls der Stifter.

6. **Mengersgereuth.** 3 Glocken. 1870 Bochumer Verein Gußstahl.

Über die 3 alten Glocken giebt ein Aktenauszug des Herrn Pf. Rix wünschenswerte Auskunft:

Am 24. October 1785 bemerkte man, daß die kleine der beiden hiesigen Glocken gesprungen war. Der Geistliche und die Ortsvorstände beschlossen, dieselbe umgießen und vergrößern zu lassen, zugleich auch eine dritte Glocke zu beschaffen.

Der Glockengießer Johann Andreas Mayer aus Coburg wurde ersucht, die Kostenanschläge anzufertigen. Er traf am 9. Nov. 1785 hier ein. Es wurde folgender Vertrag geschlossen:

1.) Da jetzt die kleine Glocke unbrauchbar geworden und einigen Aufwand erfordert: so wünschet die Pfarrgemeine, nach ihr geschehenem Vortrage, daß das Geläut so viel möglich, etwas stärker gemacht werde, weil solches bisher für die Eingepfarrten allzuschwach und dieß schon längst ihr Verlangen war.

2.) Nach vielfältiger Beredung mit Herrn Mayer, wobei der Herr Cammerrath von Uttenhoven die beste Berathung der Gemeine selbst mit allem Fleiße unterstützet hat, ist ein Geläut von drey Glocken gewählt worden, als welches in den Gemeinen der Eingepfarrten längst gewünscht worden, und man hoffet dazu, außer den Anlagen um so mehr etwas freywillige Beyträge, da sich manche Glieder der Pfarrgemeine mehrmalen darüber gütig erklärt haben.

3.) Herr Mayer gab folgendes Schema zu dem Geläut, welches den Schultheißen am besten gefiel und am leichtesten zur Erreichung der Absicht auszuführen sey. Nämlich es werden die Töne C, E, G gemacht, weil so die bisher noch gute Glocke bliebe, die kleine zersprungene nur umgegossen, und da sie kaum 100 Pfd. wiegen werde um 40 Pfd. schwerer gemacht würde. Solchem nach würde

C wiegen 5 Centner, kosten 300 fl. frk.
E unverändert bleiben
G wiegen 140 Pfd. und kosten 44 fl.

Sma 344 fl. frk.

4.) Herr Mayer erklärt, daß er nach obigem billigsten Ansatze des Preises nicht weniger nach angestellten Berechnungen nehmen könne, im falle man auf diese vorläufige Beredung, nachdem erst die Sache behörig bey der Obrigkeit angebracht seyn wird, den Accord mit ihm schließen wolle. Doch wolle er nach geschehener Vorstellung noch dies thun, und die Hälfte des Betrages bey der Lieferung, den 4ten Theil ein Vierteljahr darauf, die lezte ¼ Theil ein halbes Jahr darauf nehmen.

5.) Herr Mayer verspricht ein ganzes Jahr Gewährschaft der Glocken bei ordentlichem Gebrauch, so daß er in solcher Zeit für alle Mängel, die sich finden sollten, haften werde ohne Entgelt. Es bedingt sich aber derselbe

6.) daß die Gemeine das nötige Wachs zu den etwa belieblichen Zierrathen und Schriften auf die Glocken apart bezahle, die Arbeiten der Zierrathen und Schriften werde nicht apart bezahlet. Auch werde die Gemeine ein gewöhnliches Trinkgeld von wenigstens 3 fl. frk. überhaupt bey der Lieferung geben.

7.) Die Zahlung könne er nur nach dem 24 fl. fuß annehmen. Die Hinlieferung der alten und die Herlieferung der beiden neuen Glocken müsse die Gemeine selbst bestreiten.

8.) Da die Gemeine das Geläut baldmöglichst hergestellet wünschet: so verspricht Herr Mayer die Glocken Ostern 1786 gewiß zu liefern, wenn der Accord bald beliebet werde.

9.) Damit deshalb seinetwegen nicht Verzug entstehen könne, so sagt derselbe, daß er bey der gethanen ehrlichen und billigen Erklärung allemal beharrend werde und beruft sich deshalb auf seine an vielen Orten gemachten Accorde, unterschreibet auch daher vorläufig diesen Auffatz.

10.) Die Schultheißen und Kaftenmeifter waren mit Verficherung des Beyfalls der eingepfarrten Gemeinen mit obiger Dispofition und Meinung zufrieden.

Des Herrn Cammerrath von Uttenhoven Hochwohlgeb. geben dem Glockengießer Herrn Mayer ein fehr gutes Zeugnis der Billigkeit und Recht-schaffenheit, und erklärt vor allen, daß Sie für fich und Ihre Arbeiter, die auf den Eifenwerken zu Schwarzwald und Augustenthal wohnten, einen frey-willigen Beitrag von 44 fl. schenken werden, oder auch etwas mehr, wenn die kleinfte Glocke wegen exclufive 10 Pfd. Abgangs auch was mehr mache: falls obiges Schema approbirt werde.

Mengersgereuth, den 9 November 1785.

Attestirt Joh. Juftus Rösling. Pf. Joh. Andreas Mayer. Joh. Kasper Eichhorn, Schultheiß. Johann Schelhorn. Schultheiß. Johann Nicol fleischmann. Schultheiß. Johann Peter Blech-schmidt als Kaftenmeifter in Abwesenheit des ältftenden.

Auf der von H. v. Uttenhoven geftifteten Glocke wurde das Wappen deffelben und folgende Inschrift angebracht:

Herr Anton Ferdinand Ludwig von Uttenhoven,
Herzoglicher Cammerrath und Besitzer der
Eisenwerke zu Schwarzwald,
liefs diese Glocke umgiessen und vergrössern
zum freywilligen Geschenk an die Kirche
zu Mengersgereuth
für sich und seine auf den Gewerken
wohnende Arbeiter
1786.

Specification

derer Koften wegen der vor eine ehrbare Pfarrgemeinde zu Mengersgereuth ganz neu gegoffenen großen Kirchenglocke als:

Die neugegoffene Glocke hat mit denen 2 metallenen Pfännlein am Gewicht l. Waag-Zettel . . . . 509 ¼ Pfd.	
Das Pfd. accordirt, 9 Bz. thut in Sa. . . . . 305 fl. 10½ Bz.	
ferner für 3 Pfd. Wachß, à 12 Bz. thut . . . . . 2 „ 6 „	
für ein neu eigenes Joch . . . . 1 „ 3 „	
zum Trinkgeld . . . . 2 „ — „	
die Glocke auf die Waage und in die Schmiede schaffen zu laffen . . . . 4½ „	

Summa 311 fl. 9 Bz.

Hierzu noch das ausgelegte Bothenlohn im vorig Herbft 7 „ 8½ pf.

S. Summarum 312 fl. 1 Bz. 8½ pf.

Coburg den 2 ten May
1786

Johann Andreas Mayer.

Specification

des von Ihro Hochgeb. Gnaden, Herrn Cammer Rath von Uttenhofen,
nach Mengersgereuth umgegossenen kleinen Kirchen Glötgens

Das alte Glöckgen hat gewogen . . . . 109 Pfd.
davon gehen im Feuer ab . . . . 11 „
bleibt alt Metall . . . . 98 Pfd.
für das Pfd. umzugießen, accordirt 3 Bz., beträgt das Gieser Lohn 19 fl. 9 Bz.
Die neue hat gewogen lt Wag Zettel . . . . 148 Pfd.
das alte Metall davon abgezogen . . . . 98 „
bleibt neuer Zusatz . . . . 50 Pfd.
Das Pfd. neuer Zusatz accordirt a. 9 Bz. beträgt . . . . . 30 fl.
ferner, für das Wappen zu schneiden, dem Bildhauer bez. I. Z
(siehe unten †) . 2 fl.
für Wachß a 2½ Pfd. zu 12 Bz. . . . . 2 fl.
für das hölzerne Joch . . . . 12 Bz.
zum Trinkgeld . . . . 1 fl.
das Glocklein auf die Wage und dann in die Schmiede zu schaffen — 3 Bz.
für 1 neu Häng Eisen, ins Glötgen . . . . — 3 Bz.

Summa: 55 fl. 12 Bz.

Coburg d. 2. May
1786   Johann Andreas Mayer..

†

Zwey fl. fränk. habe von Herrn Meyer, Herzogl. Glockengieser allhier,
vor ein Wappigen auf eine Glocken in Birn Baumen zu schneiden und in
Gibß zu formmen, richtig erhalten. Welches hiermit bescheinigen sollen
Coburg den 24. febr.   Joh. Eusebius Kaufmann
1786.   Bildhauer.

Peter Blechschmidt zu Mengersgereuth und Peter Martin zu Forschen-
gereuth wurden eins mit andern für 2 fl. Lohn die Glocken den 8ten May
von Coburg abzuhohlen.

Da die im Jahr 1786 auf Kosten des Herrn geheimen Cammerrathes
von Uttenhoven umgegossene und etwas vergrößerte kleinste Glocke im Jahr
1790 abermals zersprungen und dadurch unbrauchbar geworden war: so
wurde dieselbe 1793 an den dermaligen Glockengießer Herrn Hesse nach
Coburg gesandt und diesem, nach vorheriger Beredung mit obengenanntem
Herrn geheimen Cammerrath von Uttenhoven und den sämmtlichen Pfarr-
Schultheißen und Kastenmeistern geschrieben, daß diese Glocke in der nämlichen Gestalt und mit dem nämlichen Ton G umgegossen werden solle. —

Am 8ten May 1786 Abends um 5 Uhr kamen die zwo neuen Glocken
nebst dem Glockengießer Herrn Mayer von Coburg hier an, der Glockenstuhl
war am nämlichen Tag reparirt worden, wurde am folgenden 9ten May
fertig und die Glocken aufgehängt und mit lautem Beyfall der Gemeinden
approbiret.

7. **Mupperg.** 3 Glocken. 1784 J. Mayer, Coburg.

Über beren Vorgeſchichte, Guß und Jnſchriften hat Pf. Roch folgende Nachrichten beigebracht:

Aufzeichnung bes Pf. Caſpar Füßlein (1646—97):

Die alte große Glockhen, findet man in Regiſter, daß ſie zu Bambergh gegoßen worden, Aō chriſti 1519. hat 25 Centner u. eßliche pfundt gewogen. Die ießige **Glocke** iſt zu Coburgh gegoßen worden, helt am gewicht 25. Centner, 80 pfund, der Knöppel 62 Pfd., Anno Chr. 1616. geſchehen. Jacob König Glockengießer zu der Zeit goß ſie. Jſt in allen wegen dieſer Glockhen 437 R. 20. gl. 1 pf. Unkoſten aufgeloffen, wie die Rechnung aō 1620 deswegen abſonderlich geführt, ausweiſt, hat ein iedes Haus 1 R. geſteuert, macht die Summa 108 R. 10 gl. 6 pf.

Das kleine Glöcklein helt 3 Centner. Das Uhrglöcklein 4¹⁄₂ Centner, wie die Rechnung von 1581 beſagt. — Ein Zuſaß aus etwas ſpäterer Zeit bemerkt: „Die mittlere Glocke wiegt nach der Gotteskaſtenrechnung von 1579/80 7¹⁄₂ Centner, und iſt nach der Gotteskaſtenrechnung von 1619/20 umgewendet worden. Dieſes (das oben genannte) kleine Glöcklein, da es die öhre verlohren, bis auf das Hauptöhr, und umgegoßen werden müſſen, hat an Gewicht nicht mehr gehalten, als 166 Pfund auf der Rathswage zu Coburg. Ob es in Kriegszeiten ausgetauſcht worden oder wie es mit zugegangen, daß es weniger als 3 Centner gewogen, das weiß man nicht.‟

a. 114 cm. Am Hals zwiſchen zopfigen Frieſen: FEC. J. MAYER COBVRG, an der Flanke vorn:

QVI TVRRI HVIC FVLMINE PERCVSSAE
IDEM ET MIHI SORORIBVSQVE MEIS
EXITIALIS FVIT
D. II. MAJI A. CIƆIƆCCLXXXIII
SED EORVM QVI AVSPICIIS
SERENISSIMI PRINCIPIS
AC DOMINI
ERNESTI FRIEDERICI
DVC. SAX. COBVRC.
SACRORVM CVRAM GERVNT PROVIDENTIA
BONORVMQVE MVNIFICENTIA
EX CINERIBVS PER QVOS DIFFVSA
NOVO HABITV ET NITORE PRODII.
A. C. CIƆIƆCCLXXXIIII.
DENVO DEVM COLENTIBVS INCITAMENTVM.

Der diesem vom Blitz getroffenen Turme verderblich war, *war es auch mir und meinen Schwestern 2. Mai 1783, aber* *durch derjenigen Fürsichtigkeit, welche unter dem Schutz des durchlauchtigen Fürsten u. Herrn Ernst Friedrich die heilgen Dinge besorgen, und durch Freigebigkeit guter Leute ging ich aus der Asche, in welcher ich zerflossen war, in neuem Gewand u. Glanz hervor 1784, wiederum den Gottesfürchtigen ein Lockmittel.*

hinten, wie auch bei ben übrigen, bas sächsische Wappen.

b. Dieselbe Ausstattung wie bei a. Vorn: Eodem quo sorores fato Eodem tempore sepulta Eamdem etiam benigniorem sortem Aliquo post tempore experta Cum iisdem revixi. A. C. CIƆIƆCCLXXXIIII.

Durch dasselbe Unglück, wodurch meine Schwestern, bin auch ich zu gleicher Zeit begraben worden, aber auch dasselbe günstigere Geschick habe ich bald darauf erfahren und bin mit ihnen wiederum zum Leben gekommen. Im Jahre 1784.

c. 76 cm, vorn: Igne consumta cum binis sororibus Eodem die Jam cum iisdem tota nova sum. A. C. CIƆIƆCCLXXXIIII.

Durch Feuer vernichtet mit zween Schwestern, bin ich am selben Tage mit ihnen schon wieder ganz neu geworden. Im Jahre 1784.

Der Besitzer des reichsfreiherrlichen Rittergutes genoß nach einem zwischen der Ritterguts-Herrschaft und dem Herzogl. Haufe S. Coburg vereinbarten Receß das Ehrenrecht, daß bei einem Sterbefall in seinem Hause das Trauer-geläut 14 Tage lang verrichtet werde, jedoch unter dieser Bedingniß und in der Maase: daß gedachte Ritterguths Besitzer jedesmal bei einem sich er-eignenden Sterbefall den Pfarrer zu Mupperg um das Geläut zu requiriren und zu ersuchen haben. (Lotz, die Pfarrei Mupperg topogr. u. hist. dargest. 1843).

8. **Neuhaus.** 3 Glocken. 1869 Bochumer Verein Gußstahl.

9. **Oberland.** 3 Glocken. b. c. 1879 C. F. Ulrich.

a. 120 cm. Am Hals: Goss mich J. Mayer in Coburg, am Hemb Distichen mit Chronogramm (1776):

Post Multos sonitu per tempora lapsa vocatos
ad coetus Domini rupta refusa fui
extinCto CaroLio popolu dum praeerat eius
virtuti similis dux sua laude regens
estoque georgius js sidus pariterque corona
auspiciis cuius patria tuta manet
schroterus iudeX populi iam Ivra gubernat
iVstitiam ornans integritate sVa
sacris praepositus fleischmannVs sacra ministrat
scharfenberg pascit mox tria lustra qreqem.

Nachdem ich Viele durch meinen Ton im Lauf der Zeit zum Gottesdienst gerufen, sprang ich und wurde wieder gegossen nach dem Hinscheiden Carls, welcher, solange er seinem Volke vorstand, ein Herzog war, ähnlich dessen Tugend, regierend durch seinen Ruhm. So sei auch Georg sein Stern und seine Krone zugleich, unter dessen Schutz das Vaterland sicher bleibt. Schröter leitet als Richter des Volkes Rechte, die Gerechtigkeit mit seiner Unbescholtenheit schmückend, Fleischmann als Superintendent verwaltet das Heilige, Scharfenberg weidet schon bald 3 Lustra (15 Jahre) die Herde.

10. **Schierschnitz.** 2 Glocken.

    a. 45 cm. Am Hals zwischen Rokokofriesen: In Nvrnberg goss mich Johann Balthasar Herold, an der Flanke vorn:

ANNO 1721
WAHR-GEORG-SEMBACH
SÆCHS-GEMEINSCH: FORST-BEDIENTER
DES-AMBTS-NEVENHAVS-WONHAFT-IN-MARK
UND-AVCH-STIFTER-DIESER-GLOCKEN-DEM-LIEBEN
GOTT-ZV-EHREN-VND-DER-NACHWELT-ZUM
ANDENKEN.

    b. 35 cm. Ausstattung und Gußangabe wie bei a, an der Flanke vorn:

ANNO-1716.
WAR-CRISTOPH-PETER-KÜHN-RATH-UNT-AMBTMANN-ZV
NEUENHAUS-IOH:BLECHSCHMID-PFARRER
DASELBST-GEORG-SEMBAGH-
FÖRSTER-ZU-MARK-UND-STIF-
TER-DIESER-GLOCKEN.

11. **Sonneberg.** 3 Glocken. 1844 C. F. Ulrich.

12. **Steinach.** 3 Glocken. a. b. 1845/42 C. F. Ulich, c. 1825 Majer.

    Über 2 ältere Glocken berichtet das Kirchenbuch (nach Pf. Dr. Rost):

Anno 1691 sollte H. Hans Michael Leuthäuser Handelsmann, durch ein fürstl. mitgegebenes patent in der reise nach Engeland eine collecte vor hiesige Kirche samlen, er hat aber sich die Zeit nicht nehmen können lange auf almosen zu warten sondern hat zu London in Engeland eine glocken auf eigene Kosten gießen lassen, welche daselbst gewogen 190 Pfd. samt einen Knipffel von 7½ Pfd. cum inscriptione: Hans Michel Leuthäuser verehret 1691. Im Junio 1692 hat solche Glocken sein Bruder, weil er unterwegens zu Bremen gestorben, Hans Paul Leuthäuser mitbracht. Weil aber der guß oben nicht gerathen, hat man 4 Löcher in die glocken müssen Boren lassen und ist erst 1698 mit der andern umgegossenen glocken in der neuen Kirchen aufgehenckt u. geläutet worden.

Anno 1752. Haben S. HochEdelgeb. Herr Johann Tobias Otto, Erb und Gerichts Herr allhier auf Obersteinach und Mupperg eine schöne Glocken von 3 Centr. und 84 Pfd. der Kirchen verehret und geschencket, welche die Weihnachtswoche aufgehencket und den ersten heiligen Christfeyertag geläutet worden. Gott erwecke bei jeden Puls die Hertzen der Hörer zur Begierde seines Worts, und gebe dem gutthätigen Schencker allen Segen und Gedeyhen.

13. **Steinheid.** 2 Glocken. 1892/95 Gebr. Ulrich.

10. Ephorie Schalkau.

1. **Bachfeld.** 3 Glocken. b. 1824 C. A. Mayer.

    a. 98 cm. Am Hals zwischen höchst gefälligen Blumen- und Fruchtstücken mit Vögeln: IOHANN MELIOR DERCK ZV COBVRG GOSS MICH UOR DIE GEMEINDE BACHFELD 1717. An der Flanke innerhalb einfacher Zierlinien:

MEN GOTT LASS DIESE GLOCK ZV DEINEM RVHM
ERKLINGEN,
DASS DIE GEMEIND DIR MÖG LOB VND DANK-
LIEDER SINGEN.
REGIER AVCH JEDEN SO, DAS ER IN BVSSE STEH
DAMIT ER NACH DERZEIT ZVM HIMMELREICH
EINGEH.

Am Schlag befinden sich ebenso elegante Blumengewinde.

    c. 45 cm. Ohne Inschrift und Zier, 14. Jahrh.

2. **Effelder.** 3 Glocken. c. von 1855 in einem dachähnlichen Vorsprung unzugänglich.

    a. 140 cm. Am Hals: **ZV GOTTES LOB VND DANK GEHÖR ICH GEORG WERTER IN COBVRCK GOS MICH A. 1625,** darüber schmaler, darunter breiter Palmetten- und Figurfries. An der Flanke Wappen der Grafen von Trauttmannsdorf.

    b. 64 cm. 1470, am Hals: ✚ gloria ✸ in ercelsis ✸ deo annus odmom° eeee ✝ lex, zwischen den Worten Vierpässe und Rosetten. Breite, schöne Minuskel.

3. **Meschenbach.** 3 Glocken. a. 1844 Albrecht.

    b. 63 cm. Ohne Inschrift und Zier, alt.

    c. 52 cm. Am Hals in Übergangsformen zur Unziale: MATHEVS . MARCVS . LVCAS . JOHANNES (Fig. 28), 13. Jahrh.

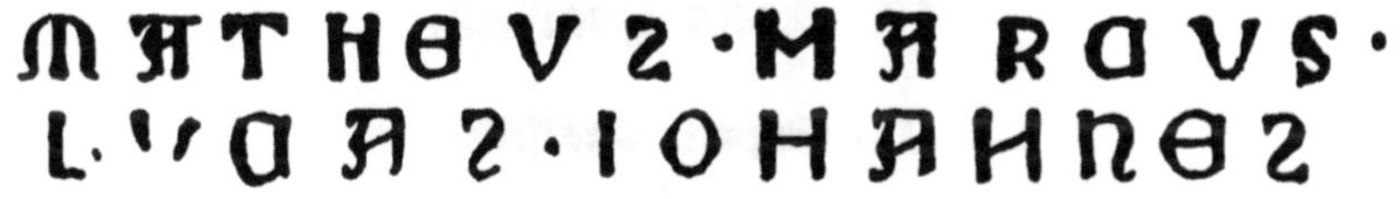

ⲙⲁⲧⲏⲉ Ⴑ ⲣ ⲍ · ⲙ ⲁ Ⴑ ⲁ Ⴑ ⲥ ·
L · Ⴑ ⲁ Ⴑ Ⴑ · IOHⲁⲏⲏⲉⲍ

Fig. 28. Inschrift an der kleinen Glocke in Meschenbach.

4. **Rauenstein.** 2 Glocken. 1853 F. A. Belz, 1878 Gebr. Ulrich.

5. **Schalkau.** 3 Glocken. b. 1845 Albrecht.

    a. 120 cm. 1753, am Hals doppelter Rokokofries, an der Flanke vorn: KONSIL. T. T. & PRÆF. J. C. APPUN. SUPERINT. OTTO JOHANNES VOIGT ITID. SER. DUC. SAX. DOM. ANTONII ULRICI PRÆF. SCHALC. & RAVENSK. P. PH. CRUM. CONS. I. SPINDLER I. C. SCHODER OPERAM DENI QUE GNAV. NAV. I. G. HORNUNG & I. G. FISCHER

6

GRANDIOR HÆC CAMP. XVII. GETEN IN DEI HON.
CONFLATA ARTIF. I. A. MAYER COBURG MENS.
NOV. MDCCLIII.
INCLINA DEUS ANREM TUAM ET EXAUDI NOS
(*Neige Gott dein Ohr und erhöre uns*),
hinten das sächs. Wappen, darunter:
SUB UMBRA. ALAR DEIT. O. M. & REGIM. AVITO
PROSPEROQUE SER. PRINC. AC DOM. DOM. ANTONII
ULRICI. DUC. SAX. I. C. M. A. & W. RELIQUA DOMUS
SAXO DUC. ERN. GLOR. SEN. PATRIÆ PATER.
JUSTI. GLEM.

c. 74 cm, am Hals oben Blumen, unten Palmetten, an der Flanke vorn:
SUB UMBRA D. O. M. ET RECIMINE SEREN. BRINCIBIS
AC DOMINÆ DOM. CHARLOTTÆ AMALIÆ DUCIS
NUPTU SAX. TUTRICIS NOSTRÆ KLEMENT ET
TOTIUS DOMUS SAXO MEIN: IN DEI HONOREM
CONFLATA HÆC CAMPANA SCHALC. J. A. M.
COB. MENS. MDCCLXIV.

Unter dem Schatten des besten, höchsten Gottes und dem
Regiment der durchlauchtigen Fürstin und Herrin Charlotte
Amalie, durch Heirat Herzogin von Sachsen, der milden Be-
schützerin unsrer und des ganzen S. Meining. Hauses wurde
diese Glocke zur Ehre Gottes in Schalkau von J. A. Mayer
aus Coburg im Monat (?) 1764 gegossen.
hinten das sächs. Wappen.

IV. Kreis Saalfeld.

11. Ephorie Saalfeld.

1. **Arnsgereuth.** 2 Glocken. a. von Chr. Meyer 1801, b. 1848 von Konrad
   Braun in Uirber für 100 fl., wovon 50 fl. durch eine einmalige
   Stiftung gedeckt wurden.

2. **Aue a. B.** a. 65 cm, 1786 Joh. Mayer, am Hals: GOSS MICH JOH.
   MAYER IN RUDOLSTADT 1786. Darunter Palmettenfries.
   Über dem Helm SOLI DEO GLORIA.

   b. 43 cm, 1677 Joh. Rosa, am Hals zwischen Linien: + AŌ 16.77.
   GOSS MICH IOHAN: ROSA IN VOLKSTʼAD.

3. **Birkigt.** 2 Glocken. 1871 Bochumer Verein Gußstahl.

4. **Catharinau.** 3 Glocken. a. b. 1877, c. 1897 Gebr. Ulrich.
Die beiden alten Glocken trugen folgende Inschriften:

a. *Ps. 34: Preiset mit mir den Herrn und lasset mit einander seinen Namen erhöhen. Jmmanuel Hessling, Pfarrer zu Catharinau. Georg Remde, Schultheiſs. Heinr. Hulse, Jost Krause, beide Gottesväter. Gos mich Melchior Morinck von Erfurt anno 1641.*

b. *Jmmanuel Hessling, Pfarrer. M. Georg Jmmanuel Hessling, Substitutus. Anno 1681 gos mich Johann Rose in Volkstad.*

5. **Friedebach.** 3 Glocken. a. 1865 Gebr. Ulrich, b. 1837 Fr. Meyer, c. 1890 E. F. Ulrich.

Die „Friedebacher Pfarr-Matricul, verfasset und zusammengetragen mit Fleiß, Richtigkeit und großer Mühe von Johann Daniel Maurer, Dermal. Pfarrer allhier, 1759" enthält in ihrem I. Cap. „Von der Parochie und denen darzu gehörigen Dorfschaften" den Vermerk, daß Friedebach gehabt „2 kleine Glocken von ao 1717[1]) und die kleine stamt von dem Pabstthum her, hat die Inschrift: Ave Maria gracia plena dominus tecum.

[1]) Diese ist 1760 d. 3. Febr. wieder zersprungen, hat also nicht lange gehalten nach ihrem ersten Umguß von Gloekengießer Fehr in Rudolstadt. Und abermals umgegossen d. 3 Oktbr.

6. **Gorndorf.** 3 Glocken. c. 50 cm, 1862 E. F. Ulrich.

a. 109 cm. 1508 [H. Ziegler.] Am Hals † anno + dm . m . rccc . uiii + tousolor . uina + mortua + fto + pello . uacina + benedictuſ . *Im Jahr des Herrn 1508. Ich tröste das Leben, ich beweine den Tod, ich vertreibe den Schaden. Benedikt (heiſs ich.)* Die Flanke ist mit den oft wiederkehrenden kunstvollen Medaillons der Zieglerschen Werkstätte geziert, vorn kleinere Kreuzigungsgruppe, hinten die heilige Sippe, vergl. unter Saalfeld Nr. a. Die Glocke soll der Sage nach aus Saalfeld stammen.

b. 68 cm. 1798 Joh. Mayer, am Hals: goss mich Joh. Meyer in Rudestadt 1798, darunter Palmettenfries, an der Flanke vorn: Soli Deo gloria, hinten: Joh. Gotth. Wagner Arched. M. W. F. Windorf Diak. J. G. Rost Schulm. L. S. Günsche Schulth. L. N. Reichmann Altarist.

7. **Graba.** 3 Glocken.

a. 148 cm. 1484 Johannes Kantebon. Annus . dni . m° rccc° . lrrr iiii . salus ſu dieſa, mortuos deflea . tempeſtate . depello . plbn (plebanum) . 9uoco. (2. Zeile) laudt dri denucea (denuncia).

6*

Im Jahr des Herrn 1484. Heil bin ich genannt, die Toten bewein ich, das Wetter vertreib ich, den Pfarrer rufe ich, das Lob Gottes verkünde ich. Hinter convoco das Zeichen Katebons auf einem Schildchen (Fig. 29). Zwischen den Bügeln 4 Schwerter. Die Fläche mit großen Linienfiguren bedeckt: 1. Maria mit Kind in der Glorie, davor kleine Figur eines knieenden Aboranten (Mönch?). 2. Christus im Garten Gethsemane, Bäume, Kelch, Gottvater segnend. 3. Gertrud mit Kirche. 4. Katharina mit Schwert und Rad. Mehrere sächsische Münzen sind eingedrückt. Die Figuren auf Sockeln, ca. 70 cm hoch. Über die Taufe Wagner-Grobe, Chronik von Saalfeld 145.

b. 101 cm. 1678 Joh. Rosa. Am Hals in schlechter Linienkursive:

1. Zeile: *Reddaur ut scoys. ego concona sopla reviz̄i*

       ALBERTI Ducis auspicio Elisabet Mari

2. Zeile: *Dur Brunoika fuit oui conjux. Arceat adio (?)*

       Athera reolor vim belli fululoius (fulminis) igni (ignis.)

Damit ich, gebrochen, den Genossinen vereint sei, wurde ich wohlklingend wieder gegossen unter dem Schutz des Herzogs Albert und Elisabeth Marias, Herzogin von Braunschweig, seiner Gemahlin. Es halte der Herr des Himmels ab die Gewalt des Krieges, Blitzes und Feuers.

Die meisten Buchstaben liegen ganz schräg und fallen aus den Zeilen. Darunter eine Zeile mit guter Antiqua nach Formen gegossen:

M. Theodorus Schneider Sup. Johan Burkard Rosler Ambts. Johan Heinrich Engelschal Ambts. Darunter Rankenfries und 5 Engelsköpfe. An der Flanke: Erasmus Arnold Past. 1678 gos mich Johan Rosa in Volk Städ. Am Schlag:

Nun bin ich wieder neu, so offt du mich wirst hören
so bitte deinen Gott dass er dich woll belehren
dass unser Vaterland beschütz sey spat und früh
und dessen Obrigkeit in stetten Wachstum blüh.

c. 84 cm, 1747 Johannes Fehr, im Dunkel hängend, nicht erreichbar.

d. Taufglocke. 41 cm, umgegossen, die ältere 1735 von Martin Kucher.

8. Großlochberg. 2 Glocken.

a. 95 cm. 1479 [Joh. Rantebon] am Hals: **Anno dni m° cccc° lxxix° nou me sbaäna tu fit michi nomen** ... *Im Jahr des Herrn 1479. Höhne mich nicht, da mein Name Osanna ist.* osanna fehlt, dafür Relief der 14 Nothelfer mit der Unterschrift xiiii nothelfer bittet ... Ein sächsischer Groschen und eine unkenntliche Münze sind eingedrückt. An der Vorderseite Relief, Maria mit Kind und 2 Heiligen, barunter **Maria hilf uns.** Fries von Ahorn und Weinblättern und Gießerzeichen Fig. 29.

b. 60 cm. 1821 Gebr. Ulrich, c. 52 cm, 1835 Franz Mayer.

9. **Berſdorf.** 2 Glocken.

a. 76 cm. 1674 Joh. Berger. Am Hals: ANNO DOMINI 1.6.7.4 DA GOS . MICH . IOHANNES . BERGER . ZU WEIMARR, barüber 2 einander zugekehrte Rundbogenfriese, barunter breiter, barocker Rankenfries mit kleinen Vögeln und Kreuz. Auf der Flanke je 3 Engel mit Kranz oder Fackel, vorn das Gießerwappen. — Die Glocke iſt nach der Kirchrechnung von 1677 für 96 aßo in Weimar gekauft und auf einem Wagen abgeholt worden, der eine ältere Glocke dorthin geführt hatte, wahrſcheinlich als Tauſchobjekt.

b. 60 cm. 1511 [Marx Rosenberger], am Hals: ☦ Anno . domini . m . cccc . xi . o . ihcſu . rex . glorie . venicum . pacc.'. *O König der Ehren komm mit Frieden.* Die Worte ſind durch Kleeblätter getrennt, barüber Zinnen, barunter der doppelte naſenbeſetzte Rundbogenfries mit Kleeblattſpitzen, wie er die Roſenbergerſchen Glocken kennzeichnet.

10. **Boheneiche.** 3 Glocken. 1866 C. F. Ulrich.

11. **Hütten.** 2 Glocken. 1883 Ulrich. In der obenerwähnten Friedebacher Matrikul von 1759 wird berichtet, daß Hütten gehabt „2 Glocken (Hr. P. Chelius ſchreibt 3, und mußte das kleine, ſo auf dem Schul‧haußdach ſteht, mit verſtanden worden ſeyn). Das Läuten und Uhrſtellen beſorgt der Schulmeiſter, dafür er den Kirchhof zu nutze hat."

12. **Jüdewein.** 3 Glocken. a u. c. 1852 C. u. R. Mayer, b. 1803 Chr. Aug. Mayer.

13. **Köditz.** 2 Glocken.

a. 54 cm. 1710 Joh. Roſe. Am Hals: Georg Adam Kellner Past. Subst. in Graben. Gos mich Johan Rose in Volckstaed Anno MDCCX, barunter Rankenfries. Am Schlag: Hanns Fischer Schult. Bonifacius Ulrich Nikol Singer II. Hans Lighter.

b. 52 cm. 1805 C. H. A. Mayer.

Im Geſchoßbuch daſ. S. 559 iſt verzeichnet: „Anno 1688 den 22. Junius hat benanter Peter Hauck zu Köditz 25 aßo in unſere hieſige Kirche verehret u. ſollen dieſ. zu einer Klocken angewendtet werdten. 1710 zu einer Klocken von anderthalben Ctr. 8 Pfd. angewendet worden." Und ebenda S. 558. Anno 1724 d. 27. Martii hat die gemeinden Köditz eine Klocke an gewichte einen Ctr. 3 Pfd. angeſchafft, am gelte aber iſt ſie kommen vor drey u. füfftzig alte aßo. (Roller Mitth. aus d. Kirchſpiel Graba S. 63.)

14. **Langenſchade.** 3 Glocken.

a. 113 cm. 1480 [Johannes Kantebon]. Am Rand: Anno dni m ° cccc ° llll ° oſanna vocor laus deo ſit rū pulsor. **Amen**. (Fig. 29.) *Osanna werde ich genannt, Lob sei Gott, wenn ich gelautet werde. Amen.* Dahinter das Gießer= zeichen Fig. 29, darunter Ahorn= und Weinblätter wechſelnd, einige unkenntliche Münzen ſind eingedrückt. Zwiſchen den Bügeln ſind Schwerter gezeichnet, am Rand ein ſchöner, gotiſcher Laubſtab, alles Kennzeichen der Kantebonſchen Glocken.

Fig. 29. Große Glocke zu Langenſchade.

b. 90 cm. 1536 [Marx Roſenberger] ✝ **Anno . domini . m . cccc . rrrvi . O . ihesu . rex . glorie . veni . cum . pace.** V. D. M. I. E. Da= rüber Zinnen, darunter doppelter naſenbeſetzter Rundbogenfries. (Fig. 30.)

Fig. 30. Inſchrift an der mittleren Glocke in Langenſchade.

c. 55 cm. 1827. Chr. A. Mayer.

15. **Lausnitz.** 2 Glocken. 1867 C. F. Ulrich.

16. **Loſtz.** 2 Glocken. a. 1872 Gebr. Ulrich, b. 37 cm, am Hals: DA GOSS MICH MEISTER HANS BERGER IN WEIMAR.

17. **Moſen.** 2 Glocken. 1858 Ulrich.

18. **Obernitz.** 2 Glocken. 1891 C. F. Ulrich. Die beiden früheren Glocken von hohem Alter wurden verkauft.

Eigentümliche Zuſtände beleuchtet eine Ephoralverordnung vom 3. April 1759 an den Pfarrer Johann Friedrich Winkler zu Obernitz, wo es u. a. heißt:

„Ew. Hochehrwürden erhalten auf ergangenen Landesherrſchaftl. Befehl andurch die Ephoralverordnung, von dem Kirchenpatrono Herrn Major von Vippach hinkünftig weder Befehl zum Ausläuten in die Kirche weiter an= zunehmen, ... ſondern iedesmal zur ordentlichen und ſonſt gewöhnlichen Zeit zum Gottesdienſt ausläuten zu laſſen.

19. **Oberpreilipp.** 3 Glocken.

　　a. 120 cm. 1674 Chr. Roſa. Am Hals: Lud Braun Superint Andr. Lauhn Praefect Martin Kelner Pastor Sebast. Müller Aedil Nicl. Rosa.
　　Komm Preilip. wenn ich thön und tich mit Gott versöhne Heinrich Scheßwe Fried(r.) Truppel behde Altaristen.

Darunter eine schlangenartige Barock=Verzierung und ein Engelskopf, am Schlag Relief, Josua und Kaleb mit der Weintraube. Auf der Rückseite: **Im Namen Gottes Hat mich Christof Rosae zu Volckstad Gegossen Anno 16 + 74.** Darunter befinden sich noch 2 Engel.

b. 90 cm. 1680 Joh. Rosa. Am Hals: † **Aus dem Feuer floss ich Johan Rosa in Volckstad gos mich Anno 1680.** (2. Zeile:) † **Sub. Duce. Friderico Schneidero Praesule Templi Salfeldae Parocho Kellnero Fissa Reuixi.** An der Flanke befindet sich folgende Inschrift: **Arceat Alma Trias Vim Belli Fulminis Ignis.** Darunter ein Engel. Auf der entgegengesetzten Seite ein Relief, Christus am Kreuze. Am Schlag: **Johan Heinric Engelschall Amts Sebastian Truppel Nicol Rostümpfel Nicol Schwartza Heinrich Truppel † † †.**

c. 60 cm. 1811 Chr. A. Mayer.

20. **Oberwellenborn.** 3 Glocken.

b. 75 cm. „1698 **Allein Gott in der Hoehe etc.** Namen." Lehfeldt. VI. 40.

c. 68 cm.

21. **Pößneck.**

I. Stadtkirche.

Fig. 31. Bartholomeus an der Gloriosa in Pößneck.

Gloriosa. a. 150 cm. 1490, 2. Juli [Johannes Kantebon]. Am Hals:

Pulcriter . ornata . gloriosa . su . nominata . ubm . cao . frtm . t. (verbum caro factum est.) Anno dni 1590 circa uisitacionis marit. Schön bin ich geschmückt, Ruhmreiche ist mein Name. Das Wort ward Fleisch. Im Jahr des Herrn 1490 um Mariä Heimsuchung (2. Juli.) Gießerzeichen Fig. 29. Fries von Ahorn= und Weinblättern, Schwerter 2c. Große Linienreliefs Maria und Bartolomeus, letzterer mit Umschrift (s. bartholom., Fig. 31). Am Friese 4mal das Wappen Thüringens (Löwe) auf Schilden, je darunter **Matheus Marcus Lucas Johannes.** Einige Münzen eingegossen. Am untern Rand 2mal großes Antoniuskreuz **T.**

b. Silberglocke. 125 cm. Am Hals 4fache Stricklinie. In der 2. Zeile Reliefmedaillons 1. Christus in der Mandorla, 2. naturalistisches Eichenblatt, 3. Heilige in einem nasenbesetzten Vierpaß (Fig. 32), 4. 6blättrige Rose, 5. Adler in einem Spitzschild (Fig. 33), 6. wie 4, 7. Löwe (Markus), 8. Engel (Mattheus), 9. Adler (Johannes), 10. wie 3, 11. Pelikan.

Medaillons an der Silberglocke in Pößneck.

In der 3. Zeile Inschrift in neugothischen Linienmajuskeln, welche sich auf einem Schriftband unter dem Anfangskreuz fortsetzt:　　　EROHTEB .
TAMIN TSYEC ESOB NSAD EKOH . TVL . ECEN . AM . OWSNV . KOV . TOC .
TIB . SUEMOHTKAB . EREH . KECLYEH ✝ (Fig. 36).

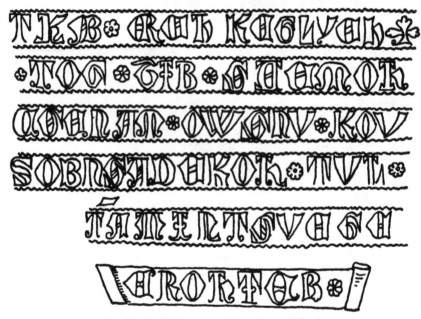

Fig. 36. Inschrift an der Silberglocke in Pößneck.

Dies ist zu lesen: *Heylger here bartholmeus bit got vor vns wo mane gelvt hore dasn bose geyst nimant bethore.* Die Inschrift ist also linksläufig in den nassen Mantel geschrieben, die Buchstaben selbst aber rechtläufig, ein Ver= fahren, welches selten vorkommen mag. Offenbar lag dem des Lesens vielleicht ganz unkundigen Schreiber der genaue Text in den richtig gezeichneten Majuskeln vor. Auch hatte er eine Ahnung oder Anweisung, daß Inschriften verkehrt in die Form eingetragen werden müssen, um auf der Glocke selbst rechtläufig lesbar zu sein. Statt aber die ganze Inschrift von rückwärts zu schreiben, kehrte er nur die einzelnen Buchstaben um, schrieb im übrigen den Text von vorn und setzte das Wort bethore, welches in der Zeile keinen Platz mehr fand, in derselben Weise auf ein Schriftband. Er erreichte so das seltne Vexierspiel, daß die Inschrift weder auf der Glocke noch im Spiegelbild (wie bei andern linksläufigen Inschriften) richtig erscheint. In der gleichen Manier steht an der Flanke in sehr großen, recht sicher und schwungvoll gezeichneten Majuskeln: TON . SV . RIM (12, 13. 14. 15.) 6. 17.) ANV (18) IM (19) TOG (20) FLIM (21. 22). Fig. 37.

Fig. 37.   Inschrift an der Flanke der Silberglocke in Pößneck.

Dazwischen sind noch Reliefmedaillons zerstreut, welche teilweis im Guß schon mißraten, teilweis sehr verschmutzt sind. Soweit erkennbar dürften dieselben darstellen 12. Löwe auf einem Schild (Wappen der Grafen von Schwarzburg und der Stadt), 13. Meerweibchen (Fig. 34), 14. unkenntlich, 15. in einem Sechspaß sprengt ein Ritter nach rechts, das Schwert in der Linken. Der Heiligenschein dürfte ihn als St. Georg bezeichnen (Fig. 35). 16. In einem Vierpaß steht ein bärtiger Heiliger. Das Messer (?) in der Rechten und ein Tuch (Haut) in der Linken deuten auf den Kirchenpatron St. Bartholomeus. 17. wie 12, doch liegend. 18. Christus am Kreuz, in langem Rock, Füße nebeneinander, Finger gespreizt. 20. Christus als Richter auf dem Thron sitzend. 21. In einem Kreis, welcher mit einem Aufsatz gekrönt ist, sind 2 ganz plattgedrückte Figuren, von Weinranken achtpaßartig umgeben, vielleicht Verkündigung an Maria. 22. In einer Art Tabernakel sitzt von einem Vierpaß umrahmt Maria mit Kind.

Das ungewöhnliche Verfahren des Schreibers erklärt es, daß die Inschrift bisher als völlig rätselhaft und unlesbar galt. Es kommt hinzu, daß in den dünnen Zügen einzelne Striche beim Guß ganz ausgefallen sind, daß die Trennungszeichen zwischen den Worten an unrechte Stelle, mitten in die Worte hinein gesetzt wurden, daß verschiedene Typen wie A u. E, D u. N, S u. G einander zum Verwechseln ähnlich sind und statt R mit alleiniger Ausnahme von EROHTEB geradezu X geschrieben wurde. Schließlich hatte noch der Ruß der Fabrikstadt und die reichliche Glockenschmiere eine dicke Kruste von Schmutz auf der ganzen Glocke abgesetzt. Daher auch ältere Schriftsteller einen Versuch der Lesung nicht gemacht haben. Lehfeldt gab in Bau= und Kunstdenkmäler Thüringens Heft XV. 267 die deutlichsten Zeichen wieder: KAGLYEH ITIINOV EGE . . AD IMOVEDV XLVT DGTTI . . . TX . . . VFROHTEOB . . IDV IM TOG, also 53 Buchstaben, wovon aber nur 37 richtig gelesen sind, während er von den Figuren nur den Crucifixus erkannte. Obwohl ich 1896 die Glocke eingehend untersuchte und durch Herrn Oberpfarrer Kaiser einen nach gründlicher Reinigung genommenen Abklatsch erhielt, konnte ich in dem Aufsatz „zur Glockenkunde Thüringens" S. 78 nur die Ordnung und Zahl der Buchstaben annähernd feststellen, ohne dem Sinn auf die Spur zu kommen. Um die Schwierigkeiten der Lesung und die langsam dämmernde Sicherheit

zu illuſtrieren, laſſe ich meinen frühern Text noch einmal folgen: † TCMIN
TGVEG E . OPD GADEXOM . TVL . EGE . D . EM . OW . ADV . XOV .
TOG . GID . . ˙ CEMO . MRTX E . . D ˙ DR XAGLVEM EXOHTEB ˙ An der
Vorderſeite in größern Typen MV . IX TOG XIIX.

Auch eine erneute Unterſuchung am 15. 6. 98, bei welcher ich eine genaue
Zeichnung nehmen konnte, gab mir den Schlüſſel noch nicht in die Hand. Erſt
die ruhige Prüfung am Schreibtiſch führte langſam auf des Rätſels Löſung und
zwar waren es die Worte hilf got, welche den Weg zuerſt zeigten. Es kann
hierbei freilich nicht verſchwiegen werden, daß eine ganze Anzahl von Buchſtaben
erſt die rechte Geſtalt gewannen, zuſammenhangsloſe Striche, Haken und Bögen
erſt verbunden werden konnten, nachdem der Sinn im allgemeinen feſtſtand.

Das Alter der intereſſanten Glocke läßt ſich wenigſtens annähernd feſtſtellen.
Auf der 2. Glocke der Johanniskirche in Saalfeld, welche auf 1353 datiert iſt,
ſind teilweis ganz dieſelben Reliefs verwandt. Dies Datum dürfte annähernd
auch für die Silberglocke in Pößneck gelten. 1352 ſtarb hier ein Graf Günther
von Schwarzburg, welcher in der Bartholomeuskirche begraben wurde. Es iſt
nicht unmöglich, daß die Glocke infolge einer Stiftung zu ſeinem Seelenheil gegoſſen wurde oder von ihm ſelbſt bei Lebzeiten geſtiftet wurde. Der Anruf hilf —
mir us not würde demnach eine ganz perſönliche Auslegung vertragen. Der Sage
nach ſoll die Glocke aus der „Bilke,“ der alten Kloſterkirche herübergenommen
und ſilberhaltig ſein, da bei ihrem Guß die Weiber das Silber in Schürzen herzugetragen hätten:

c. Der Bleiſack. 110 cm. 1705 Joh. Roſe.
Am Hals ein doppelter, ſchwungvoller Arabeskenfries (Fig. 45), zwiſchen
welchem nur ſteht STAdT WAPPEN, darunter in dem Frieſe Schild
mit dem Löwen, welcher nach einem Abklatſch von der Glorioſa geformt iſt. An der Flanke einerſeits das Herzogl. Wappen, darüber
F. E. K. Z. S (Friedrich Ernſt), anderſeits:

IN ROMANI PONTIFICIS GLORIAM
˙ INQUE CULTUS IDOLOLATRICI EMOLUMENTUM
OLIM ANNO M. D. VI. PRIMUM CONFLATA
IAM AUTEM
IN S. S. TRINITATIS LAUDEM
ET PUBLICUM ECCLESIÆ AUGUST: (anae) USUM
ANNO MDCC. V. MENSE OCTOB: RESTITUTA
IOH: MELCH: THAMERO. PAST. ET ADIUNCTO
M: CHRISTIANO SCHNEIDERO DIACONO
ADAMO HEINR. BRATFISCH CON: (sule) REG: (ente)
PET: IOH: BERGERO, NIC: THYM CONSUL: (ibus)
ET MICHAELE SCHNEIDERO POLIGR: (apha)
QUI CUM CIVITATE UNIVERSA
GRACIAM DEI PERENNEM
IN SACRO ET CIVILIBUS
SIBI POSTERISQUE AD PRECANTUR. Am Schlag:

QUAERITE DUM RESONO CHRISTI PIA TECTA FREQUENTES
FUNDITE VOTA DOMI SIC ERO SACRA DEO
IN DER STADT POSSNECK GOSS MICH JOHAN ROSE AUS
VOLCKSTED.

*Zur Ehre des römischen Priesters und zur Förderung abgöttischen
Dienstes einst 1506 zuerst gegossen, aber bereits zum Lob der heiligsten
Dreifaltigkeit und zum öffentlichen Gebrauch der Augsburger Kirche
1705 im Oktober erneuert als ..... waren, welche mit der ganzen Bürger-
schaft die dauernde Gnade Gottes im kirchlichen und bürgerlichen Leben
für sich und die Nachkommen herabflehen. Suchet, während ich töne,
in Scharen Christi frommes Haus, bringet daheim Gebete dar, so werde
ich Gott geweiht sein.*

Nur dieſe 3 Glocken bilden jetzt das Geläut. Über den Lokalgebrauch des
Gängelns berichtet Herr Oberpfarrer Reiſer:

Bei dem Geläute an Feſttagen wird am Schluſſe „das Gängeln" geübt,
d. h. das Anſchlagen mit dem Knöpfel erſt an der großen, dann an der mittleren,
dann am Bleiſack, dann noch einmal an der großen in 3 × 3 an allen Glocken
nach einander (mit der Hand.) Bei dem Geläute für große Trauungen wird in
2 Pulſen geläutet mit Doppelgängeln. Am Sylveſter um 12 Uhr nachts wird
„groß geläutet", d. h. wie an großen Feiertagen. Bei dem Geläute für Leichen=
feiern wird nicht „gegängelt." Früher wurde in der Adventszeit nicht gegängelt,
es geſchieht erſt ſeit 1887.

d. Sterbeglocke, beim Trauergeläut für die Herzogin Marie zerſprungen
und ohne Klöpfel, nicht mehr in Gebrauch. 1515 [Marx Roſenberger],
am Hals: ✝ anno . domini . m . rrrrr . gv . ⊙ ihrſx . rrr .
glorit . arni . rum . patt . o . s . bartolomrus . ora
pranobis, die Worte durch Kleeblätter getrennt.

e. Veſper= oder Elferglocke, unzugänglich auf einem Türmchen am Weſtgiebel.

f. Taufglocke, auf dem Dachreiter über dem Chor, unzugänglich, früher
bei Wochentaufen gebraucht, ſeit 1846 außer Gebrauch.

II. Gottesackerkirche. 2 Glocken. a. 50 cm.

b. 60 cm. 1530 mit Gußangabe: 1530 goß mich iohann wolf
grutt. Die Zahl kann nur 1630 lauten.

22. Reichenbach. 2 Glocken, die größere frühgothiſch, ohne Inſchrift, die kleinere
1824 von Chr. A. Mayer.

23. Nößlitz. 3 Glocken. a. u. b. 1745 von Joh. Fehr, c. 1791 [Lehfeldt.]

24. Röbelwitz. 3 Glocken.

a. 58 cm. 1778 Chr. A. Mayer für 143 aßo 17 gr. Am Hals doppelter
zopfiger Muſchelfries, an der Flanke:

DEO AUDITORE

M. THINEM.(ann) SUP. MAEDEL. IUD. PRAEP.

FROELICH PAST. SCHUHM.(ann) SCHULT. AER.(arii) SUMPTU

CONFECIT ME MAYER RUDOLST. 1778.

b. 57 cm. An der obern Flanke: A O (mit Kreuzen) MARIA (Fig. 38).

Fig. 38. Inschrift an der Glocke in Köbelwitz.

Die Buchstaben sind unregelmäßig in Abständen am Hals verteilt. Ihre Ausführung bezeugt uns eine der ältesten und immerhin selten beobachteten Manieren, Inschriften in die Form zu bringen. Die Zeichen sind nämlich sehr sorgfältig mit Wachsfäden in die Form gelegt, welche meist doppelt nebeneinander laufen, an einzelnen Stellen (bei O, M. R. I) aber auch strickartig gedreht sind. Die Glocke selbst hat die Form, welche bis in das 13. Jahrh. vorkommt. Sie ist im Guß sehr unrein geraten, die Schärfe ist mehrfach ausgebrochen. Die Krone ist durch eine neue ersetzt, welche samt der Platte aufgeschraubt ist. Der Ton ist schlecht. Über der Inschrift ist ein und am Schlag sind 2 Wulste angebracht.

c. Schlagglocke. 20 cm, hängt in einem vorspringenden Dachfenster. Am Hals von innen erkennbar: g h i k l m n o, wonach auf der unzugänglichen Außenseite a b c d e f und vielleicht noch p q vermutet werden können. Die Glocke hat die schlanke Kelchform des 14. Jahrh., ist mit regelrechter Krone an einem Joch befestigt und diente wohl früher als Meßglöckchen.

25. **Saalfeld.** Johanniskirche. 6 Glocken.

a. Fest- und Feuerglocke. 165 cm. 1500 [H. Ziegler], am Hals:

Fig. 39. An der Festglocke in Saalfeld von H. Ziegeler.

Anno·dni·m° (Fig. 39) cccc·consolor·viva·fleo· mortua·pello·nociva·sancte·iohannes·ora·pro· nobis·dm̄. *Im Jahr des Herrn 1500. Ich tröste das Leben, ich beweine den Tod, ich vertreibe den Schaden. Heilger Johannes, bitt Gott für uns.* Die Worte sind durch geschwänzte Punkte und Kreuze getrennt, b in nobis verkehrt. Typen und Reliefs von Zieglers Formen. Vorn im Rechteck Maria in der Glorie, in einem Kreise von 13 cm Jagd nach dem Einhorn, auf der Rückseite die heilige Sippe, und Christus am Kreuz, Adam und Eva, rings in Ranken die Altväter, vergl. auch Kranichfeld.

b. **Schlagglocke oder Seier.** 140 cm. 1353, am Hals zwiſchen doppelten Stricklinien: † ANNO o DNI o M o CCC o LIIIᵒ o NON o EGO o CESSO o PLAM o SONITV o LAVDARE o MARIAM (Fig. 40.) *Im Jahr des Herrn 1353. Nicht laſſe ich ab mit meinem Ton die fromme Maria zu loben.*

NON · EGO · CESSO · PIAM · SO
NITV · LAVDARE · MARIA
M † ANNO · DNI · M · CCC · LIIII ·

Fig. 40. Inſchrift an der Schlagglocke in Saalfeld.

darunter 1 Zeile mit 12 Medaillons, welche gegen einander durch dünne Zickzacklinien abgegrenzt ſind. 1. Größere Kreuzigungsgruppe. 2. Verkünbigung. 3. Chriſtus als Richter, die rechte Hand ſegnend, die linke mit Buch. 4. 2 ſitzende Heilige (Petrus und Paulus? oder Chriſtus heilt einen Dämoniſchen?) 5. unkenntlich. 6. Schwarzburger Löwe in einem Schild. 7. Maria ſitzend, mit Kind. 8. Adler (Johannes). 9. Geflügelter Menſch (Matthäus). 10. wie 3. 11. Löwe geflügelt (Markus). 12. Stier geflügelt (Lukas). Darunter nochmals doppelte Stricklinien. Die Medaillons ſind mehrerenteils nach benſelben Formen wie die der Silberglocke in Pößneck gegoſſen. Die untere Platte ſteigt ganz auffällig ſteil und hoch an. Hemb und Schlag ſind ohne Verzierung.

c. **Sonntagsglocke.** 125 cm. 1501 [Heinrich Ziegler], am Hals: Anno . dni . m . ccccc . i . consolar . viva . fleo mortua .

Fig. 41. Medaillon an der Feuerglocke in Saalfeld.

pello nocis. Ganz wie a, mit Reliefs geſchmückt. 1. Jagd nach dem Einhorn. 2. Brigitta ſchreibend, mit Namen im Heiligenſchein ſ. brigitta, darüber der hl. Geiſt als Taube, links Gott Vater mit dem Gekreuzigten (Gnadenſtuhl), rechts Maria mit Kind in Wolken, vor dem Pult knieend ein Engel, ein andrer flüſtert der Heiligen ins Ohr, hinter ihr Taſche und Hut. 3. Chriſtus als Kind mit Kreuz, um welches die Dornenkrone gewunden iſt. (Fig. 41.)

d. **Feierabendglocke.** 113 cm. 1832 F. Mayer.

e. **Elfuhrglocke.** 72 cm. 1504, am Hals: † m + ccccc + iiii + iges + (?) maria +

Anno + s + io h . nn . s. Offenbar iſt der heilige Anno von Köln und der Kirchenpatron Johannes der Täufer gemeint, *Anno, S. Johannes.* Darunter doppelter Rundbogenfries.

f. **Bergglocke.** 54 cm. 1713 Joh. Rose. Am Hals zweizeilig:

1. GOTTES WORT BLEIBET EWIG ANNO MDLXXXIII,

2. ANNO MDCCXIII UMGEGOSSEN DURCH JOHANN ROSEN IN VOLCKSTÆD, barunter Rankenfries. Auf dem Hemb das Saalfelder Stadtwappen mit S. P. Q. S. *(senatus populusque Saalfeldensis)* und IOH. IACOB SCHLEGEL D. BURGERM. — IOH. HEIN. GELLER KASTENVORSTEHER auf der andern Seite das Monogramm *JS.*

26. **Schlettwein.** 2 Glocken.

   a. 65 cm. 1519 [Marx Rosenberger], am Hals: † Anno . domini . m . cccc . [i]l ' O . ihesu . rex . glorie . veni . cum . pace . amen... barüber Zinnen, barunter Kreuzbogenfries mit Nasen= und Kleeblättern.

   b. 1832 Gebr. Mayer.

Über örtliche Sitten berichtet Pf. Hübner:

In früheren Zeiten war der Lehrer zugleich auch der Läuter. Er ließ diese Dienste allerdings von Schülern verrichten. Diese „läuteten" (wie es heute noch hier heißt) um 11 Uhr mit der Großen und abends bei Dunkelwerden mit der Kleinen. Das sollte für die braußen auf dem Felde befindlichen Landleute das Signal des Heimgehens sein. Nach dem Abendläuten geht der Läuter bis zur Stunde an den Strick, der an dem Schlaghammer der Uhr herabhängt, hebt mittelst dieses Strickes den Hammer und läßt ihn 3 × 3 mal im Namen der Dreieinigkeit niederfallen.

Eine eigenartige Sitte besteht hier bei Sterbefällen. Am Tage vor der Beerdigung werden die Toten nämlich „hingelutt", b. h. am Tage vor der Beerdigung wird vormittags 9—10 Uhr mit beiden Glocken gelautet zum Zeichen, daß am andern Tag eine Leiche zur letzten Ruh gebettet wird.

Es kommt wohl hie und da vor, daß die große Glocke in Schlettwein beim Läuten aussetzt. Da sagt der Läuter: Herr Pfarrer, es stirbt bald Jemand.

27. **Unterwellenborn.** 3 Glocken.

   a. 106 cm. 1485 [Johannes Kantebon], am Hals: Anno dni m° cccc° lxxxv° ioh baptā ego vox clamantis in deserts pate viā dūo (parate viam domius.) *Im Jahr des Herrn 1485. Johannes der Täufer: Ich bin die Stimme eines Predigers in der Wüste. Bereitet dem Herrn den Weg.* Darunter das Zeichen Fig. 29. Rundbögen mit Weinlaub, Schwerter zwischen den Bügeln der Krone. Am untern Rand zwischen Laubstab mathes iohannes lucas marcus.

   b. 1728 von H. u. M. Moehring. Arabeskenfries und Engelsköpfe. Namen. Nach Lehfeldt; die Jahrzahl kann aber nur 1628 sein.

   c. 1818 [von Mayer?]

28. **Unterwirrbach.** 3 Gl. a. 1826 Thr. A. Mayer, b. u. c. 1878 Gebr. Ulrich.
Über die älteren berichtet die Grobesche Chronik von Saalfeld:

„Im Jahre 1655 wurde die alte nur 92¼ Pfund schwere Glocke ein=
geschmolzen und eine 2 Ctr. 76 Pfd. schwere Glocke vom Glockengießer Rose in
Volkstedt gegossen.

Die 1709 gegossene große 5 Centner schwere Glocke mußte, weil sie zum
Aufhängen kein Öhr und unleserliche Schrift hatte, 1710 wieder umgegossen werden.
Gegossen ist sie von Rud. Mayer in Rudolstadt.

1718 geschah der Umguß der kleinen Glocke, an deren Stelle eine von
171 Pfund Schwere kam.

29. **Volkmannsdorf.** 2 Glocken.

    a. 1782 Joh. Mayer, 41 Thlr. 6 Pf., am Hals: 1782 goss mich
Joh. Meyer in Rudolstadt, am Hemb: Georg Leop. Fabel
Sup. Gottf. Jer. Meyer Pastor, am Schlag: Soli deo gloria.

    b. 1623 M. Moering, am Hals: **ANNO 1623 GOS MICH MELCHIOR
MOERINGK ZV ERFF (Erfurt.)**

30. **Weischwitz.** 2 Glocken. a. 1792 Joh. Meyer, b. 1860 C. F. Ulrich.

31. **Weißbach.** 1 Glöckchen, gotisch, 52 cm, ohne Inschrift. In der erwähnten
Pfarrmatrikel von Friedebach ist aufgezeichnet: Das Filial Weißbach
hat „ein einziges Glöckchen." „Das Läuten verrichtet der alte abge=
dankte Kirchenvorsteher, und hat dafür das Kirchhof=Gras zu gebrauchen."

32. **Weißen.** 2 Glocken.

    a. 93 cm. Am Hals: **AVS DEM FEVER BIN ICH GEFLOSSEN,
CHRISTOPH ROSE ZV VOLCKSTAED HAT MICH GEGOSSEN
ANNO 1665. GOTT GIEB, WENN MAN SCHLAEGT AN
DIE GLOCK, DAS SIE VNNS ZV DER BVSSE LOCK.**
Arabeskenfries mit Engelsköpfchen.

    b. 65 cm. **ANNO MDLXXXVII DA GOSS MICH MELCHIOR MOERINGK
ZV ERFFORT,** Lilienfries darüber und darunter.

33. **Wittmannsgereuth.** 2 Glocken.

    a. 75 cm. 1509, am Hals: + ANNO + DNI + VC + 9 + Dem Guß
nach von Hans Obentbrot.

    b. 55 cm. 1832 von Chr. A. Mayer.

12. Ephorie Gräfenthal.

1. **Gräfenthal.** 4 Glocken. a. Festglocke. 130 cm. 1831 C. F. Ulrich,
b. Sonntagsglocke. 100 cm. 1861 ders., c. Elfuhrgl. 82 cm. 1831 ders.
d. Taufglocke. 69 cm. 1592 E. Kucher, am Hals Arabeskenfries, darunter
**M D LXXXXII GOTTES WORT BLEIBT EWIG ECKHART KVCHER
GOS MIG.**

2. **Großgeschwenda.** 3 Glocken. 1872 Gebr. Ulrich, op. 550, 585 u. 684.

Eine ältere Glocke war 1777 von Joh. Mayer zu Rudolstadt, wo schon
1640 eine solche für Schlaga gegossen wurde, lt. folgenden Angaben der „Kirch=

rechnung inn grosn Geschwenda geführet von Judica Anno 1640 biß gemelden Tag 1641":

Uff vnd von drieben stehender Baarschafft ist zur new verdingten Glocken zalt vnd außgeben worden alß volget:

30 . — . — . dem Glockengießer laut bekändnis zalt

1 fl. 18 gr. 6 pf. Verzehrt alls dieselbe verdinget worden.

1 fl. — . — . dem glockengießer vor den Weg vndt Leykauff.

    4 gr. — . Die Vorsteherr verzehrt, allß sie zum Glockengießer nacher Rudolstadt gehen müßen.

    4 gr. — . Barthel Ziermann verzehrt, nacher Rudolstadt, als er den Glockengießer ins Ambt erfordert.

  17 gr. 8 pf. vor Wachs

  12 gr. 10 pf. beide Vorsteherr unterschiedlich verzehrt, nacher Saalfeldt ind Rudolstadt

    6 gr. — . ein bothe vertahn, der wegen der Glocken zu Mittag vndt Abends gezehrt vndt veber Nacht geblieben.

35 fl. — . — . Summa huius was vff Glocken geben vndt gewendet worden.

In einem „Verzeichnis der Dienstpflichten des Schullehrers zu Großengeschwenda" v. Jahr 1821 heißt es: Der Schullehrer hat als Kirchner:

1) Das Läuten zu besorgen und keine Kinder über die Glocken zu lassen.

  a) an jedem Sonnabend oder heil. Abend mittags um 12 Uhr durch Läuten den Sonn- oder festtag anzukündigen,

  b) Mittags um 11 Uhr zu läuten und Abends von frühlings Anfang an bis Martini.

  c) bey Leichen den Tag vor dem Begräbniß früh gegen 8 Uhr mit 3 Pulsen hinzuläuten. usw. usw.

  k) von Martini an früh in die Schule zu läuten.

Seit neuerer Zeit wird das Läuten nicht mehr durch den Lehrer, sondern das Mittags- und Abendläuten durch den Gemeindebiener, das Schulläuten durch Schulkinder, das übrige Läuten aber wechselsweise durch die Ortsnachbarn besorgt, die dazu jedesmal durch den Gemeindebiener bestellt werden.

3. **Großneundorf.** 3 Glocken.

  a. 93 cm. 1782 Michael Joh. Mayer für 500 fl. Sie ist in dessen Art verziert und trägt die Inschrift:

    Sub. regimine Ernesti Friederici dux. Sax. Coburg-Saalfeld

        Año MDCCLXXXII.

    Friedrich Lebrecht Facio Consil & Praefecto

    Georg Leopold Fabelio, Superint. Inspectoribus

    Joh. Dan. Maurero, Pastore

        Soli Deo Gloria.

  b. 86 cm. 1454, Juli 13. Am Hals: an dei m rett l iiii in dit s. margartiat. O rtz glorit veni cum part. *Im Jahre des Herrn 1454 an S. Margarethentag (13. Juli). O König der Ehren komm mit Frieden.*

c. 66 cm. 1732 J. Feer mit der Inschrift: Allein zu Gottes Ehr goſs mich Johannes Feer in Rudolstadt 1732. V. G. G. Christian Ernst & Franz Josias Gebrüder — Herzog Z. S. J. C. V. B. E. V. W. — Joachim Heinrich v. Beust, Amtshauptmann, Johann Gottlieb Hillinger, Superint., Johann Heinrich Bartholomaei, Amtmann, G. A. Kellner, Pastor.

Dem Glockengießer Feer waren einschließlich der alten Glocke 440 Pfb. Metall geliefert worden und erhielt derselbe von jedem Hundert Pfund 4 Thlr. Gießerlohn; für das von ihm zu beschaffende Metall wurden ihm 9 gr. pro Pfd. bezahlt.

d. Uhrglocke. 1770 von Mayer. 26 mſl.

4. **Hohenthal.** Schulglocke, aus der Kirche zu Spechtsbrunn stammend, mit Inschrift: **hilf got maria brrot.**

5. **Lehesten.** a. b. 1831, c. 1872 C. F. Ulrich.

Über die alten umgegoſſenen Glocken finden ſich in den Akten folgende Aufzeichnungen in einem am 27. Juli 1737 von dem damaligen Kirchner „Johann Adam Haaſs" (Haase) zuſammengeſtellten „Memorial": „Was bei der Kirchen allhier in Lehesten vorietzo befindlich." In demſelben heißt es:

Erſtl. Beim Geläute.

a. An der kleinen Glocken iſt zu leſen:

Ao: 1611 goſs mich Melchior Moering zu Erfurth,
im Nahmen GOttes!

b. An der mittleren ſtehet:

O Jesu rex gloriae veni cum pace. U. D. M. I. A.
M. CCCCC. XXXVI Jahr.

Dieſe Glocke ſcheint alſo von Marcus Roſenberger zu ſtammen.

c. An der großen Glocken iſt befindlich in der Umbſchrift:

ψ. 150. Lobet den Herrn in seinem Heiligthum . . .

biſs *Herrlichkeit.* it. der Dank-Reim:

In Lehesten hange ich, meinen Klang gebe ich,
allen Christen rufe ich, Melchior Moering goſs mich
Zu Erfurth in der Stadt, Gott gebe Gnad.

Unter dieſen ſind allerhand Figuren zu ſehen, mit eingegrabener Schrift:

Nikolaus Dentzsch, Pfarrer, Nikolaus Pabst, Johann Müller,
Andreas Breuning u. Heinrich Breuning 1611.

Bei dem Hänge-Werk ſind zu ſehen die Nahmen ſo ſolche verfertiget:

G. M. S. K. T. A. P. G. E. u. C. K. Forsthen. 1692.

(Mitgeteilt durch Pfarrer Böſemann.)

6. **Lichtenhain.** 2 Glocken. a. 1761 Joh. Mayer, b. ohne Inſchrift, 15. Jahrh.

7. **Lichtentanne.** 3 Glocken.

a. 102 cm. 1502 Marcus Rosenberger. Am Hals: † Anno domi mccccii osanna heis ich gutes maria bis ingedenck meines folkes so man mich leuten is. Darüber Zinnen, darunter Kreuzbogenfries mit Nasen und Kleeblättern. An der Flanke + s. margaretha, in einem Kreis: marcus rosenberg, andrerseits + s. nicolaus. Am Schlag matheus, marcus, lucas, iohannes.

b. 77 cm. 1740 Chr. Sal. Graulich in Hof. Zwischen zopfigen Friesen Gußangabe und Namen, Wappen der Plassenburg und Breitenbauch, am Schlag: Wan Unglick vor der Thur las ich mich gleich horn, man lauttet mich so Gott als Menschen zu beehren.

c. 45 cm. 1568 (von H. König). **SPES MEA IN CHRISTO.**

In der 1740er Kirchrechnung findet sich unter Ausgabe Caput IV. Bau=kosten in der Kirchen:

Rfo. gr. pf.

— 9 — Vor einen neuen Riemen in die Neue Glocken.

37 6 — Zur Glocke den Gießer Lohn,

— 18 — Botenlohn nach Hof,

— 8 — Vors Geschenke Bey aufschaffung der Glocken.

— 9 — Vor das Neue Joch dem Zimmermann Laut Zettel.

6 6 — den Schmidt Vor das Joch zu Beschlagen Laut Zettel.

2 5 — Hannß Nicol Schlegeln Vor Bier Welches die Gemeinde be-komm. L. Z.

1 4 — den Glocken Gießer Angabe Geldt L. Zettel.

Beim großen Brande am 5/X. 1835 fing auch der Thurm in der Durch=sicht Feuer, das aber durch muthige Menschen wieder gelöscht wurde. Dabei wurde die kleine Glocke, um sie zu retten, vom Thurm herabgeworfen und kam un-beschädigt unten an.

8. **Marktgölitz.** 3 Glocken. a. u. c. 1890 von C. F. Ulrich, b. 1804 von Chr. A. Mayer. — Die ältere zweite Glocke von 62 cm hatte nach Lehfeld die Inschrift: Sit nomen domini benedictum ex hoc nunc et (in aeternum) 1523. *Der Name des Herrn sei gebenedeit von jetzt an (bis in Ewigkeit.)*

9. **Oberloquitz.** 3 Glocken. 1893 C. F. Ulrich.

Über die ältern fand Pf. Schütz folgende Notizen:

Was die Glocken anlangt, so sind dieselben bereits 1669 unter Zuhilfe-nahme des vorgefundenen geschmolzenen Metalles — im Jahre 1669 hatte eine Feuersbrunst Kirche, Pfarrhaus und einen großen Teil des Ortes eingeäschert — gegossen und aufgehängt worden. Die beiden kleinen Glocken waren 1893 noch vorhanden, die kleinste am Rande laediert. Sie tragen die Umschrift: *Anno Domini 1669 da goss mich Iohann Berger Weimar.* Die mittlere dazu noch die eingeschnittenen Buchstaben *e g . k s + h g . a l t m.* Die große ist bereits im Jahre 1700 wieder gesprungen, aber erst 10 Jahre später wieder umgegossen worden. Sie trägt die Umschrift: *Paul Steinbeck Superint. Christoph Phillip Breithaupt Amtsverw. Johann Hebestreit P. L. (Pastor loci.) In Namen Gottes gos mich Johann Rose in Volcstedt anno Christi MDCCX. Johann Rothers, Carl Rothers, Andreas Ziermann K. Vorst. Hans Gilhauer I, Hans Gilhauer II. — Michael Rabes hat diese Glocke uf seine Unkosten umgiefsen lassen.*

Im Jahre 1890 ist letztere Glocke abermals gesprungen. — Läutende Schulknaben hatten mit dem herausgefallenen Klöpfel auf die schwachen Stellen des Randes geschlagen.

10. **Probstzella.** 3 Glocken. a. 120 cm. 1852 C. F. Ulrich.

    b. 97 cm. 1752 Joh. A. Mayer, Inschrift an der Flanke: Gofs mich Joh. Andr. Mayer in Coburg 1752. Friedrich Lebrecht Facius Hoch. F. S. Amtmann zu Probstzella Johann Andreas Schultze Pfarrer daselbst, andrerseits: Frantz Josias Herzog zu Sachsen u. C.

    c. 70 cm. 1820 Joh. F. Albrecht.

11. **Reichenbach.** 2 Glocken.

    a. 1506 mit Inschrift am Hals: ANÑO DNI 1506 IAHR, am Hemb Relief Christus am Kreuz.

    b. 65 cm. 1857 R. Mayer.

12. **Reichmannsdorf.** 3 Glocken. 1873 Gebr. Ulrich. Auf der Rückseite der größern, welche allein zugänglich ist, steht:

        Guss von Gebr. Ulrich Apolda
        Gegossen im Jahre 1873
        Aus eroberten französischen Kanonen
        Einem Geschenk Sr. M. des Kaisers
        An die Gemeinde Reichmannsdorf.

13. **Schlaga.** 2 Glocken. a. 46 cm. 1743 Joh. Feer, am Hals:

ANNO MDCCXLIII. GOSS MICH IOHANN FEER ZV RVDOLSTADT. Unten drei Linien am Fries. Am Schlage: DA IOH: CHRISTOPH FISCHER ZV ZELLA (Probstzella) V: FRIEDER: MICHAEIS PASTOR ZV G: GESCHWENDA WAR.

    b. 43 cm. 1497 Hans Mers. Am Hals: anno . domini . millesimo . ɔ°ɔ°ɔ°ɔ°lɔ . xxxx vii . hans . mers darunter ℞. Über der Inschrift Zinnen, darunter nasenbesetzter Rundbogenfries mit Lilien. Die Worte sind durch Glöckchen getrennt. Ob die im Guß mißratene Jahreszahl 1447, 1497 oder 1547 zu lesen ist, muß vorläufig dahingestellt bleiben, da Hans Mers noch nicht anderweit nachgewiesen, ja wahrscheinlich gar nicht der Gießer, sondern der Pfarrer ist. (Das P könnte Plebanus bedeuten.) Typen und Fries sind die des Paul von Nürnberg.

14. Schmiedebach. 3 Glocken. 1856 C. F. Ulrich.

Diese 3 Glocken wurden von den Gebrüder Ulrich in Apolda eingetauscht gegen 3 alte, von denen die große durch unvorsichtiges Läuten der Schuljungen (Umwicklung des Klöpfels mit einem Taschentuche) gesprungen war. Kostenanschlag 125 Thlr. Conr., 3 Thlr. Transportkosten. Von den alten war die große aus dem Jahre 1724 mit der Inschrift:

Durchs Feuer floss ich,

Christoph Graulich in Hof goss mich.

Die 2. alte trug die Jahreszahl 1813 und den Namen der Patronatsherrschaft *v. Holleben.*

Bezüglich der 1724 von Hof neugeschafften Glocke findet sich in den Schmiedebacher Kirchrechnungen von 1724 und 1725

1724   Gemeine Aus Gaben:

12 Aß 2 gr. Vorschuß hat die Kirche der Gemeinde Zur Neuen Glocke gethan.

1725.

3 Aß 8 gr. Vorschuß hat die Kirche abermahls der Gemeinde Zur Neuen Glocken gethan, damit der Glocken Gießer ist folgents Bezahlt worden.

15. Schmiedefeld. 4 Glocken. a. 1891, b. 1896 Gebr. Ulrich, c. 1836 F. Mayer. d. aus Eisen, außer Gebrauch, 50 Pfd. schwer. Es wird erzählt, daß sie von einer Sau im Suhlgrunde, einem Thal zwischen Schmiedefeld und Reichmannsdorf ausgewühlt worden sei, vielleicht aus der Wüstung Brandeskirchen.

16. Spechtsbrunn. 3 Glocken. a. u. b. 1846, c. 1872 C. F. Ulrich.

17. Wallendorf. 3 Glocken. a. 1830 Chr. A. Mayer, c. 1849 E. u. R. Mayer.
      b. 67 cm. 1792 Joh. Mayer, an der Flanke einerseits: A. M. Hammannin Patroni (sic!) vidua, andrerseits: Goss mich Joh. Mayer in Rudolstadt 1792. F. E. W. Heumann Pastor J. S. Hutschenreuter, Vorsteher.

Über die älteren Glocken finden sich folgende interessante Aufzeichnungen und Korrespondenzen.

Vierzehn Thaler 14 gr. in gangbaren Münz Sorten sind mir dato durch den Kirchen Vorsteher allhier Herrn Andreas Martin vor eine umgegoßne Glocke am Gewicht 153 Pfd. Nürnberger, baar bezahlt worden, nehml.   13 rthlr. 8 gr. Umgießer Lohn
       — „ 12 „ vor den Handlanger
       — „ 12. „ vor 1. Neu Joch u.
       — „ 6. „ vor 1. neuen Glöppel Riem
         supr:

quittire über deßen richtigen Empfang unter Entsagung aller erdencklichen Ausflüchte, leiste wenigstens auf 4. Wochen Gewehrschaft, wünsche jedoch gegentheiligst Gottes Gnade und Sorge bey Gebrauch dieser neuen Glocke.

Wallendorf den 2. Marty 1775.

Als am Tage da sie ist gehenckt worden.   Johann Mayer, Glockengießer.

Ueber obiges ist auch 1 Thlr. Bothen Lohn bezahlt worden

J. H. Arnold.

Heute dato wurde zwischen der hiesigen Kirchen, u. dem Herzogl. Sächs. Coburg. priviligirten Glockengießer, Herrn Johann Andreas Mayer nachfolgender Contract wegen Umgießung der hiesigen mittleren Glocke verabredet u. abgeschlossen, als:

1.) Wollen Hr. Meyer die Glocke nach den Gewicht übernehmen, und daraus eine neue gießen, welche den Ton D. haben soll, u. circa 350 Pfd. am Gewicht halten.

2.) Da die alte daran gegebene Glocke dem Ansehen nach schwerer wiegen wird als die Neue, so will

3.) Hr. Meyer das Übergewicht nicht nur berechnen, sondern auch den Abgang aus jeden Centner 10 Pfd. abkürzen; das Überbleibsel hingegen zurückgeben, sollte aber

4.) das Übergewicht der alten Glocke zum Abgang nicht hinreichent seyn, so verspricht die hiesige Kirche vor jedes Pfund neues Metall 12. gr. Reichsgeld zu vergüten, hingegen

5.) vor jeden Centner neuen Glockenguß 10. fl. fränck. a. 20 rthl. zu bezahlen, wogegen Hr. Meyer versprechen

6.) eine gute und tüchtige und ohne fehlerhafte Glocke mit hierbei nachgesetzten Namen zu gießen, und Jahr u. Tag dafür zu garantieren.

7.) Soll Hrn. Meyern die alte Glocke franck und frey ins Haus geliefert bekommen, auch die Neue wiederum auf Kosten hiesiger Kirche abgeholt werden, und da

8.) die Fertigung der neuen Glocke zwischen hier und Michaelis a. c. geschehen soll, so soll die alte Glocke noch diese Woche überliefert werden. fände sich

9.) daß das alte Joch nicht zu gebrauchen wäre, so sollen Hr. Meyer ein Neues, jedoch mit beibehaltung des alten Eisenwerks fertigen lassen, davor Ihnen aber die Bezahlung extra geschehen soll.

10.) Verspricht Hr. Meyer noch auf Ihre Kosten bei Aufhängung der Glocke selbsten mit anhero zu kommen, hier aber freie Kost, wo Ihnen dennoch

11.) Vor Wachs u. Douceur besonders außer den Accord in species Ducaten bezahlt werden soll.

Zu mehrerer festhaltung dieses Accords hat sich nicht nur der Hr. Meyer sondern auch der Hr. Pastor loci und der Hr. Director Hammann in Vollmacht seines Hrn. Vaters, des Hrn. Inspector Hammanns als hiesigen Kirchen Patrons u. Kirchen Vorsteher eigenhändig unterschrieben, Hrn. Meyern aber

Ein Louisd'or auf Vorstehenden Accord darauf gegeben worden, welches sie hier mit bekennen.

Wallendorf, d. 4. Aug. 1783.

Johann Andreas Mayer.

Die Namen, welche auf die neue Glocke kommen sollen, sind folgende:

1.) auf die eine Seite

I. W. Hammann, Patr:

F. F. Hammann, Dir:

2.) auf die andere Seite

I. H. Arnold, Past:

I. S. Hutschenreuther, Vorst.

Vor eine Erbarre Pfarr Gemeinde zu Wahlendorf, habe ich ein Gantz Neu glocken beschlag von Alten und Neuen eisen verferdiget mit Schraubwerc nebst denen leuth scheit eißen u. schraumschlüßell iß davor

3 rthlr.

den Glocken glöppell Gantz neu gemacht . . . . 1 rthlr.

Suma 4 rthlr.

ist mit 3½ Rthlr. richtig

bezahlt worden

Coburg den 17 Oktober 1783.

3 bz. dring gelt vor die geselln.

Johann Nicolaus Kolb.

Specification

der Kosten über die nach Wallendorf umgegossene Glocke.

Die alte Glocke hat gewogen	414 Pfd.	
Davon Abgang im Feuer	41. „	
Bleibt alt Metall	373 Pfd.	
Die neue Glocke hat am Gewicht	375 Pfd.	
Das alte Metall davon abgezogen	373 Pfd.	
Verbleibt neuer Zusatz	2 Pfd.	

für den Ctnr. alt Metall umzugießen, à 10 fl. frt.

den Ctr., betragen 373 Pfd. an Gießerlohn . . 37 fl. 7 bz. 8½ pf.

für 2 Pfd. neuen Zusatz à 9 bz. . . . . 1 „ 3 „ — „

für Wachs u. Trinkgeld . . . . 4 „ — „ — „

für die Reise nach Wallendorf . . . . 2 „ 6 „ — „

für die Glocke auf die Waag u. in die Schmiede zu

schaffen . . . . — „ 4 „ 8½ „

für das Joch zurecht zu machen, u. aufzupaßen . . — „ 6 „ — „

Summa 45 fl. 12 bz. — pf.

für einen neuen Glocken Riemen — „ 6 „ — „

46 „ 3 „ — „

J. H. Arnold.

so dato richtig bezahlt worden

Coburg den 22. Oct. 1783.

Johann Andreas Mayer.

Herrn Auguſt Appel,　　　　　　　　　　Wallendorf, d. 16. April
　　Glockengießer in Coburg.　　　　　　　　　1787.

　　Da die hieſige k l e i n e Glocke zerſprungen iſt und wir ſolche umgießen laſſen müſſen, ſo fragt ſich

1.) Wie bald ſolche umgegoſſen werden kann?

2.) Wie viel der Centner umzugießen koſtet?

3.) Wie viel 1. Pfd. Zuſatz an Metall koſtet?

4.) Wie hoch 1. Pfd. Überbleibſel von Metall angenommen wird?

5.) Wie viel vor 3 Namen ſo darauf kommen verlangt wird?

6.) Ob das alte Joch zu brauchen iſt?

7.) Wenn ein neues Joch gemacht werden mus, ob nicht von unſerm
Schmied alhier das alte Beſchläg aufgepaßt werden könnte?

8.) Ob Garantie geleiſtet wird?

9.) Ob Hr. Appel auf ſeine eigene Koſten bei Aufhängung der Glocke
anher kommen wolle, hier aber ſoll er defrahiret werden.

　　　　　　　　　　　　　　　　　　　　　Wagner.

　　N o t a
Die neue Glocke ſollte
den Ton E. bekommen.

　　　　　　　　　　　　　　　　Coburg d. 16. April 1787.

　　　　Hochedler
Inſonders Hochgeehrteſter Herr!

　　Auf Dero werthgeſchätztes habe die Ehre zu melden, daß wenn Dieſelben aus dieſes zerſprungenen Glöckg. den Ton E. haben wollen, damit der
Accort volſtändig ſey, dieſen Ton nicht niedriger im Gewicht als 250 Pfund
gießen kann; verſpreche aber Jahr u. Tag zu Garandiren. Was das Um-
ſchmälzen des alten Metals anbelangt, ſolches kann nicht anders als das
Pfund 2½ Patzen umgegoßen werden

2.) gehet von Ctr. Metal am Abgang zurück Pfd. 10.

3.) kann ich das neue Metal, was ich noch dazu geben muß, nicht
anders als das Pfd. 12 Patzen rechnen.

4.) kann das alte Joch, welches auch noch gut ſein könnte, zu dieſer
neuen Glocke gar nicht gebraucht werden, wozu alſo nothwendig ein neues
erfordert wird, und wenn

5.) Dieſelben das neue Joch in Wallendorf machen wollen laſſen, ſo
kan ich verſichern, das Sie dabei nichts erſparen werden, ſondern vielmehr
Schaden haben werden, indem daßelbe ohne mich nicht kann verfertiget
werden und wen ich mich ſolange aufhalten ſolte bis ſolches Joch verfertiget,
ich ſo viel verſäumte, daß ich mit Freihaltung der Koſt nicht verlieb nehmen
könnte, wen Sie aber das Joch hier machen laßen, mich ganz u. gar bei
Aufhängung der Glocke entbähren können, Dero gütige Gegenantwort erwarte
baldigſt u. verbleibe mit aller Estimatio

　　　　　　　　　　　　　　　　　dienſtwilliger
　　　　　　　　　　　　　　Joh. Martin Auguſt Appel.

Herrn August Appel,   Wallendorf, den 23. April 1787.
  Glockengießer in Coburg.

Gefragt:

1.) Wie schwer die Glocke wird, wenn sie den Ton G als eine Octave höher als unsere große Glocke ist, bekommt?

2.) Ob er den Ctr. vor 10 fl. fr. umgießen wollte wie der Hr. Meyer?

3.) ob er das Pfd. Zusatz vor 9. Bß. erlaßen wollte, wie Hr. Meyer?

4.) Wie viel er vor das Wachs zu 3 Namen verlangte?

5.) ob es nicht angehet, daß das neue Joch von Holz draußen gemacht, und das Beschläg hier aufgepaßt würde?

Wagner.

Hochedler
Insonders Hochzuehrendter Herr!

Auß Ihnen ihre letzte Zuschrift, habe vernohmen, daß Ihnen, der Thon E zu hoch kommt, u. Sie den Thon G gern haben wollten, so melde H.Edel, daß der Thon G 145 auch 150 Pfd. schwer wird, auch beschweren Sie sich über die Starke forderung, so will ich H.Edel den Preiß soviel möglich absetzen als!

1.) Von den Pfd. umzugießen 2 bz.

2.) Von 1 Centner 10 Pfd. abgang, welches in feuer abgehet.

3.) Sollte ich noch Zusatz brauchen, so kostet es daß Pfd. 10 bz.

4.) Von wegen der Namen u. Laubwerk die darauf kommen 3 Pfd. Wachß in Natur, oder 2 Thaler an Geld.

5.) Wegen den Joch, so werden sie solches mit herausschicken, damit wen solches noch zu gebrauchen wäre daß solches sogleich allhier auf die neue Glocke aufgepaßet würde.

6.) Wegen der Schmiede Arbeit, so wird solches, weil die Glocke, in ihre Schwehre bleibt, nicht viel unkosten verursachen, u. solches allhier verfertigen zu laßen, den wen solche in Wallendorf geschehen sollte, so könnte es ohne mein beiseyn nicht geschehen, u. um einer solchen kleinen Glocken wegen, kann ich ohnmöglich einen solchen Weg ohne entgeld thun, so würde Ihnen daß Beschläg in Wallendorf höher zu stehen kommen, als wie in Coburg. Der ich verbleibe mit aller   Hochachtung

Coburg,   Ew Hochedel
  d. 30. April   ergebenster Diener
  1787.   August Appel.

Herrn August Appel,   Wallendorf, d. 13. Juni 1787.
  Glockengießer in Coburg.

Anbei übersende unsere zersprungene Glocke, die am Gewichte 153 Pfd. Nürnberg. Gewicht hält, mit dem Ersuchen, solche sobald als möglich umzugießen, u. zwar dergestalt

1.) soll die neue Glocke den Ton G. bekommen.

2.) sollen 3 Namen darauf kommen, nämlich auf die eine Seite
A. M. Hammannin, Patroni vidua.

auf die andere Seite

> J. H. Arnold, Pastor
> J. S. Hutschenreuter, Vorsteher.

3.) so ein neues Joch gemacht werden müßte, so bel. Sie selbiges nebst den Beschläg alles aufs menagirlichste zu besorgen.

4.) reserviren uns die Garantie Jahr und Tag.

Dagegen verwilligen wir

a.) Vom Centner alt Metall 10. Pfd. Abgang

b.) Vor 1. Pfd. Zusatz neu Metall 10. Bz.

c.) Vor die 3. Namen 2 thlr.

d.) wegen Umgießerl. soll nochmals bitten solche das Pfd. vor 2 ggr. wie der seel. Hr. Meyer umzugießen

e.) leisten wir sobald die Glocke aufgehängt ist und gut befunden wird, baare Zahlung.

Ich erbitte mir einige Antwort wie bald sie fertig wird und ob mein Bitten wegen Umgießerl. statt findet, der ich 2c.

E. G. L. Wagner.

Hochedler

Insonders Hochgeehrtester Herr!

Die Glocken, nebst daß Schreiben, habe Ich richtig erhalten, u. weil der Gotteskasten arm ist, so will ich Ihnen, die Glocken um den Vorgeschriebenen Preiß umgießen, Aber daß Ich Ihnen die Glocken erst aufhängen laßen soll, u. vor allen vor dichtig befunden wird, so werden Sie mir solches nicht verdenken, daß ich solches nicht thun werde. Sondern bey abholung der Glocken, so schicken Sie jemanden mit, der Sie Probirt, u. wen er Sie nicht vor tüchtig hält, so seyn sie nicht verbunden, Sie anzunehmen, da hingegen, stehe Ich Ihnen, doch Jahr und Tag davor, oder sollten Sie mir nicht trauen, so werden Sie doch einen Bekannten hier haben, der auch vor mich noch gut sagen wird, um Sie wegen der Gewährung zu sichern, Ich verharre mit aller

Coburg,   Hochachtung Ew Edel

d. 23. July   ergebenster Diener

1787.   August Appel.

Wenn mir Ew. Edel die Glocken eher geschickt hätten, so wäre sie diesen Donnerstag gegoßen worden so aber werden sie sich noch einwenig gedulten müßen.

Hochedler

Insonders Hochgeehrtester Herr!

Da nun endlich die Glocken, einmahl fertig ist, so könnte solche abgeholt werden wen es Ihnen gefällig ist, nur vor den Sonnabend dieser Woche nicht, so viel dienet vor dießmahl zur Nachricht, der ich uebriegens verbleibe mit aller Hochachtung

Coburg,   Ew. Edel

d. 19ten Novbr.   ergebenster Diener

1787.   Aug. Appel.

Hochedler
      Inſonders Hochzuehrendter Herr!
Da der Fuhrmann den 19ten December allhier von Nürnberg angekommen
iſt, und den auch die Glocken abgeholet hat, ſo wünſche ich Ihnen guten
Empfang davon, zugleich überſende auch die Rechnung, wie ſie befohlen haben,
der ich verbleibe Ew. Edel

Coburg,   ergebenſter Diener
d. 19ten Dec.   Auguſt Appel.
      1787.

Hochedler
      Inſonders Hochgeehrteſter Herr.
Daß Geld habe richtig erhalten, wovor ich vielmahls danke, wen E. E.
ſonſt was benöthiget ſeyn ſo werde ich in Dero Dienſten ſtehen, der ich verbleibe

Coburg,   E. Edel
d. 31ten Dec.   ergebenſter Diener
      1787.   Aug. Appel.

Auf Angeben u. Befehl des Herrn Abbel ſtuck und Glocken Gieſer Ahl-
hir iſt von mir Ein Alter Glocken Glöbel um geaweit und ganz Neu gemacht worten iß do wor das Genauſte „ 7 bz)
                  Coburg d. 22 November
                        1787

                              Johann Nicolaus Kolb
                              Huf und Waffen Schmitt.

Auf Befehl des Herrn Herrn Appel
            gefertiget
Ein neuen glocken gort mit futter und Bindtriemen 4 Batz.
Coburg, d. 23ten Novbr.   Joh: Paul Schenck
      1787.   Riemer.

                                          praes. d. 20. Aug. 1792.
      Hoch Edel gebohrener Herr
            Inſonders Hoch zu ehrender Herr Actuarius!
Auf Dero gühtiges Verlangen, ermangele nicht das gebethene hierdurch
zu über machen, u. zwar
      1.) Das Pfd. der alten Glocke wird angenommen vor 6 g. — pf.
      2.) Das Pfd. der neuen Glocke wird bezahlet mit 10 g. — pf.
      3.) Die alte ſowohl die neue Glocke wird auf Gemeinde Koſten getrans-
portiret.
      4.) Die Schrift wird unentgeltlich darauf gemacht.
      5.) Vor den Klöpfel ſowohl auch vor das Joch u. Beſchläge ſtehet die
Gemeinde, welches ich aber hier oder dort zu machen in der Beſorgung habe.
      6.) Die Glocke wird 1. 2. 3. 4. mahl 24 Stunden zum Lauden auf die
Probe gegeben, u. überdies noch ein Jahr die Gewehr geleiſtet.
      7.) Vor die Reiße, als bey Accordirung u. Übernehmung der alten, ſo-
wohl auch bei Aufbringung der neuen Glocke auf den Thurm, wird nichts

bezahlet, sondern unentgeltlich dahin gethan, jedoch aber solange als ich wegen des Aufbringens daselbst zu Thun die freye Beköstigung.

8.) Die Instrumente als Seul u. Klepfer womit die Glocke auf den Thurm gebracht wird, werden unentgeltlich hergegeben, jedoch aber wieder frey in die Gießerey geliefert werden.

9.) Vor das nötige Holtz, so bey den Aufbringen der Glocke auf den Thurm erforderlich ist, stehet u. besorget die Gemeinde.

10.) Nach ausgehaldener Probe die Bezahlung.

Dieses ist alles was zu einen Glockenguß Contracte gehöret, u. was wegen noch einer Glocke zu Gießen anlanget, solches soll uns sehr angenehm sein. Ubrigens aber habe die Ehre, mich mit größter Hochachtung zu Empfehlen u. Binn

Ew. HochEdel gebohrl

gantz gehorsamster Diener

Joh Christian Ulrich. Von Apolda.

Hoch Edelgeb. Heer,
Insonders Hoch zu Ehrender Herr,

Ew. HochEdelgeb. übersandtes Schreiben, habe wegen umgiesung einer Zersbrungenen Glocke von 375 Pfd. Nürnb. gewicht richtig erhalten, so vermelte hierauf in schultigster Ergebenheit daß ich vor 3 Wochen eine Glocke von 5½ Cent. umgegoßen habe, nach Craewinkel, bey Ortruff so habe vor den Cent. 6 Thl. um Zu giesen bekommen, und vor daß Pfd. Zusatz, an ächten und dauerhaften Metal, inclusive des gieserlohns 11. g. Den Laubthl. Zu 1. Thl. 15 g. gerechnet. und den Cent. Zu 110 Pfd. auch liefere diese Wochen wieder 2 Glocken in das Gothaische. eine von 3½ C. und eine von 2 C. Bekome vor den Ctr. 9 Thl. und vor die Kleine vor das Pfd. a 2 g. um Zugiesen. Den je Kleiner die Glocke ist, bekome mehr, je größer aber, je weniger und man kan das Pfd. Neumetal oder Zusatz auch bald nicht 11. g. überliefern, weil ich zu denen jetzigen Glocken so gegoßen habe, den Ctr. Berg Zinn in Groß Camsdorf vor 7. stück Louisd'or habe bezahlen mißen mithin seit ½ Jahr der C. Zinn um 1. Louisd'or gestiegen.

1.) vor das Pfd. oder 1. Pfd. umzugiesen von einer Glocke in dieser beschriebenen Größe bekome das genaueste 2 g. und da die Glocke 375 Pfd. schwer ist, so geht wie gewöhnlich laut allen Contracten von 1. C. 10 Pfd. in Feuer ab, thun 375 Pfd. 37½ Pfd. solche hievon abgezogen, bleiben 337½ Pfd. Diese 337½ betragen à Pfd. 2 g.   28 Thl. 3 g.

2.) vor 1. Pfd. den C. Zu 110 Pfd. Neu Metal oder Zusatz das genaueste 11 g. oder vor 1 Pfd. Zusatz fein Metal, den Cent. zu 100 Pfd. das Billigste 12 g. thun 37½ Pfd. wen die Glocke wieder so schwer werden sol, wie vorher . . 18 Thl. 16 g.

ingleichen vor gewöhnliches Cranckgeld vor den Gesellen . . 1 Thl. 8 g.

Suma 48 Thl. 3 g.

Da ich nun in Kürtze eine Glocke bey Arnstadt umgiesen muß, u. Ew. Hoch-Edelgeb. wären gesonnen, solche hier mit umgiesen Zu laßen, so wil nach billigfter Möglichteit folche um und vor 25 Thl. den Laubthl. Zu 1 Thl. 16 g. mit umgiefen, vermuthlich muß die Zerfbrungene Glocke nach den Gewicht den Thon Cis. gehabt haben.

3.) was die inscription anbelangt, verlange weiter nichts, als etwan ½ oder ¾ Pfd. Wachs wan viel darauf komt.

4.) Bey auf Hänguug verlange niemalen etwas, als freye Zehrung.

5.) Das Probe Läuten ftehet in Dero Belieben, 4. 6. 8. auch 12 Stunden, u. leifte 1. auch 2 Jahr die gewährfchaft.

Belieben auch Ew. HochEdelgeb. daß ich felbft vorhero nach Wallendorf komen fol, wegen den Thon der anderen Glocken fo offerire mich ebenfalls auf meine Koften zu komen, und nichts vor Weg u. verfäumniß zu prae-dentiren.

Der ich nebft ergeb. Compl. mit aller Hochachtung verharre

Rudolftadt,   Ew. HochEdelgeb.
den 2. Sep. 1792.   Dienftwil. Johan Mayer.

HochEdelgeb. Herr
     Infonders Hoch Zu Ehrender Heer Factor.

Auf Dero überfanden Brief, wegen einer Zerfbrungenen Glocke von 375 Pfd. Nürnb. um Zugiefen, habe fogleich in fchultigfter antwort, nach vor gefchriebenen Punkten geantwortet, u. den Brief an Herrn Stüntz Zur Beftellung überfand, weiß alfo nicht ob Diefelben den Brief erhalten haben, da ich nun vorige Woche ohngefehr eine Glocke ohnweit arnftadt von 7 Cent. um Zugiefen bekomen habe, fo habe mir hiedurch die freyheit nehmen wollen, bey Ew. Hochedelgeb. mich zu erkundigen ob Diefelben noch gefonnen weren, die Zerfbrungene Glocke zu Wallendorf mit der fchon in arbeit habenden Glocke umgiefen zu laßen. und da ich bey giefung 2 Glocken einige Mühe und arbeit in einen Guß etwas erfbahre, fo verfichere Ew. HochEdelgeb. ich werde mich foviel möglich bey umgiefung der Jhrigen glocken billig finden laßen. Bitte daher ergebenft mir mit wenigen Nachricht Zu geben. ob es mit der jetzo in arbeit habenden Glocke die Jhrige mit um Zugiefen gefchehen könnte, oder nicht. Der ich in erwartung gütigft beliebiger antwort nebft er-gebenfter Compl. mit aller Hochachtung verharre

Rudolftadt,   Ew. HochEdelgeb.
den 30. Septb. 92.   Dienftwil. Joh Mayer.

Accord

mit Hrn. Johann Mayer, Glockengießer aus Rudolftadt,

wegen Umgießung der hiefigen zerfprungenen zweyten Glocke, welche am Gewicht 375 Pfd. Nürnberg. hält.

1.) Verfpricht Hr. Mayer nach feinen beften Wißen u. Gewißen eine dauerhafte Glocke zu gießen, welche den Ton D. haben foll, von den nem-lichen Gewicht, aber nicht fchwerer als die Alte.

2.) Den Guß der Glocke alfo einzurichten, daß das alte Joch u. Befchläge ohne Abänderung darauf paßt,

3.) Müßen die Namen darauf kommen,

   a.) auf eine Seite

A. M. Hammannin, Patroni vidua

   b.) auf die andere Seite

. F. E. W. Heumann, Pastor

J. S. Hutschenreuter, Vorsteher.

4.) Muß Hr. Mayer 2. Jahre Gewährschaft leisten, und so sie unter-
deßen zerspringen sollte, solche ohnentgelblich wieder nach diesen Accord herzustellen.

5.) Reißet Hr. Mayer bei Aufhängung der Glocke auf seine Kosten anher, wobei er aber hier freye Kost haben soll.

6.) Verspricht Hr. Mayer die neue Glocke in 4 bis 5 Wochen von dato
an zu verfertigen.

Dahingegen wird ihm von Seiten der hiesigen Kirche verwilligt

   a.) auf den Centr. alt Metall 8 Pfd. Abgang, also in Summa auf die
Glocke 30 Pfd. Nürnberg.

   b.) Vor 1 Pfd. Nürnberg. Zusatz neu Metall 12 g.

   c.) für die alte Glocke umzugießen überhaupt 20. Thl. alles in Laubthl.
1 fl. 16 g.

   d.) wird die alte Glocke nach Rudolstadt und die Neue zurück frey
transportirt.

   e.) giebt Hr. Mayer den Kleffer und Seil zu Aufhängung der Glocke
unentgeltlich her, jedoch wird solches frey hin und her geliefert.

   f.) nach ausgehaltener Probe die Bezahlung, und

   g.) 1 Thl. zum Douceur für deßen Gesellen.

Zu festhaltung dieses Accords hat sich Hr. Mayer durch eigenhändige
Unterschrift verbindlich gemacht. So geschehen, Wallendorf den 15. Oct. 1792.

Johann Mayer, Glockengießer

Zu Rudolstadt.

Metall-Berechnung über die neue mittlere Glocke.

Die alte Glocke hat gewogen nach den Rudolstadt. Rathswaag-Zeddel
3 C. 77 Pfd. Leipz. thun 3 C. 70 Pfd. Nürnb.

   Abgang hiervon — 30 Pfd.

Verbl. zu gewähren 3 C. 40 Pfd.

Die neue Glocke wiegt 3½ C. 9 Pfd. Leipz. thut 3 C. 58 Pfd. Nürnb.

Das alte Metall abgezogen 3 C. 40 Pfd.

Verbl. Zusatz — 18 Pfd.

Kosten Berechnung.

für 18 Pfd. Zusatz neu Metall à 12 g.	9 Thl.	— g.
für die alte Glocke umzugießen überhaupt	20 Thl.	— „
Douceur für den Gesellen	1 „	—
für einen neuen Riemen	—	10 g.
Waaggeld	—	7 g.
für den Knöppel zu ändern	—	5 g.

Sa. 30 Thl. 22 g.

Welche 30 Thl. 22 g. — mir aus der Wallendorfer Kirche richtig bezahlt worden, worüber ich hiermit quittire. Wallendorf, d. 24. Dec. 1792.

Johann Mayer, Glockengießer.

3 Ctr. 77. Pfd. hat die alte Zerſchlagene Glocke Von Wallendorf auf der Raths·Waage geWogen Welches von den Raths Waage Meiſter hierdurch Attestirt Wierd, datum

Rudolſtadt den 13. Decbr. 1792

3 g. 6. pf. beſagen   Haucke.
Die Waage gebieren,

3.½ Ct. 9 Pfd. hat die oben Neu VerVertigde Glocke auf der Raths Waagen geWogen Welche Nach Wallendorf Wird über Bracht. datum Rudolſtadt den 22. Decembr. 1792.

3 g. 6. pf. beſagen die   Haucke
Waagegebieren von Neuen   als
     Der Neuen Glocke zu Waagen.   Waage Meiſter.

13. Ephorie Kranichfeld.

1. Achelſtädt. 3 Glocken. a. 1836 Joh. H. Ulrich, b. 1837 R. Mayer.

    c. 53 cm. 1756 G. H. Hahn, an der Flanke: Gott allein die Ehre, Goss mich G. Hiob Hahn zu Gotha 1756.   Zerſprungen. 2 Uhrglocken nach Lehfelbt unerreichbar.

2. Barchfeld. 2 Glocken.

    a. 68 cm. 1792 Joh. Mayer, am Hals: Gofs mich Joh. Mayer in Rudolstadt 1792, darunter Blätterkante. Auf der Vorderſeite der Flanke: SUB REGIMINE ERNESTI LUDOVICI DUC. SAXON. Auf der Hinterſeite: Joh. Aug. Schönau, Pastor. VERBUM DOMINE MANET IN ÆTERNUM.

    b. 57 cm, 1595 M. Moering. Am Hals: ANNO MDXCV GOSS MICH MELCHIOR MOERINCK ZV ERFFVRDT.

3. Gügleben. 2 Glocken.

    a. 1773 E. G. Hahn, am Hals Arabeskenfries, an der Flanke:

KOMM CHRIST, HIER WOHNET GOTTES EHRE
BEWAHRE DEINEN FUSS UND HOERE.
HR. W. G. MOELLER, PASTOR.
I. I. NAETHER, PRAET.
GEGOSSEN VON EL. GOTTF. HAHN IN
GOTHA ANNO 1773.

    b. 75 cm. 1851 Joh. Wettig, Erfurt.

Nach Brückner, Sammlung verſchiedener Nachrichten zu einer Beſchreibung des Kirchen= und Schulenſtaats im Herzogtum Gotha III. 6. 74 war die große Glocke von 1448, die kleine von 1648, die Zeigerglocke von 1615.

4. **Kranichfeld.** 3 Glocken.

   a. 114 cm. 1520 [H. Ziegler], am Hals:

      Anno * dni * m * v * xx *

      consolor * viva * mortua * fto * pello * noxia

      sancte * michael * o * p * n. *Heilger Michael bitt für uns.*

Sichel. Reliefs: 1. Christus am Kreuz, darunter Adam und Eva, ringsum Stammbaum Christi als Weinstock mit den Brustbildern der Väter. 2. Anbetung der Weisen. 3. Ecce Homo, von einem Kreis mit Engelsköpfen umgeben, in 3 kleineren Kreisen Brustbilder, Propheten. 4. Christus (?) am Kreuz, eigentümlich durch archaistische Auffassung. Der Herr ist mit vollständigem Mantel bekleidet und steht mit beiden Füßen. Darüber inri. Zu beiden Seiten vor gothischem Maßwerk 2 Schilde, davon der eine das sächsische Wappen, der andere einen Löwen enthält (Fig. 42). Der Auffassung des Bildes als der hl. Kümmernis steht nichts entgegen. Vergl. das ganz ähnliche Steinrelief, jetzt über dem Westportal der St. Johanniskirche in Saalfeld von 1516. Brückner a. a. O. S. 18.

Fig. 42. Relief an der großen Glocke in Kranichfeld.

   b. 85 cm. 1622 H. Moering. Am Hals folgende Inschrift: ANNO . M . DCXXII, DA GOSS MICH HIERONYMUS MEHRINGK ZV ERFFVRDT IM NAMEN GOTTES V. D. M. I Æ ● Darunter Arabeskenfries.

   c. 69 cm. 1859 C. F. Ulrich. Ihre Vorgängerin hatte nach Brückner die Inschrift:

Gott allein die Ehr!
Ich Glocke ruff zur Schul
zur Tauff und Gottesdienst
zur Leiche wer da kommt
geniest guten Gewinst
Gofs mich Paul Hiob Hahn zu Gotha ao 1746 d. 9. 8br,

mit einem Relief, Christus am Kreuz.

   Von den Schlagglocken hatte die größere die Inschrift: Anno + Dm + m + v + x + vv, wobei aber die vv nicht gut möglich sind. Die Glocke wäre auf 1516—18 zu datieren.

   Die Viertelglocke ohne Schrift. Brückner a. a. O. S. 19.

5. **Milda.** 3 Glocken. 1796 Gebr. Ulrich.

   a. 115 cm. An der Flanke: Unter der Regierung des durchlauchtigsten Herzogs Ernst des II. sind wir durch eine
am X. Sept. MDCCXCIII (1793) ausgebrochene Feuersbrunst, wodurch nicht nur Kirche und Thurm sondern
Schule und ganz Milda bis auf das blose Pfarrhauss zer-
stoeret u. in die Asche gelegt durch Gottes Hülfe aber
im Jahr MDCCXCVI (1776) von den Gebrüdern Ulrich
zu Apolda wieder gegossen worden. zu der Zeit war
J. E. Gering Pfarrer. Schöner Muschelfries um den Hals.

   b. 90 cm, um den Hals gloria . in . excelsis . Deo, die Worte durch
Rosetten getrennt. An der Flanke: Ich diene zur Gottes-Ver-
ehrung in Milda zu Apolda MDCCXCVI gegossen von
den Gebrüdern Ulrich. Fries wie bei a.

   c. 75 cm. Am Hals: . Soli . Deo . Gloria, an der Flanke: Wer
mich in Milda hoert sey folgsam. Zu Apolda MDCCXCVI
gegossen von den Gebrüdern Ulrich. Fries wie bei a.

6. **Oßhausen.** 3 Glocken. 1842 Benj. Sorge.

Über die alten Glocken berichtet Pfarrer Leib in der Chronik von Oßt-
hausen II. 23 nach einer Aufzeichnung des Pfarrers Treiber von 1748:

„Die große Glocke hat den Ton Fis und die Umschrift: **Verbum domini
manet in aeternum. Anno dmi x v c l v i i i** (1558) **gos m. b.** In einem
alten Lehnbuch steht: Ao. dmi. 1553 hat man die große Glocke wiederum aufs
Neue gießen lassen, hat an Gewicht gehabt 15 C. 19 Pfd." Wenn die Jahreszahl 1558 richtig ist, so kann nur an Eckart Kucher als den mutmaßlichen Gießer
gedacht werden.

Die mittlere Glocke hält den Ton Gis, soll pp 13 Ctr. wiegen u. neben dem Zeichen
⚐, welches vielleicht ein Wappen sein soll, stehen die Worte: **Ave Maria gratia
v plena anno domini m cccc l xx viiii** (1478). Die kleine diente als Uhrglocke
und Viertelszeiger.

Die große wurde 1754 von N. J. Sorber in Erfurt für 389 Thl. 16 Gr. 10 Pf.
umgegossen und erhielt folgende Inschriften, im obern Ringel: *Als allhier
J. C. Treiber Pfarrer G. Z. Bechstein Schulsubsitut J. N. Rosse
Schultze J. Thein Oberheimburge u. J. C. Ritze J. Kirchheim J. N.
Gebser A. Monhaupt Vormünder waren goss mich N. J. Sorber
in Erfurt 1754,* mittelwege auf der forderm Seite *Soli deo gloria.* anderseits
Vivat Fridericus III Dux Saxoniae Gothanus.

Die mittlere wurde 1764 von E. G. Hahn umgegossen mit der Inschrift:
*Nachdem ich auf diesem Thurm seit anno 1458 einen feinen Klang
von mir gegeben u. die Worte ave Maria gracia plena geführet,*

*aber anno 1764 im Mittagsläuten zersprungen, hat mich in eben
diesem Jahr in Gotha umgegossen E. G. Hahn.* — Welche Jahres-
zahl nun eigentlich an der alten, ob 1458 oder 78 gestanden, bleibt hierbei fraglich.

7. **Riechheim.** 2 Glocken.

   a. 87 cm. 1743 P. H. Hahn. Am Hals sehr einfache Ährenlinie, an
der Flanke einerseits Crucifix, rechts u. links ein Weinblatt, anderseits

ICH DIEN IN FREUD UND LEYD,
ERWECKE ZUM GEBETH:
BERUFF ZUM GOTTESDIENST,
DIE MENSCHEN FRÜH UND SPAET.
ISAAC IACOB ARMSDORFF, PASTOR.
GOSS MICH PAUL HIOB HAHN
ZU GOTHA ANNO 1743. �֍

   b. 75 cm. 1648 J. König, am Hals:

DVCHS FEYR BIN ICH GEFLOSSN ✝
JACOB KONIG GOS MICH IN
ERFFVRD ANNO 1648.

Darüber eine Blätterkante.

8. **Stedten.** 2 Glocken. a. 65 cm. Ohne Inschrift und Bilder, 14. Jahrh.

   b. 54 cm. Gebr. Ulrich.

9. **Treppendorf.** 2 Glocken. 1876 Gebr. Ulrich.

14. Ephorie Camburg.

1. **Aue.** 2 Glocken.

   a. 82 cm. 1767 J. G. Ulrich. Am Hals: Zersprung war ich,
Georg Ulrich von Laucha goß mich Ao 1767. An der Flanke:
Da Herzog Friedrich der dritte wohlregierte
Da Zeidlers Unterricht das Volk zu XTO (Christo) führte
Da Böhm und Mofsdorf hier die Kirchenväter hiefsen
Da liefs man uns von neust zum Kirchen Brauche giefsen.

   b. 66 cm, von demselben. Am Hals: Zersprung war ich Georg
Ulrich von Laucha goß mich 1767. An der Flanke:
Ich rufe zum Gebeth
Ich rufe die Gemeinen.
Ach Herr gedenk an sie,
Wenn sie vor dir erscheinen.

Die Kosten des Umgusses betrugen 246 Thlr. 19 g.

In einer alten Ortschronik ist verzeichnet:

„§ 4. Haben wir auch ein paar Glocken, davon die große etwa 5 Centner,
die kleine aber 2½ Cent. wieget, allein sie sind beyde zersprungen, und wird
gegenwärtig ihr Umguß befördert.

Sie sind beyde von einem Meister in Erfurt a. 1526 gegoßen worden Auf der großen stehet:

Anno M. D. XXVI, Ich durch Hauts Möring, Sebald Geruingh gegoßen war. In Erfurth der Stadt, da Hauts Pfeiffer und Merten Ernt Kirch Väter waren in Aue.

Auf der kleinen stehet:

Gottes Wort bleibt ewig
Hauts Möring gots mich M. D. XXVI cum effigie Jesu
auf dem Rande.

Hans Moering kommt allerdings erst 1570 vor, Geringh ist überhaupt noch nicht nachgewiesen. Das frühe Datum erregt daher einiges Bedenken; ob 1576?

2. **Boblas.** 2 Glocken.

   a. An der Flanke 4 mal das Zeichen ⟵ Nach Lehfeldt ist dies (2mal) A O mit Kreuzen oben auf. ⊙

   b. am Hals: **Hans Müller goss mich zur Naumburgh ann 1612.** Darunter: **Erasmus Breitenbach Pfarher George Berckmann Hans Knauf Kirchvat:** An der Flanke: **Hans Friedrich von Portzigk.**

3. **Camburg.** 3 Glocken. 1848 C. F. Ulrich.

4. **Casekirchen.** 3 Glocken. 1819.

5. **Eckolstädt** (in einem Glockenhaus) 3 Glocken. 1806 Gebr. Ulrich, mit zopfigen Muschelfriesen (Fig. 42). Die 3 älteren gingen in einem Brand 29. Juli 1805 unter.

6. **Graitzschen.** 2 Glocken. 1808.

Über die Glocken in der Kapelle zu Graitzschen folge der Bericht aus einer Chronik des Schullehrers Johann Gottfried Schmidt in Aue vom Jahre 1855:

„Man fühlte sehr wohl, daß, wenn man in der erneuten Kapelle Communion, Taufen, Trauungen, Leichenpredigten u. auch das Erntefest halten wollte, man auch zum Zeichen für den Anfang des Gottesdienstes wenigstens Einer Glocke bedürfe. (Vorher hatte das Zeichen zum Anfang eines Leichenbegängnisses durch eine Handglocke, welche durchs Dorf getragen wurde, gegeben werden müssen.) Nach geschehener Vorberatung wurde ein Glockenstuhl erbaut, nicht aber für eine, sondern für 2 Glocken, weil manche Gemeindeglieder meinten, wenn wir jetzt die große Glocke gießen lassen, so können unsere Nachkommen später noch eine kleine dazu gießen lassen, und daher ist es besser, wenn wir den Glockenstuhl gleich für 2 Glocken einrichten lassen.

Es wurde Eine Glocke bestellt in Apolda bei dem Glockengießer Ulrich, aber war mit demselben jedenfalls im Geheim verhandelt worden, wahrscheinlich auch von denjenigen, welche den Bau der Kapelle so eifrig und uneigennützig gefördert hatten — denn als man die Glocken in Apolda abholte, kam eine kleinere als Gesellschafterin und treue Begleiterin mit und bat beweglich: O gönnt mir diesen Ort!

Ihre Bitte wurde erhört, man brachte die beiden Schwestern auf den für zwei eingerichteten Glockenstuhl, und sie ertönen noch jetzt einig und kräftig von der Höhe.

Ueber den wahren Betrag der Kosten ihrer Anschaffung hat man nichts ganz Bestimmtes erfahren, weil manches, wie schon gesagt, von Gutgesinnten im Geheimen bewirkt wurde.

Indes fand sich im Febr. 1856 in der Gemeindelade bei Durchsicht alter Papiere noch folgende Rechnung:

A. Die große Glocke

hat gewogen 350 Pfd. pro Pfd. 14 g. macht . . . . 204 Thlr. 4 g.

die Pfannen haben gewogen 11⅛ Pfd., pro Pfd. 16 g. = 7 Thlr. 22 g.

für den Beschlag, Joch u. Klöppel überhaupt behandelt 10 Thlr.

für den Riemen . . . . 16 g.

für Wiegegeld à Ctner 1 g. 3 pf. . . . . = 4 g. 1 pf.

Summa 222 Thlr. 22 g. 1 pf.

B. Kleine Glocke

Gewogen 167½ Pfd. à 14 g. . . . . = 97 Thlr. 17 g.

Pfannen, gewogen 7⅛ Pfd. à 16 g. . . . . = 3 Thlr. 6 g.

Beschlag, Joch u. Klöppel . . . . 6 Thlr.

Riemen . . . . 10 g.

Wägegeld . . . . 2 g.

Sa 109 Thlr. 11 g.

Summa 332 Thlr. 9 g. 1 pf.

Gebrüder Ulrich, Glockengießer
zu Apolda.

Auf der großen Glocke findet sich folgende Aufschrift:

Unter Herzog A u g u s t s Regierung wurde ich zum grofsen Lobe Gottes von einer christlichen und wohlgesinnten Gemeinde allhier ganz neu angeschafft.

Zu dieser Zeit war Pfarrer in Aue Karl Johann Philipp Zeigermann, Amtsschulze Christoph Schlegel, Altarmann Gottfried Kunze.

Gott segne und erhalte die Gemeinde Graitzschen.

Mich besorgte die Gemeinde, weil sie waren Gottes Freunde.

Ihre Namen schreibe Gott, dafs sie dieses Werk getan

Mit dem teuren Jesusblut ewig in dem Himmel an.

Auf der kleinen Glocke steht:

a) Ueber dieses Gotteshaus breite Herr, die Hände aus.

b) Bin ich schon klein, mein Singen
Wird euch doch Freude bringen im lieblichen Accord
Ich teile Freud und Leiden
Mit euch zu allen Zeiten,
O gönnt mir diesen Ort!
Lafs, Gott, in vielen Jahren
Dem Graitzschen nicht erfahren
Krieg, Hungersnot und Brand,
Gib Frömmigkeit und Tugend
Dem Alter und der Jugend,
Glück unserm Vaterland!

7. **Heiligenkreuz.** 2 Glocken.
   a. 60 cm. Am Hals: hilf got maria berot.
   b. 54 cm. Unter dem Hals † x A ∽ (ob mißlungen für X V S = Christus?). Beide Glocken ſind ſehr ſchwer zugänglich.
8. **Janisrode.** 2 Glocken. 1868 C. F. Ulrich.
9. **Kleingeſtewitz.** 3 Glocken. 1881 u. 1889 von Gebr., 1837 von C. F. Ulrich.
10. **Köckenitſch.** 2 Glocken.
    a. 1883 Ulrich, Laucha.
    b. 1615 Hans Müller mit Inſchrift am Hals unter Barockfrieß: HANS MÜLLER ·ZV NAUMBVRCK GOSS MICH ANNO 1615.
11. **Leislau.** 3 Glocken. 1851 C. F. Ulrich.
12. **Lichtenhain.** 3 Glocken.
    a. 100 cm. 1696 J. Roſe, mit der Inſchrift: Im Namen Gottes gofs mich Johannes Rose in Volkstaed anno Christi MDCXCVI. M. Heinrich Christoph Loeber, P. U. Superintend, Orlamünd. M. David Lieppach, P. M. Georg Tietz, P. Nicol Beyer, Kirchvater. Moritz Christoph V. Haesler H. Paul Gabriel Tschirk, Gerichtsverwalter Andreas Dondorf, Richter Hans Wolffelt, Gerichts-Schöpfe. C. W.
    b. 77 cm, m. Inſchrift: Durch Gottes Hülfe goss mich Johann Christoph Rose in Ossmanstedt 1721.
    c. 62 cm. Ulrich fratres.
13. **Löbſchütz.** 2 Glocken.
    a. 1714 für 112 aßo, am Hals: Surber Gos Mich in Erfurt. a. c. 1714. An der Flanke, einerſeits: Friederico Duce Sac. J. C. M. andererſeits: A. B. R. J. Kirchenvorsteher No. 1 A. W. u. C. M. Nath. Myliop (?) u. Inspector. J. Gottfrd Gotter. Amtsadj. zu Camburg J. Friedr. Reyher P. u. Adj. J. Christ. Reyhero. P. E. Macheralich, Schulm.
    b. 1804 Gebr. Ulrich.
14. **Molau.** 2 Glocken.
    a. 92 cm. 1741 J. G. Ulrich, mit Inſchrift: Wach auf o Mensch von Sundenschlaff. H. Christian von Rhoda damalicher Pstor. Durchs Feuer bin ich geflossen. Joh. George Uhlrich von Laucha goss mich in Gottes Nahmen neu om der Gemeinde Molau Anno 1741.
    b. 75 cm. 1781 Gebr. Ulrich mit Inſchrift: Gloria in excelsis deo. Me fuderunt Joannes Georgius et Joa: Godofredus Ulrici fratres Apoldae A $\overline{o}$ M.DCC.LXXXI.·.
15. **Münchengoſſerſtädt.** 2 Glocken.
    a. Klara genannt. 75 cm, 1856 C. F. Ulrich.
    b. 62 cm. 1787 Gebr. Ulrich, am Hals: Deo me fecerunt Ulrich fratres Apolda Ann. MDCCLXXXVII, darunter: Gloria in excelsis Deo.

Aus der Ortschronik von Münchengosserstädt teilt Pfarrer Scheller folgendes mit:

„1630 brannte die Kirche in Münchengosserstädt ab. Die Glocken, die dabei unbrauchbar wurden, wurden erst 1668 in Erfurt „teils aus dem geschmolzenen Metall der früheren, teils aus einem vordem auf dem Thorhause des adel. Hofes befindlichen Schlagglöckchen 1668 in Erfurt gegossen."

J. J. 1787 ließ man die kleine Glocke, welche gesprungen war, durch die Gebrüder Ulrich in Apolda umgießen.

1855 am Weihnachtsheiligabend zersprang die mit der Inschrift *Johann Augustus Gotter Schesser zu Camburg, George Hain Altarist, Jacob Pape hat mich gegossen in Erfurt Anno 1668* versehene hiesige große Turmglocke. Gegen Abend war beim Festläuten der Klöppel aus dieser Glocke gegangen. Nachts um 12 Uhr beim Christläuten wurde die Glocke daher angeschlagen, beim 3. Schlag zersprang sie. Sie wog nicht ganz 3 Centner. Das Umgießen wurde an den Glockengießer Carl Friedrich Ulrich in Apolda für 60 ℳ preuß. in Akkord gegeben.

Sie wurde am 5. März 1856 aufgehängt und vom 5. bis zum 6. März 24 Stunden lang geläutet, wog 4 Ctr. 8 Pfd., war ganz in Accord mit der kleinen Glocke und im Tone etwas heller als die Alte."

In der Schulmatrikel von 1797 steht (Verrichtungen des Lehrers = Schul-bieners):

„Läuten: so oft Gottesdienst gehalten wird, als bei Trauungen, Taufen und Begräbnissen, festtageinläuten, zur Schule des Winters um 7 Uhr, des Sommers um 6 Uhr und Mittags um 12 Uhr, ingleichen des Abends, auch angeschlagen."

„In Gosserstädt bekommt der Schuldiener bei jeder adeligen Leiche 1) einen Thaler vors Singen und andere habende Mühe, 2) bei der Beerdigung 1 Thaler 3) vor das gewöhnliche Läuten einen Trauerflor oder davor auch einen Thaler, ingleichen das weiße Leinentuch oder davor 2 Thaler."

„Auch bekommt er hiesigen Orts das wenige Trauerflor, so um das Kreuz bei der Leichenbestattung gebunden wird."

16. Reibschütz. 2 Glocken.

    a. 1880 C. F. Ulrich, teilweise Geschenk der Joh. Christ. Herbst geb. Meisel.

    b. 60 cm. 1792 Gebr. Ulrich für 63 Thlr.: Fratres Ullrich fecerunt Apoldae MDCCXCII.

17. Prießnitz. 2 Glocken.

    a. 1730 am Hals unter Rankenfries Joh. Christoph Fischer in Zeitz goss mich, vorn: Anno 1641 den 15. December bin ich im Kirchenbrande zerflossen und 1643 wieder gegossen worden, zersprang nach der Zeit und ward im andern evangelischen Confessionsjubeljahr 1730 wieder umgegossen Andreas Weise Pastor Senior et Emeritus M. Johann Andreas Weise Pastor Substitutus Christoph Stöckel Oberaltarmann, Rückseite: V. G. G. F. H. Z. S u. sächs. Wappen.

b. 1860 C. F. Ulrich „gegoßen 1643, umgegoßen 1860.“

18. **Robameuschel.** 2 Glocken.

a. 50 cm. 1664, am Hals: ANNO 1664 ⚹ DA GOS MIK IOHANN BERGER ZU WEIMAR ⚹ E. N. A. V. E. U. — HEINRICUS TOBIAS ALBINUS PASTOR ⚹ —

b. 42 cm. Ohne Inschrift und Bilder, etwa 14. Jahrh., Ton „mit klirrendem Ausklang.“

19. **Schleußkau.** 2 Glocken. 1853 Gebr. Ulrich.

20. **Schmiedehausen.** 3 Glocken.

a. 122 cm. 1769 Gebr. Ulrich, am Hals: Gloria in excelsis Deo, darunter: Anno MDCCLXIX goss mich Johann George und Johann Gottfried Uhlrich in Apolda, darunter auf der einen Seite das sächsische Wappen, auf der andern in Wappenform ein Kranz, in diesem Glocke mit Kanonenrohr und nach beiden Seiten flatterndes Band, auf welchem die Initialen I. G. U. et I. G. F. U. (Johann Georg Ulrich und Johann Gottfried Ulrich.)

b. u. c. 1817 Gebr. Ulrich.

21. **Seidewitz.** 2 Glocken. 1859 C. F. Ulrich.

22. **Sieglitz.** 3 Glocken. 1851 C. F. Ulrich.

23. **Thierschneck.** 2 Glocken. 1819 Gebr. Ulrich.

24. **Zultewitz.** 2 Glocken. 1782 Gebr. Ulrich.

a. An der Flanke einerseits: 1780, den 11. Sept. sind die beiden Glocken durch eine in den Abendstunden ausgebrochene Feuersbrunst benebst der Kirche und dem gröfsten Theile dieses Dorfes ein Raub der Flammen geworden. Zu den beiden Seiten der Jahreszahl zwei weinende, notbürftig bedeckte Kindergestalten; anrerseits: 1782, als Herr Michael Ehrenfried Kuhnel Amtmann, Herr Johann Christian Reyher Pfarre war, ist diese Glocke aus dem wiedergesammelten alten Metalle gegossen worden von den Gebrüdern Johann Georg und Johann Gottfried Ulrichen zu Apolda. Am Hals: Gloria in excelsis Deo.

b. Einerseits: Ich rufe zwar das Volk zusammen; Gott, gib, nur nicht bei Feuerflammen! darunter eine weinende Kindergestalt, notbürftig bedeckt; anrerseits: 1782. Johann Christian Schate, Amtsschulze, Gebr. Joh. Georg und Joh. Gottfr. Ulrich, gantz neu gegossen. Am Hals: In Deo spes mea.

25. **Altenbach.** 3 Glocken.

    a. 1500, am Hals: **anno dni mᵛᶜ fusa.** Wappen der Stadt Halle.

    b. c. 1822 Gebr. Ulrich.

26. **Vierzehnheiligen.** 2 Glocken. 1776 Gebr. Ulrich.

    a. mit Aufschrift: Nach der am 27. April 1775 gewesenen
Feuersbrunst haben diese beiden Glocken wieder gegossen
Georg und Johann Gottfried Ullrich zu Apolda, anno 1776.

    b. mit Inschrift: Soli deo gloria me fuderunt Ulrici fratres Apoldae,
anno 1776 Georgius et Johannes Godofredus.

27. **Wichmar.** 2 Glocken.

    a. 1830 C. F. Ulrich, am Hals: ▬ GOTT SEGNE UND ERHALTE
WICHMAR UND DESSEN FILIAL! ▬ An der Flanke einerseits: Lobte das Werk den Meister

        Auch bei meiner Probe schon

        So rief von hier zur dritten Jubelfeier

        Der Augsburgischen Confession —

        Die harrende Gemeinde

        Doch erst zum erstenmal mein Ton

        Am 25. Juni 1830 ● Darunter ein Blumenkorb; andrerseits:

Zu Erfurt ist mein erster Gufs ● 1732 ● gelungen

Zu Apolda mein zweiter ● 1830 ● als da ich zersprungen.

Und ruf ich nun lauter und wieder von hier

Du kleine Glocke allein und mit Dir

Zu Eintracht in Gott den beiden Gemeinden

Gegossen von C. F. Ulrich in Apolda

      ● 1830 ●   Darunter ein Blumenkorb.

    b. 3zeilige Umschrift (1732 Sorber): IM FEUER BIN ICH ZWAR
GANTZ UNVERHOFFT ZERFLOSSEN. DOCH HAT MICH
SORBERS HAND — AUFS NEUE SCHÖN GEGOSSEN ●
WER ETWA WISSEN WILL WENN BEYDES SEY GE-
SCHEN — DER WOLLE NUR GENAU AUF MEINE
SCHWESTER SEHN ● (Die „Schwester" hatte wahrscheinlich
ein Chronogramm mit 1732.) Unten mit Laubgewinden, 5 cm breit.
eingefaßt.

28. **Würchhausen.** 2 Glocken. a. 1840 C. F. Ulrich, b. 1806 J. C. Heim.

Fig. 42. Vom Fries der Glocken in Eckolstädt.

Fig. 43. Fries an der großen Glocke in Jüchsen.

5. Inschriften und Verzierungen.

A. Über die Technik der Inschriften sei hier kurz angemerkt, daß die ältesten Glocken vertiefte Schriftzeichen tragen, welche entweder erhaben auf den Mantel (die Form) angebracht waren oder nachträglich eingeschnitten wurden. Hiervon findet sich kein Beispiel in Meiningen. Nur begegnen auf Glocken des 17. und 18. Jahrh. einzelne nachträglich eingeschnittene Buchstaben, welche beim Guß ausgefallen waren. — Die erhabenen Inschriften bieten jedoch Beispiele für alle je geübten Manieren dar.

1. Die nächstliegende Methode war es, die Inschrift mit einem Griffel in den noch feuchten Mantel einzugraben, wie es an älteren Glocken gewöhnlich, vereinzelt aber noch bis zum Schluß des Mittelalters vorkommt. Nur lag hier die Schwierigkeit vor, daß die Inschrift verkehrt, linksläufig eingeschrieben werden mußte, um auf der Glocke selbst rechtsläufig lesbar zu sein. Auf diese Art ist die Silberglocke in Pößneck noch um 1350 beschrieben, nur daß hier der Gießer bloß die einzelnen Buchstaben verkehrt, die Reihe der Buchstaben (die Wörter) aber rechtsläufig, also ƎIT statt TIƎ und VNS statt SNV schrieb. Die Folge ist gewesen, daß auf der Glocke die Buchstaben nach rechts, der Text aber nach links steht: EREH REGLEYH statt HEYLGER HERE, ein Umstand, der die Entzifferung der Inschrift sehr erschwerte. Fig. 36.

2. Wesentlich leichter ging die Arbeit mit einzelnen Holzstempeln von Statten, in welche das Alphabet nach Art der Lettern erhaben ausgeschnitten war. Diese wurden in den Mantel eingedrückt, wobei kleine Unregelmäßigkeiten der Stellung, selbst verkehrte Handhabung der Stempel nicht selten sind. In dieser Art sind die Glocken in Schwarzbach und Marisfeld beschrieben. Bei der Marisfelder finden wir einfach die Buchstaben von A bis G, bei der Schwarzbacher die sinnlose Reihe V P D E P H mit verkehrtem E, welche verrät, daß der Gießer kein großer Schriftsteller war. Denn dieser zufälligen Folge eine Absicht oder einen geheimen Sinn unterzuschieben, würde durchaus gegen die Naivetät des Zeitalters verstoßen. An einer Reihe Glocken um Jena, welche zu der Familie Tümpling in Beziehung stehen, findet sich eine ganz bunte Mischung von sinnlosen Buchstaben und in frappanter Analogie ist darunter auch eine solche (in Rennsdorf), wo der Versuch, das Alphabet darzustellen, gemacht aber nur bis F geglückt ist. Einen Fortschritt

bekundet die Evangelisten-Glocke in Meschenbach. wo nur das S 3mal verkehrt erscheint, und die in Meiningen, welche die Evangelistennamen fehlerlos darbietet.
In Meschenbach fällt es auf, daß der Gießer in IOHANNES für N 2 Formen,
die kapitale und die unziale nacheinander anwandte. In Gleichamberg finden wir
ein besonders schönes Alphabet verwandt. Auch der Meister Hermann Keßler
schrieb noch an der Meininger Schlagglocke in derselben Manier, welche nur den
großen Nachteil hatte, daß die Arbeit in dem engen, wieder besonders aufgeweichten
Mantel, also in unbequemster Lage und in rückwärtslaufender Schreibung gemacht
werden mußte. Als Einfassung finden wir einfache Linien mit dem Griffel gezogen oder sog. Stricklinien, welche durch Eindrücken eines gewöhnlichen Strickes
in den Mantel entstanden. Auch die wenigen und seltnen Verzierungen — Rosetten in Schwarzbach, die Evangelistenzeichen in Marisfeld ·· sowie die Trennungszeichen — Punkte in Meiningen (Schlagglocke) und Meschenbach, Sternchen in
Meiningen (Meßglocke) — wurden durch Stempel eingedrückt. Fig. 7, 12, 26, 27, 28.

3. Einen großen Fortschritt bedeutete es demgegenüber, als man anfing,
Schrift und Verzierungen in Wachsmodellen auf das Hemd zu kleben. Dies Verfahren gestattete dem Arbeiter, in voller Freiheit und Bequemlichkeit zu hantieren,
rechtläufig zu schreiben und die Wirkung stets zu kontrollieren wie auch Fehler zu
verbessern. Das Verfahren ist auch in der Gegenwart noch in Gebrauch. Die
Anfänge desselben können wir an der sonst kläglichen Glocke in Ködelwitz beobachten. Hier sind ein Kreuz, die Zeichen A O und der Name Maria aus
Wachsfäden gebildet, welche genau wie der Abdruck zeigt, auf das Hemd geklebt,
einfach oder doppelt nebeneinander laufen, an den Enden in Schleifen umgelegt
oder in Spitzen zusammengedrückt, teilweis aber auch strickartig gedreht sind. Die
Glocke gehört noch dem 13. Jahrh. an. Fig. 38.

4. Weit vollkommener ist die Methode an der Sterbeglocke in Saalfeld von
1353 gehandhabt. Hier sind die großen und breiten Majuskeln erst einzeln mit
Wachs in Holzformen gebildet und dann nach Bedarf aufgeklebt. F. 40. Es ist indes
dabei ersichtlich, daß sie dann noch aus freier Hand nachgearbeitet, beschnitten,
auch wohl verbogen wurden, denn die Bildung der Typen ist durchaus schablonen-
haft, trotzdem decken sich z. B. die S, D und O beim Aufeinanderlegen nicht vollkommen. Kleine Verschiebungen mußten ja außerdem noch eintreten, wenn die erste
Schicht des Mantels aufgelegt wurde, wozu schon um der deutlichen Abformung
willen einiger Kraftaufwand nötig war. Dies mag es auch erklären, daß die in
gleicher Weise vorgebildeten Reliefs sehr undeutlich erscheinen. Die Meister der
Gotik wenden das Wachsmodellverfahren fast ausnahmslos an und übertragen es
auch auf die Verzierungen. Die künstlichen Rund- und Kreuzbogenfriese des Meisters
mit dem Adler, des Marcus Rosenberger, noch des Christoph Glockengießer sind
stets über Wachsmodellen gegossen, wobei die gleichmäßige, vollendet künstlerische
Wirkung durch sorgfältiges Überarbeiten der Nähte und Ungleichheiten erzielt
wurde. Diese Sauberkeit der Ausführung wird bei den Gießern des 17. und
18. Jahrh., namentlich aber der Neuzeit sehr vermißt. Und es ist bedauerlich,
wenn ein so edles und kostspieliges Gerät schließlich den Stempel der flüchtigen
Fabrikware bekommt. In den neuern Gießerverträgen wird meist ein besonderes

Abkommen über die Inschriften getroffen derart, daß sie entweder extra berechnet werden oder wenigstens das Wachs dazu geliefert werden muß. Es ist immerhin merkwürdig, wenn der Gießer Albrecht in Coburg noch 1834 an der großen Glocke in Behrungen aufzeichnet, daß (sein Bruder?) G. Albrecht neue Buchstabentafeln schnitt (Novas litterarum tabulas sculpsit G. Albrecht.)

4. Dagegen glaube ich beobachten zu können, daß der Gebrauch von Wachsmodellen für figürliche Darstellungen die mittelalterlichen Gießer nicht befriedigte. Einmal begegnen wir jenen großen Linienfiguren, welche die ganze Flanke der Glocke bedecken wie die Salus in Graba und die nach der früheren Schreibmanier mit Griffel in den Mantel gezeichnet sind. Dann aber finden wir im Gegensatz zu ganz rohen und formlosen Gebilden, deren Entzifferung nicht selten zur Unmöglichkeit gehört, ganz hervorragend scharfe und zierliche Reliefs, von einer Feinheit der Ausführung, wie man sie nur beim Goldschmied erwarten kann. Es kann dies nur so erklärt werden, daß thatsächlich erhabene Modelle, welche der Ciseleur in Holz oder Stein schnitt, in den erweichten Mantel gedrückt wurden. Durch diese vornehme Art der Verzierung sind Heinrich Ciegler und der Meister mit dem Adler ausgezeichnet.

Daß die Holzmodelle der Buchstaben, die Stempel und Schablonen von einem Gießer auf den andern übergingen und zuweilen generationenlang gebraucht wurden, muß davor warnen, übertriebene Schlußfolgerungen aus gleichen Schriften und Bildern zu ziehen.

B. Was den Inhalt zunächst der Inschriften betrifft, so fesselt die der Silberglocke in Pößneck schon durch die Anwendung der deutschen Sprache. Die Glocke ist allen übrigen Kennzeichen nach eher vor als nach 1350 zu datieren und ergiebt somit ein recht frühzeitiges Beispiel für die epigraphische Verwendung des heimischen Idioms. Otte (S. 119) kennt nur 3 Glocken von 1306 und 1340 mit deutschen Inschriften. Auch im Meiningerland ist die nächste deutsche Inschrift erst 1463 zu Gellershausen nachweisbar: maria heis mich

cristus der schuf mich. Dann folgen
1470 Gleichamberg: Fleuch hagel und wint

das hilf maria und ir libes kint, 1477 Eckardts: In di ere gote (s) und marian be (n ich gegossen), während 1480 in Gleicherwiesen die Zwitterform auftaucht: Anno domini tausend vierhundert und in dem achzigsten iar. Und der Meister mit dem Adler hielt für nötig, eine Stelle aus dem Symbol gleich zu verdeutschen credo sanctam (ecclesiam) catholicam: (ich glaube) eine heiligen christenlichen kirchen. Seit der Reformation gewinnt dagegen die deutsche Sprache mehr und mehr an Boden, wenn auch gelehrte Pfarrer bis in unsere Tage ihre lateinische Wohlredenheit gern haben leuchten lassen. Die ziemlich sinnlose Spielerei wird hoffentlich in Zukunft zu den Curiositäten zählen. Denn es ist doch unnatürlich, wenn eine deutsche, evangelische Gemeinde erst warten muß, bis ein leidlich gelehrter Mann in ihrer Mitte erscheint, um zu erfahren, was auf einer Glocke steht. Aus dem gleichen Grunde möchte auch die Anwendung der großen, kapitalen lateinischen Buchstaben aufgegeben werden. Die gewöhnliche deutsche Druckschrift ist nicht nur lesbarer, sondern in monumentaler Ausführung auch weit wirkungsvoller.

1. Die Frage der **ABC=Glocken** von denen Meiningen 2 besitzt, in Marisfeld aus dem 13., in Röbelwitz aus dem 15. Jahrh., ist von den verschiedenen Seiten erörtert worden und es hat in der That etwas Verlockendes, zur Erklärung den Kirchweihritus heranzuziehen, nach welchem der Bischof in 2 kreuzweis im hohen Chor gestreuten Aschenlinien das Alphabet griechisch und lateinisch zu schreiben hatte. Aber alle Beobachtungen sprechen im oben schon angedeuteten Sinn dafür, daß mehr Unbeholfenheit oder Naivetät der Gießer im Spiel war.[1] Eher läßt sich noch denken, daß man durch die Buchstaben als Zauberformeln die Kraft der Glocke gegen feindliche Mächte verstärkt glaubte. Denn dies ist allerdings der Inhalt weitaus der meisten mittelalterlichen Glockeninschriften.

2. **Schutzinschriften.** So wird zunächst das apokalyptische A O als Majestätszeichen Christi angebracht (Boblas und Röbelwitz), so sind die Namen der 4 Evangelisten und der hl. Dreikönige (Melchior, Kaspar, Balthasar), der Titulus triumphalis Jesus Nazarenus rex Judeorum, die Stelle verbum caro factum est aufzufassen. Das **Kreuzeszeichen** erfährt die ausdrückliche Auslegung ecce crucem domini, fugite partes adversae (Unterwellenborn). Auch das Zeichen T, Antonius=, Tau= oder ägyptisches Kreuz genannt, will als Schutzmittel verstanden sein. Es begegnet zunächst auf 3 Glocken Johannes Roßangs, welcher der Antoniusbruderschaft angehörte und das T als Trennungszeichen verwandte, nämlich 1485 in Immelborn und Eicha, F. 16. 1483 in Helbburg (Veilsdorf). In diesen Fällen haben wir es sonach einfach mit dem Attribut des Antonius zu thun, welches die Hilfe dieses Heiligen gegen Pest, Rose und Rotlaufen ausdrücken soll. Ebenso konsequent braucht der Meister mit dem Adler das Zeichen T vor oder hinter den Namen der Heiligenfiguren, welche er auf die Flanke zu kleben pflegt z. B. s. vrbanus T, s. anna T Johannes Kantebon dagegen hat es auf der Gloriosa in Pößneck von 1490 zweimal gegenüberstehend am untern Rand angebracht, vielleicht in der Nebenabsicht, die Glocke vor dem Zerspringen zu bewahren. Denn der hl. Antonius führte ja auch ein Glöckchen und konnte so leicht im Volksglauben als Beschützer der Glocke erscheinen. Nach den bisher vorliegenden Beispielen, welche sämtlich dem spätern Mittelalter angehören, wird man das Taukreuz nur in naher Beziehung auf Antonius erklären dürfen, obwohl nicht unbekannt ist, daß es schon in altchristlicher Zeit mit dem Kreuz Christi alterniert.[2] Deutlicher ist die Wirkung des Glockenklangs ausgesprochen: heylger here Bartholomeus bit got vor uns wo mane gelut hore, dasn bose geyst nimant bethore (Pößneck). Dieselbe Bedeutung hat der Vers: Protege rex Christe quos contigit sonus iste (Schütze die, König Christus, welche dieser

---

[1] F. W. Schubart, Alphabet=Glocken in Monatschr. f. Gottesdienst u. kirchl. Kunst II. 16 erwähnt nur 6 wirkliche **ABC=Glocken** in Deutschland, außer den schon bekannten in Schmillendorf, Röbelwitz, Rennsdorf, noch in Jeßnitz, Biel und Luzern. Außer der Marisfelder haben sich noch 3 aus dem 14. und 15. Jahrh. gefunden, sodaß jetzt auf 10 Beispiele exemplificiert werden kann. Nur die Jeßnitzer ist freihändig, die übrigen nach Schablonen gegossen. Der Gebrauch des **ABC** hat sich aber bisher **nur** auf Glocken nachweisen lassen.

[2] G. Sommer, Über das T in Glockeninschriften und in andern Beziehungen, Zschr. des Harzvereins XXXIII. 492.

Ton erreicht). Die bösen Geister dachte man sich im Gewitter besonders thätig, daher es in Themar lautet maria sum nominata, contra tonitrua facta (Maria bin ich genannt, gegen Donner gemacht) und deutsch in Gleichamberg: fleuch hagel und wint, das hilf Maria und ir libes kint. Selbst das so weit ver= breitete Ave Maria gracia plena gehört in die Klasse der Schutzinschriften. Der alte Glockenspruch o Jesu rex gloria veni cum pace kommt auf unserm Gebiet nur im Spätmittelalter vor und beschränkt sich, 2 Beispiele ausgenommen (Leutersdorf 1492, Marisfeld 1498) auf die Glocken Marcus Rosenbergers. Er fußt deutlich auf Pf. 24 et introibit rex gloriae und dem Tedeum: Tu rex gloriae Christus tuis famulis subveni, und mag auch seine Einführung mit liturgischen Neuerungen oder sozialen Bewegungen, etwa dem Gottesfrieden[1]) in Beziehung stehen, so ist doch durch diesen späten und konsequenten Gebrauch der Volksglaube an seine magische Kraft belegt und nicht zu bezweifeln. Auch das frühzeitig vorkommende und äußerst häufige Rexgloriäbildchen (Christus in der Mandorla auf dem Regenbogen sitzend mit Scepter und Buch des Lebens) deutet durchaus in diese Richtung. Man könnte Nachklänge des alten Geisterglaubens noch in viel späterer Zeit finden. Die kleine Glocke in Osthausen von 1842 trägt die Verse:

Zur Kirch u. Schule rufe ich
Daſs Jedes froh beeile sich
Des Himmels Segen zu empfahn
Damit entflieh der eitle Wahn!

Aber mit dem „eitlen Wahn" ist in der Blüte des Gothaischen Rationalismus natürlich eine ganz andere Vorstellung verbunden.

3. Freier und reiner sind Inschriften wie der Anfang des alten Hymnus: Veni sancte spiritus reple tuorum (corda) Gleichamberg, des englischen Lob= gesanges: gloria in excelsis deo (1470 Effelder), des Credo (Lindenau), das Gebet laus tibi domine rex aeternae gloriae (Eisfeld 1506), oder sit nomen domini benedictum (Marktgölitz) oder hilf got hi und dor mir us not (Pößneck), hilf maria mir us not, dem libe hi der sele dor (Ebenhards) und beide vereint: hilf got maria berot (Hohenthal). Die Bestimmung der Glocke sprechen die Verse aus: Vox ego sum vitae, Christum adorare venite (Streuf= dorf 1504), consolor viva, fleo mortua, pello nociva, welche Heinrich Ciegler eigentümlich sind, Osanna vocor, laus deo sit cum pulsor (Langenschade), Salus sum dicta, mortuos defleo, tempestatem depello, plebanum convoco laudem dei denuncio (Graba 1484), Non ego cesso piam sonitu laudare Mariam (Saalfeld 1353). Auch ihre besondere Würde sucht die Glocke zu wahren: Non me subsanna cum sit mihi nomen Osanna (Großkochberg 1497), über dessen Bedeutung ich mich schon ausgesprochen habe.[2])

---

[1]) So Schubart O Rex gloriae, ein uraltes Glockengebet, Dessau 1898 und die Glocken im Herzogtum Anhalt 531. Lepsius kl. Schriften II. 164: Die Worte drücken den Wunsch aus, Gott möge bei Gewitter und Donner als segnender Vater erscheinen, könnten sich auch auf das jüngste Gericht, durch den Hall des Donners angekündigt, beziehen.

[2]) Zur Glockenkunde Thüringens S. 11.

4. Die Zeit= und Gußangaben bedürfen keiner besonderen Erläuterung. Ich weise nur auf einige seltnere Züge hin. Es ist im Mittelalter ungewöhnlich, daß auch der Ort genannt wird wie in Oberwellenborn 1519: ad capellam sanctorum nicolai et laurencii in superiori beldingenborn spectans. Irreführen könnte ferner die Glocke in Gellershausen von 1463 mit ihrer Be= merkung: maria heis mich

cristus der schuf mich, insofern man versucht ist, einen Gießer dieses Namens zu konstruieren. Indes ist der zweite Satz nicht auf die Glocke, sondern auf Maria zu beziehen nach dem poetisch genug verherrlichten Geheimnis, daß der Sohn der Jungfrau auch ihr Vater und Schöpfer sei. So sagt Maria auch in der Klage:

Ich hoere einen grozen ruof:
Daz ist Ihesus, der mich geschuof.[1]

Weiter fällt die Gewohnheit des Peter Goreis auf, die Kirchenpatrone fast stets mit demselben Wortlaut zu nennen: In Pfersdorf 1506 maria magdalena sant niclas patron dises gotzhaus, in Themar 1507 patronus electus bartholo- meus, in Ebenhards 1508: maria patron dises gotzhaus, auch in Wiebers= bach ✝ regina. heys ich. peter koreißs. gos mych. anno domini. xvᶜ vnd. ym . VII . yare . Johannes vnd blasivs patron dises gotzhaus.

Endlich bedarf der leononische Hexameter in Heldburg zu Ehren des hl. Michael einer Erklärung:

Stans Michael fortis pugnans cum principe mortis.

Derselbe hat nur eine entfernte biblische Grundlage, insofern es heißt: Dan. 10. 13 Michael unus de principibus primis, 12. 1: Consurget Michael princeps magnus, qui stat pro filiis populi tui. Offenb. 12, 7. Michael et angeli eius praeliabantur cum dracone, und Judae 9, wo der Kampf mit dem Teufel um den Leichnam Mosis erwähnt ist. Im Hexameter ist wohl mehr an das ge= wöhnliche Bild Michaels gedacht, welcher mit der Lanze einen unter ihm liegenden Drachen durchbohrt.

5. In der Zeit nach der Reformation sind die Glocken etwa mit: Soli deo gloria, oder: Gottes Wort bleibt ewig, sowie mit kurzen Gußangaben beschrieben.

Es ist die Übersetzung des alten Glockenspruches vivos voco, welche Georg Werter 1626 in Heldburg und 1629 in Crock wiedergiebt:

Georg Werter in Coburck gos mich
In Crock hang ich
Frommen Kristen ruf ich
Unt die Toten pebein (bewein) ich.

Eine andre ähnliche Umschreibung ist das von Hermann König in Veilsdorf 1600 angewandte Distichon:

En ego campana nunquam denuncio vana
Laudo deum verum, plebem voco, congrego clerum.

(Siehe ich Glocke verkündige niemals Eitles. Ich lobe den wahren Gott, rufe das Volk, versammle die Geistlichkeit.)

---

[1] Froning, das Schauspiel des Mittelalters I. 251.

Indes macht sich bald nach dem großen Krieg die Verwilderung des Geschmacks durch Formlosigkeit der Sprache und des Sinnes bemerkbar. Das Hemd bedeckt sich mit zahlreichen Namen der jeweiligen Würdenträger vom Kaiser herab bis zum Küster und Heiligenmeister. Und was auch gegen die alberne Sitte gesagt und geschrieben werden mag: Der Bauernstolz und der Dünkel kleiner Beamten, nicht zuletzt der Pfarrer wird sie verewigen. Hier nur 2 Beispiele noch aus neuester Zeit:

> Gott segne und erhalte Gefell. Unter der Regierung
> Sr. Hoheit des Herzogs
> Bernhard Erich Freund.
> Während der Amtsführung
> Des Oberamtmanns Friedrich Bechmann,
> Des Superintendenten Johann Simon Koch,
> Des Pfarrers Gustav Lotz,
> Des Schullehrers Michael Schmidt,
> Des Schultheißen Philipp Schwesinger und
> Des Kastenmeisters Georg Weber.
> Gegossen von C. F. Ulrich in Apolda. 1843.

und in Röckenitsch:

> Rufe stets einer gottwohlgefälligen Gemeinde
> Im Jahre 1822
> Als zu dieser Zeit
> C. L. Frommelt Superint.
> C. G. Gerlach Rat und Kreisamtm.
> A. J. Grieshammer Pfarrer
> D. E. Proehl Schull.
> C. A. Pflock Kirchenv.
> J. G. Sonnenschein Amtss. in Utenbach
> J. G. Heinecke Amtssch. in Cauerwitz
> J. G. Graul Amtsr. in Seeselitz
> G. Polack Lauter u. Richter waren
> haben mich u. die kleine gegossen
> die Gebrüder Ulrich in Apolda.

Man kann eigentlich nur noch erwarten, daß auch die Frauen, Kinder und Gevattern dieser hochachtbaren Männer aufgezählt werden. Endlich fehlt auch ein kleiner Ausschnitt aus einem Hof- und Staatskalender nicht. In Nordheim ist die Schauseite der großen Glocke mit folgender prächtiger Titulatur geschmückt: Dietr. Phil. Aug. Freyh. von Stein auf Ostheim u. Nordheim k. k. Caemmerer Ritter Rath und Regiments Burgmann Commandeur des k. St. Joseph Orden und Ritter des k. Russi. St. Annen Ordens.

6. Die Bestimmung der Glocke wird weitschweifig ausgemalt, wie folgende Blütenlese barthun kann:

> Mein Klang ruf euch zum Wort,
> Das an diesem heilgen Ort,
> Drum kommt recht zu hören.

Doch höret nicht allein:
Ihr müſst euch auch bestreben,
Thäter des Worts zu sein,
Nach solchem recht zu leben,
Wenn Jesus Wort allhier
Gnad Trost und Heil anbeut
Und dem, ders treulich hält,
Giebt ewge Seligkeit.   (1736 in Gumpelſtadt).

Klingt das nicht wie ein Auszug aus einer gleichzeitigen, ſchalen Predigt! Und ein klein wenig Dogmatik, in Reime gebracht, iſt das Folgende:

Ich rufe dahin, wo man lehret ohne Trennen,
In Einem drei, in Dreien eins bekennen.
Kommt, lernet doch von Vater, Sohn und Geist,
Daſs er ein Gott in drei Personen heiſst.
          (1723 Meiningen, Schloßkirche).

Von gleichem Wert iſt etwa folgende Poeſie:

Mein Gott, laſs diese Glock zu deinem Ruhm erklingen,
Daſs die Gemeind dir mög Lob- und Danklieder singen.
Regier auch Jeden so, daſs er in Buſse steh,
Damit er nach der Zeit zum Himmelreich eingeh.
          (1717 in Bachfeld).

Alle dieſe Leiſtungen bleiben indes noch weit hinter den Knüttelverſen zurück, welche eine geſprungene Glocke in Welkershauſen trug:

Heinrich Christian Türk hat zuerst 50 Gulden dazugethan
Johannes Wagner geht eben mit 30 Gulden diese Bahn
Daſs ich euch an bald an Tod erinnern kann.
So ruf ich euch ihr Menschen zu:
Wie bald, wie bald, wie bald!
Denn hier habt ihr doch keine Ruh'
Wie bald, wie bald, wie bald und kalt;
Wie bald seid ihr doch todt,
Drum ruf ich stets; wie bald, wie bald!

Man würde nicht für möglich halten, daß dieſe Verſe in der Blütezeit unſerer klaſſiſchen Litteratur gemacht ſind. Sie beweiſen, daß unſere Nation zugleich das Herrlichſte und Elendeſte nebeneinander hervorbringen kann, nur daß die Verſe Schillers auf Löschpapier gedruckt, die des Welkershäuſer Schulzen in Erz gegoſſen wurden.

Auch in unſerm Jahrhundert finden ſich noch ähnliche ſaftloſe Leiſtungen, ſo in Jüchſen an einer geſprungenen von 1811:

Beim Anfang dien ich dir, im Mittel u. am Ende.
Schau, daſs dein Christenthum dies drei ja wohl vollende.
Das Herz den Mund u. auch die That laſs stimmen überein,
Willst du so hier als dort wohl vergnügt u. selig sein,

und ähnlich, wenn auch kürzer in Leimrieth:

> Religion! mein mahnender Klang,
> Heil der Gemeinde mein steter Gesang.

und in Hirschendorf 1805 die mittlere: Wenn ich ruf ins Gotteshaus,

> Schliefs sich davon Niemand aus.

die kleine: Wenn ich erklinge von der Höh,

> Ein Jeder nach der Kirche geh.

Es ist dann nur noch ein Schritt zur völligen Prosa, der in Hellingen auch gemacht ist: Glücklich ist, wer meinem Rufe folgt.

und in Gompertshausen 1844: Mit lauter Stimme ruf ichs aus:

> O kommet in das Gotteshaus.
> Zur Schule kommt, ihr Kinderchen,
> Und dienet überall dem Herrn.

oder in Salzungen 1851 nicht viel geistreicher im Tonfall eines bekannten Turnerliedes:

> Ernste Zeit, Freud und Leid
> Kündet euch mein Laut.
> Heil, wer treu täglich neu
> Dann auf Gott vertraut.

7. Dem gegenüber ist man aber immer mehr auf den einfachen Bibelspruch zurückgegangen. Auch finden sich kräftige Liederverse, so in Queienfeld von 1864 auf drei Glocken je der Versanfang von „Allein Gott in der Höh sei Ehr," leider in ganz verballhornter Fassung, und sehr passend auf den drei Lutherglocken in Möhra der Anfang seiner drei bekanntesten Lieder: Ein veste Burg ist unser Gott, Erhalt uns Herr bei Deinem Wort, Es wolle Gott uns gnädig sein. Daneben begegnet man sinnigen kurzen Sprüchen, die teils neu auftauchen, teils aus alten Glockensprüchen umgeformt sind. Ich nenne den von C. F. Ulrich mehrfach gebrauchten: Zur Freude ertön ich, zur Andacht rufe ich, in der Not klage ich, der Kirche dien ich, worin im Anschluß an das alte Dulce melos clango das menschliche Mitgefühl, welches man aus dem Klang des Geläutes heraushört, sehr gut ausgedrückt ist. Ebenfalls schön ist: Dem grofsen Gott allein soll alle Ehre sein, (1828 Neubrunn), oder:

> Rufe und eine
> Des Herrn Gemeine,   (1889 Häselrieth),

ferner: Mein ehrner Mund

> thut Stund für Stund:
> Dein Lob Herr Jesu Christe kund.
>   (1853 Eishausen, 1886 Leimrieth),

und in gar nicht üblem Latein 1837 in Hildburghausen:

> Sacra, sepulturas, luctus, incendia, pompos
> In concussu pio civibus ore loquor.

Oder: Die Lebendigen rufe ich

> Die Dotten hin laute ich
> Gott und Menschen diene ich
> Gebrüder See gossen mich. (1822 Langenfeld),

Oder: Mit Gott fang an, mit Gott hör auf,
Das ist der beste Lebenslauf. (1866 Leimrieth).

Nicht unpassend, nur etwas langatmig, lautet es in Eckolstädt 1806:

Ob klein ich bin, mein Singen
Wird euch doch Freude bringen
Im völligen Akkord.
Ich teile Freud' und Leiden
Mit euch zu allen Zeiten,
O gönnt mir diesen Ort.
Laſs Gott in vielen Jahren
Nicht Eckelstedt erfahren
Krieg, Hungersnot und Brand.
Gieb Frömmigkeit und Tugend
Dem Alter und der Jugend,
Glück unserm Vaterland.

Ganz eigentümlich ist die Erscheinung, daß ein Spruch auf drei Glocken verteilt wird, so ganz passend der englische Lobgesang:

Ehre sei Gott in der Höhe, auf der Dominica,
Friede auf Erden, auf der Sterbeglocke,
Und den Menschen ein Wohlgefallen, auf der Taufglocke.

(1870 Berlach, 1876 Roßdorf, 1877 Harras, 1886 Oberstadt, 1873 Hümpershausen).

Mit gleicher Beziehung sind in Bürden Verse aus Schillers Glocke verteilt:

1. Zur Eintracht, zum herzinnigen Vereine
Versammelt sie die liebende Gemeine.
2. Was unten tief dem Erdensohne das wechselnde Verhängnis bringt,
Das schlägt an die metallne Krone, daſs es erbaulich weiter klingt.
3. Mit der Freude Feierklange begrüſst sie das geliebte Kind
Auf seines Lebens erstem Gange, den es in Schlafes Arm beginnt.

Fernere Bruchstücke aus der Glocke begegnen noch öfter, und Schillers Beziehungen zu der Gießerei von Mayer in Rudolstadt erklären es hinreichend, daß die Gießer dieser Familie die klassischen Verse mit besonderer Vorliebe auf ihren Glocken anbringen. Ich füge noch einige Verse an, welche wohl die betreffenden Pfarrer zu Verfassern haben und die nicht ohne Schwung und Gefühl sind:

Menschenwerk ist leicht zerstört,
Freude schnell in Leid verkehrt,
Täglich ruft euch diese Lehre
In das eitle Herz mein Laut:
Was ihr thut, gebt Gott die Ehre,
Heil wer ihm sein Werk vertraut! (1851 Salzungen).

oder: Ruf ich zum Herrn, komm, dien ihm gern!
Ruf ich zur Ruh, im Herrn ruh du! (1852 Witzelroda).

oder: Laeute, Glocke, laeute Frieden,
Laeute Ruh in jedes Herz.
Endet einst mein Tag hinieden,
Laeute du mich heimatwaerts. (1888 Moeders).

ober:　　　　　　Kommt zu dem Herrn,
　　　　　　　　Er segnet gern,
　　　　　　　　Er bietet Frieden
　　　　　　　　Seinen Verehrern hinieden.　(1860 Untermaßfeld).

Ganz wuchtig lautet es in Stepfershausen 1842:
　　　　Nimmer verkünde mein heller Klang
　　　　Unheil das friedliche Thal entlang.
　　　　Christen! Vernehmet die Stimme des Herrn:
　　　　Redet mein Mund, so folget ihm gern.
　　　　Ruf ich zum Beten, zur Kirche, zum Grabe,
　　　　Immer ists eins, was ich zu bringen habe:
　　　　Frieden den Frommen, den Gottlosen Schrecken,
　　　　Alle zum neuen Leben zu wecken.

und ebenda 1851: Läutets vom Thurm, fahr auf erschrocken!
　　　　　　　Alle Glocken sind arme Sünderglocken.
　　　　　　　Sie rufen laut über Lebendige und Tote
　　　　　　　Gottes heilige zehn Gebote.
　　　　　　　Dann falt' Deine Hände: Herr Gott verzeih!
　　　　　　　Und bete, daſs er Dir gnädig sei.

Und ebenso paſſend 1889 in Immelborn:
　　　　Ich läute zu Freuden, ich läute zu Leiden,
　　　　Ich läute bei Tage, ich läute bei Nacht.
　　　　Das menschliche Leben ist Finden und Scheiden
　　　　Lob sei dem Herrn, der Alles gemacht!

Gar nicht uneben steht auf der großen Glocke in Camburg:
　　　　Im Himmel schweb' ich,
　　　　Zum Himmel heb' ich das Menschenherz.
　　　　Das Leben weih' ich,
　　　　Die Klänge leih ich zu Freud u. Schmerz.
　　　　Zum Tagwerk weck' ich,
　　　　Am Abend wink' ich zu sanfter Ruh.
　　　　Den Säugling grüſs' ich,
　　　　Die Liebe führ' ich dem Altar zu.
　　　　Zur Hülfe läut' ich,
　　　　Zur Andacht lad' ich der Christen Chor.
　　　　Um Tote klag' ich,
　　　　Gebete trag' ich zu Gott empor.

Sehr häufig ist an den Ulrichſchen Glocken der Vers:
　　　　Wir rufen zwar das Volk zusammen,
　　　　Hilf Gott nur nicht zu Feuerflammen.

ober:　　　　　　Ohne Geist und ewiges Leben
　　　　　　　　Ruf ich zum Herrn.
　　　　　　　　Beides ist euch Menschen gegeben
　　　　　　　　Dienet ihm gern.

8. **Klangreime.** Endlich ist noch einer kleinen Reihe Verse zu gedenken, welche die Tonverhältnisse der Glocken zum Gegenstand ihrer Betrachtung machen. Nicht selten ist ja ein Ort stolz darauf, das „schönste Geläut" der Umgegend zu haben. Jn Eisfeld geben, nach des Chronisten Meinung, die 4 Glocken einen so wohlgestimmten Klang von sich, daß die Vorbeireisenden öfters zu sagen pflegen, sie hätten außer Coburg und Eisenach dergleichen Geläute in diesem Lande nicht gehört. Herr Andreas Rost hat darauf diese Verse gemacht:

> Maxima decantans Bassum, C murmurat imum,
> E tonat artifici valde tenor sequens,
> Tertia concordat cum quarta quam bene pulsa.
> Jova det ut maneant consona cuncta diu!

So nun lobte sich die mittlere Glocke in Lengfeld (umgegossen) von 1862:

> Drei Schwestern finden sich auf diesem Thurm beisammen,
> Die mittelste bin ich darunter wie man sieht,
> Ich und die kleinste von einem Rat stammen.
> Der helle Klang von uns das Volk zur Kirche zieht.

Aber wirklich sinnig ist der Klangreim der 3 Glocken in Leislau von 1851:

> a. Ich bin die gröfste unter drei
> Mein Ton u. Name P r i m a sei.
> Mein Klang ermahn bei Freud' und Leid
> Zur Andacht und Dienstfertigkeit
> Zu Leislau's Heil in Ewigkeit.
> Zur Freude ertön ich, zur Andacht ruf ich
> In der Noth klag ich, der Kirche dien ich.

> b. Ich bin die zweite unter drei
> Mein Ton und Name T e r z e sei,
> Gott Vater, Sohn u. heiliger Geist
> Sei hier u. überall gepreist!
> In Leislau schier am allermeist.
> Auch tönendes Erz
> Durch Liebe geweiht
> Ist uns zu dem Dienste
> Des Höchsten bereit.

> c. Ich bin die kleinste unter drei
> Mein Ton und Name Q u i n t e sei
> Der Höchste nehm in seine Hand
> Ganz Leislau u. das Vaterland!
> Und all' umschling der Liebe Band!

Und in Münchengosserstädt ist der alte Name Klara benutzt zu folgender Jnschrift:

> Klara hell u. rein
> Rufe die Gläubigen zur Lehre des Herrn
> Und die Gemeinde zum Bau in Christo.

9. Von Siglen finden fich nur ganz wenige. Das V. D. M. I. AE (verbum domini manet in aeternum) ift zu bekannt, um weiterer Erklärung zu bedürfen. In Oepfershaufen findet fich 1653 V. I. V. I. T = vivit, in Eisfeld an der Banzer-Glocke M. F. F = me fieri fecit, ausgefchrieben in Brünn, in Saalfeld S. P. Q. S = senatus populusque Saalfeldensis nach römifchem Vorbild, öfter begegnet P. L = Pastor loci und D. T. O. M. = Deo triuni oder ter optimo maximo. Die Monogramme geben die Anfangsbuchftaben der regierenden Fürften und find daher leicht aufzulöfen z. B. in Saalfeld 1713 J E = Josias Ernst. Hierzu gehören auch die fürftlichen Titel und dazu gehörige Ländernamen I. C. M (Jülich, Cleve, Berg) etc.

10. Die Jahreszahlen find in älterer Zeit mit den 7 Zahlbuchftaben des römifchen Alphabets ausgedrückt, arabifche Ziffern, zuerft 1480 auf der Gloriofa zu Pößneck, find nie recht beliebt geworden, vereinzelt ift das Datum deutfch oder lateinifch ausgefchrieben (1480 Gleicherwiefen.) Buchftaben und Zahlen gemifcht finden fich in Wittmannsgereuth ANNO DŃI + V + C + 9 + = 1509, d. h. M = 1000 ift weggelaffen, V C foll heißen V mal C = 500 (ähnlich ift das Stemmglöcklein in Eisfeld noch nach mittelalterlicher Weife datiert MVCLXXIV = 1574) und umgekehrt in Bernshaufen 16XXXI = 1631. Auch diefes Rauberwelfch findet fich, daß die Infchrift mit Anno domini beginnt und deutfch fortfährt oder fchließt mit wiederholtem „Jahr", fo in Pfersdorf 1506: anno domini xvᶜ (1500) und ym VI. yare, kürzer in Reichenbach: Anno dni 1506 IAR. Wenn nun bloß bafteht: cccc lxx iar (1470 Gleichamberg), fo kann man den Neuling entfchuldigen, welcher hieraus einen Glockengießer des Namens Jahr erfchließt.

Chronogramme find zwar fchon im fpätern Mittelalter nachgewiefen, kommen aber erft in und nach dem großen Kriege recht in Flor und fcheinen den Pfarrern diefer Zeit viel Sorge gemacht zu haben. Joh. Chilian in Ummerftadt liebte folche Verfe zu jedem Jahr zu fertigen. Auf Glocken finden wir folche nur bei dem Meininger Gießer Johann Melchior Derck häufiger. So gleich an einer Glocke der Stadtkirche zu Meiningen:

fVsor appeLLatVr DerCkIV. MoInVagae habItans

(Der Gießer heißt Derck in Meiningen wohnend).

Zählt man die größeren Lettern nach ihrem Zahlwert zufammen (M.DCLLVVVVIII) fo erhält man 1723, was auch vollkommen paßt.

Ferner in Dreißigacker:

DIr rohen sVnter rVffe ICh hIeher thV bVss bekere DICh = 1724.

Oder noch bezeichnender an der größeren Glocke in Herpf, welche felbft erzählt:

Ich fiel und fprang als ich getönet hundert Jahr.

Durch Derckens Guß bin ich nun wieder, die ich war.

Mensch denk an deinen Fall in dieser Gnadenzeit,

so faeLLst DV nICht DeroInst ins Weh Der eWIchkeIt

(DDDCLLVIIIII = 1730, wobei W = VV oder 10 gerechnet ift.)

Oder in Niederfchmalkalben:

eIlt eIlt betrVbte LaVfft nahet herzV

hIer fInDet Ihr gnaDe troft Leben VnD rVh (1730.)

Mit leichtem Anflug von Humor ist das Chronogramm Albrechts in Eishausen:

Mir gab fVer wonIs Lohn
kVnstIesser aLbreCht VnD seIn sohn
sV CobVrg gVden, starken ton (1833.)

Von der Entwicklung des Glocken-Ornaments nach der Reformation, dessen Erforschung noch sehr im Argen liegt, werden die beigefügten Abbildungen eine hinreichende Vorstellung geben. Das Verdienst der Renaissance ist die Beseitigung des alleinherrschenden Kreuzbogenfrieses. Schon auf der mittleren Glocke zu Stedtlingen von 1595 Fig. 11 tritt uns der freie schön geschwungene Blumenfries entgegen. Etwas steif wirkt die Stilisierung, welche ihm H. König z. B. in Veilsdorf 1604 Fig. 2 gegeben hat. Dies verschlungene Ast- und Rankenwerk mit dem eintönigen Motiv klingt doch lebhaft an den Beschlägstil des Flachornaments, an das schmiedeeiserne Gitter an. Mit dem Barock bringt nun der Akanthusfries auch in den Dekor der Glocke ein. Das schönste Beispiel bietet der Bleisack in Pößneck von Moering 1705 Fig. 45. Am üppigsten entwickelt Derck das Akanthuslaub in so dichter Verwirrung und Durchflechtung, daß der Grund ganz verschwindet. Als begleitendes Motiv verwertet er auch schon das Feston, jenes an Bändern hängende Blumen- und Fruchtgewinde, welches als Hängefries am Hals von ausgezeichneter Wirkung ist, vergl. Fig. 3 von 1723. In seinen späteren Werken begegnet eine etwas freiere Auffassung, ein Fries mit Putten und Vögeln und eine Fruchtschnur mit Bändern und Quasten, so in Niederschmalkalden 1730 Fig. 5. Seit etwa 1750 erst werden diese eleganten Bildungen durch den Muschelfries verdrängt, wie ihn namentlich die Mayer und die Brüder Ulrich lieben, s. Fig. 42—44, um wiederum klassicistischen Formen, aus der antiken Palmette gebildet, Platz zu machen, Fig. 19. 48. 49. In neuerer Zeit ist ein starker Naturalismus in den mannigfachen Laub- und Blumenfriesen aus Erdbeer-, Winden-, Eichen-, Wein- und Kleeblättern herausgebildet, wobei Überladung nicht immer vermieden ist. C. F. Ulrich hat auch den Spitzbogenfries der Gotik wieder erneuert, z. B. an der großen Glocke in Schmiedebach, aber in einer ganz unhistorischen Form als Maßwerk eines Fensters.

Fig. 44. Vom Fries der Glocken in Eckolstädt.

6. Geschichte der Glocken.

A. Aus dem Material eines kleinen Landes, welches zudem weder sehr frühzeitig in die Kulturbewegung des Christentums eintrat, noch bedeutende Mittelpunkte derselben besaß, lassen sich kaum nennenswerte Züge gewinnen, welche das Bild der Glockengeschichte verändern oder nur lebhafter färben könnten. Immerhin liegt ein urkundliches Zeugnis vor, welches den Gebrauch der Glocken in der ersten Missionszeit belegt. In Milz (Milize) hatte die Äbtissin Emhild vor 783 ein Benediktiner-Nonnenkloster gegründet, dessen Besitzungen und Inventar sie in diesem Jahre aufzeichnen ließ.[1] Im Jahr 800 übergab sie dasselbe mit allem Zubehör dem Kloster Fulda und nannte unter dem reichen Kirchenschatze auch 4 Glocken und 1 Schelle (Glockae IIII et unum tintinnabulum.)[2] An der Echtheit der Tradition besteht kein Zweifel, sodaß wir unbedenklich die erste Einführung der Glocken im Meiningerland in die Zeit zwischen 783 und 800 setzen dürfen. Der Gegensatz zwischen glockae und tintinnabulum läßt erkennen, daß es sich um größere Gefäße, um Kirchenglocken in unserem Sinne handelte und die ansehnliche Zahl verrät, daß man damals schon über die ersten, dürftigen Anfänge der Gießkunst hinausgekommen war. Es unterliegt keinem Zweifel, daß nur die Fuldaer Mönche als Gießer in Betracht kommen, welche schon bei Abt Sturmis Tode mit a l l e n Glocken läuten konnten. Und diese wieder brachten die Gießkunst aus ihrer englischen Heimat nach Deutschland.

Allerdings war schon den iro-schottischen Missionaren der Glockengebrauch nicht unbekannt. In einem liturgischen Gedicht des Kelebeerabts Carthach oder Mochuba von Lismore, welcher 636 starb, findet sich folgende Strophe:[3]

An tan rochlomar clocan	Wenn wir hören die Glocken,
Ni furail in ciss,	Ist kein Unterlassen der Pflicht.
Tocbam cridhe solam suas	Wir heben ein frohes Herz empor,
Teilgem gnuissi siss.	Wir schlagen die Gesichter nieder.

---

[1] Dobenecker Regesta diplomatica I. No. 48, wo auch die Litteratur.

[2] ebda No. 66. Dronke cod. d. Fuld No. 157. Darnach bei Schannat Trad. Fuld. No. 140, Weinrich, Henneb. Kirchen u. Schulenst. 23 und W. E. Tenzels Henneb. Zehenden in Reinhards Samml. selt. Schr. I. 16—19.

[3] A. Ebrard, Bonifatius, der Zerstörer des columbanischen Kirchentums auf dem Festlande, 238.

In Verbindung mit den schon bekannten älteren Zeugnissen werden wir hieraus belehrt, daß im 6. und 7. Jahrh. der Glockenklang wie in Frankreich so auch in Irland den Beginn des Gottesdienstes anzeigte, und da die iro-schottische Mission in Thüringen lange vor Bonifatius ihre Arbeit begonnen hatte, so ist wenigstens die Möglichkeit offen zu halten, daß sie auch den Glockengebrauch einführte. Urkundliche Belege fehlen aber vollständig.

Wie das Kloster Milz nach diesen ersten, glänzenden Einführungen unsern Blicken auf lange Zeit wieder entschwindet, so geschieht auch der Glocken auf Meininger Boden erst wieder im 14. Jahrh. Erwähnung. Das Saalfelder Stadtrecht von 1310 bestimmt in § CIII von luteme eyme totene: Der kirchner sal keime vzwirdigen manne luten, man sulle en danne hynne bestaten odir yme clostere davor. Die späteren urkundlichen Belege sind ohne Interesse.

B. Weiter zurück führen uns die noch erhaltenen Glocken selbst, obwohl auch hier weder durch frühes Datum noch durch absonderliche Gestalt ein Stück größeres Interesse erregt.

1. Es sind eine Reihe kleinere Glocken ohne Inschrift und Verzierung erhalten — in Altenbreitungen, Eckardts, Meiningen, Ebenhards, Colberg, Westhausen, Oberellen, Weißbach, Reichenbach, Meschenbach, Bachfeld, Judenbach, Lichtenhain, Linden, Milz, Rodameuschel, Schmiedefeld, Sülzdorf, — von welchen einige in das 12. Jahrh. zurückreichen mögen, doch kann ein genaueres Urteil nur auf Grund von Messungen der Rippen abgegeben werden. In Bibra fand sich noch bis in die jüngste Zeit ein Glöckchen von fast cylindrischer Form. Sie war mit einer Inschrift versehen, welche aber ein so gewiegter Kenner wie Archivrat Brückner nicht entziffern konnte. Wohin das zweifellos interessante Stück gelangt ist, ließ sich nicht ermitteln.

2. Wenigstens etwas leichter wird die Datierung der frühesten mit Inschriften versehenen Glocken. Unter den 684 sind leider nur 15 mit Majuskeln erhalten, davon nur 2 mit einem Datum, nur 1 mit einer Gießerbezeichnung, alle drei erst Mitte des 14. Jahrh. Die übrigen lassen sich ungefähr folgendermaßen einreihen, wobei aber beachtet sein will, daß Datierungen nach Form und Ausführung der Buchstaben nur einen sehr bedingten Wert haben. Um 1250 möchte ich die Glocken in Marisfeld und Schwarzbach setzen, deren Gießer mit seinen Buchstabenformen noch nicht recht umzugehen wußte. Und derselben Zeit oder wenig später gehört die Glocke in Meschenbach mit den Namen der 4 Evangelisten an. Gleichfalls in das 13. Jahrh. dürfte die ziemlich unreine Glocke in Röbelwitz mit der Wachsfädeninschrift gehören, sowie die in Boblas mit A.O. In Gleichamberg und Themar sind Glocken mit einer kleinen scharfen, leichtverzierten Majuskel, welche vielleicht in den Anfang des 13. Jahrh., um 1220 zu datieren sind.

3. Im 14. Jahrh. treten uns zunächst 2 batierte Glocken entgegen, zu Helburg aus dem Jahr 1344 und zu Saalfeld von 1353, welch letzterer die Pößnecker Silberglocke gleichaltrig sein muß. Ferner läßt sich die Meininger Schlagglocke annähernd auf das Jahr 1360 batieren, und in diese Zeitnähe gehören die Evangelistenglocken in Meiningen, Lindenau, Heinersdorf, Themar, Unterkatz, sämtlich noch mit Majuskeln beschrieben und von sehr geringem Umfang, und eine

Ave-Mariaglocke in Heinersdorf, sowie eine 2te, etwas größere Glocke in Unterkatz. Hiermit ist zugleich der ganze Vorrat an Majuskelglocken erschöpft, ein sehr dürftiger Nachlaß der Vergangenheit in Hinblick auf andere deutsche Landesteile.

4. Mit dem 15. Jahrh. finden wir die Inschriften in Minuskeln, zuerst mit Datum 1454 Effelder, 1463 Gellershausen, von da ab gewöhnlich. Insofern sich mit dem Ende des 15. Jahrh. auch die Gießer häufiger nennen oder durch Vergleiche erschlossen werden können, wird der nächste Abschnitt die Untersuchung weiterführen. Hier sei nur einiger äußeren Umstände gedacht.

C. In das S c h i c k s a l und die Lebensdauer der Glocken greifen einesteils Brand und Kriegsstürme bedeutend ein, anderenteils Feste und Feierlichkeiten, bei denen dieselben zu lange ununterbrochen geläutet werden.

1. Wie oft stößt man bei Chronisten auf die Nachricht, daß eine Glocke „im e v a n g e l i s c h e n J u b e l j a h r" 1730 oder 1830, oder beim T r a u e r g e l ä u t für eine verstorbene fürstliche Person gesprungen ist. 1730 ist zur Erinnerung an die Übergabe der Augsburgischen Confession fast überall stundenlang geläutet worden, und nach mäßiger Schätzung sind im Meiningerland hierbei 10 Glocken gesprungen. Für 1830 kann mit ziemlicher Sicherheit festgestellt werden, daß mehr als 15 Glocken als Tribut der Festfreude zu Grunde gegangen sind. Ferner, um nur einige Beispiele anzuführen, wurde beim Tod des Prinzen Christian von Altenburg 1663 allenthalben 4 Wochen von 10—11 Uhr mit 3 Pulsen, dann 1 Woche mit allen Glocken 1 Stunde geläutet.[1]) In Unterneubrunn ist 1706 Mai 19. unter dem Trauergeläut wegen Herzog Bernhards zu Meiningen Absterben die große Glocke gesprungen.[2]) Und diese Erscheinung wiederholt sich mit Regelmäßigkeit bis in unsere Tage. Es sollte doch, um den Gemeinden die Unfälle zu ersparen, das längere Ehrengeläut in mehrere Pulse abgesetzt werden, damit die Glocken sich inzwischen genügend abkühlen können.

2. Machtlos ist der Mensch so schweren e l e m e n t a r e n E r e i g n i s s e n gegenüber, wie etwa dem großen Sturm 1572 in Hildburghausen.[3]) „In der Zeit daß man ein Vaterunser hat ausbeten können, hat es den obern Teil am Kirch- und Glockenthurm herabgeworfen und samt einem Glöcklein, das Kraut-Glöcklein genannt, so bei drey Centner schwer gewesen, hinaus in den Stadtgraben gefallen, allda man hernach die Knöpfe, bemeltes Glöcklein und andere Stücke des Thurmdaches gefunden." — Daß die hochragenden Kirchtürme der Gefahr des Brandes durch zündende Blitze besonders oft zum Opfer fielen, wird nicht Wunder nehmen. Nach Güth schlug der Blitz 1175 Juli 3. in die Pfarrkirche zu Meiningen, verbrannte das Dach und zerschmolz die Glocken; und ebenso zündete der Blitz 1296 im Kirchenbach, von welchem das Feuer auf den Turm lief und die Glocken und Briefe verbrannte, sodaß die Einwohner eine Glocke von Walldorf entlehnten.[4])

---

[1]) Güths gründliche Beschreibung der Stadt Meiningen 406. Vergl. auch 415 u. 428.

[2]) Krauß, Beiträge zur Erläuterung der hochfürstl. Sachsen Hildb. Kirchen-, Schul- und Landeshistorie III. 391.

[3]) Güth, Wunderliche Güte Gottes 1672 und Meininger Chronik 279, Krauß II. 64.

[4]) Güth a. a. O. 43 und 153. Die Nachricht scheint mehr sagenhafter Natur wie so viele andere bei Güth.

In Crock schlug 1565 Juli 27. der Blitz 2 Uhr nach Mitternacht in den Turm und verbrannte das innere Gebäude, so daß die 4 Glocken herabgefallen und geschmolzen.[1]) Nicht wenige Inschriften wissen von derartigen Unfällen zu berichten. Zwei Glocken der Hildburghäuser Stadtkirche von 1781 erzählen übereinstimmend von dem großen Brande am 19. August 1779, durch welchen sie mit der Kirche zu Grunde gingen. Die große Glocke in Milba erzählt den Untergang des ganzen Dorfes durch einen verheerenden Brand 1792, in Salzungen berichtet die zweite Glocke: mein Daseyn war durch den grossen Brand 1786 zerstehret und ähnlich die große Glocke zu Eisfeld: Anno 1632 1. Oktober wurde ich durch das Feuer der Papisten verzehrt, aber 1634 entstand ich wieder durch das Feuer der Lutheraner. Es erinnert dies an die Einäscherung der Stadt durch die Kaiserlichen im 30jährigen Krieg. In Römhild erinnert eine lange Inschrift an den Brand von 1609, in Milz an Blitzschlag und Brand von 1783, in Sonneberg an einen verderblichen Brand vom 26./27. August 1840, in Sülzfeld an einen solchen von 1858 u. a. m.

3. In Kriegszeiten ist das Glockengut hie und da zum Guß von Kanonen geraubt worden. In Ummerstadt wurde 1632 um Michaelis die Kirche mitsamt dem Uhrwerk und Glocken durch die Kaiserlichen eingeäschert. 1633 den 3. Mai „hat man die im Brand gefundene Glocken Speiß gesäubert und geschmelzt, so sind 12 gegoßene Kuchen geliefert worden, welche 1125 Pfd. gewogen; auch sind noch an ganzen reinen Stücken gefunden worden eilf Centner. Aber 1639 den 15. Maj sind bey einer Plünderung unser Kelch und 20 Centner Glocken Speiß weggenommen worden.“[2]) In Oberlatz sollen die Glocken im 30jähr. Krieg verloren gegangen sein, die ältesten Behrunger Glocken sind 1546 im Feuer untergegangen, das die Kriegsvölker angelegt. 1630 bekam die größere Glocke in Sachsendorf einen Spalt und sollte in Erfurt umgegoßen werden. Der Fuhrmann ließ sie aber unterwegs im Walde stehen aus Furcht vor den umziehenden Kriegsvölkern. So kam man um die Glocke und mußte sich mit einer behelfen bis 1638, da man das kleine Glöcklein von der Gemeinde Poppenwind um 5 fl. erkauft hat.[3]) Vor allen andern schicksalsreich und sogar Gegenstand kriegerischer und diplomatischer Verwicklungen sind die beiden Eisfelder Glocken, der Banzer und die Meß. Kraus erzählt darüber folgendes (III. 70):

Ein Schwedischer Kriegs-Obrister, Veit Ulrich von Könitz, zu Simau sonst gesessen, mußte im Closter Bantz eine Execution verrichten, und führte diese 2. Glocke weg. Weil er nun hörte, daß man hier neue Glocken nöthig hätte, so ließ er sie gemeiner Stadt anbieten, und schlug sie auf 60. Ctr. an. Man verglich sich aber mit ihm auf 44 Centner, jeden à 6. Rthlr. gerechnet, und zahlte dafür 316. fl. 16. g. 10. pf. Das setzte alsbald einen groffen Lermen; denn das Closter Bantz wollte mit Gewalt seine Glocken wieder haben. Anno 1634. als eine Compagnie Ungarn und eine Compagnie Croaten hier im Quartier lagen, kamen sie vom Closter Bantz hieher mit Wagen und

---

[1]) Johann Faber, Kirchspiel der Pfarr Krock 1621 S. 11. Krauß III. 324.
[2]) Krauß I. 327. 329.
[3]) Krauß III. 303.

Seilen, ſie wieder abzuholen. Sie hatten auch bereits einen Anfang dazu gemacht, und eine Viertel-Uhr, welche mit denen Glocken war erkaufft worden, vom Thurn herabgetragen. Es begab ſich aber, daß ein Mönch das Zeiger-Rad von der andern Uhr aus Verſehen mit herab trug, welches der Kirchner innen ward, und zu ihm ſagte: Herr dieſes Rad gehört zu unſerer Uhr, und in unſer Gottes-Haus. Das hörte ein Croat, lieff im Zorn auf den Mönch mit bloßen Sebel zu, der ſich in die Sacriſtey retirirte. Unterdeſſen machte ſich der Croat mit ſeinen Cameraden auf den Thurn, zog die Glocken an, und nöthigte die Bantzer mit ihren Wagen unverrichteter Sachen wieder ab-zuziehn, welche weiter nichts, als die gedachte Viertel-Uhr mit hinweg brachten, (welche vor wenig Jahren erſt neu angeſchaffet worden iſt.) So wunderlich hat es Gott geſchickt, daß der Papiſten ihre eigene Glaubens-Genoſſen uns im Beſitz dieſer Glocken haben ſchützen und erhalten müſſen.

Anno 1640. verſuchten ſie es mit Gewalt zum andern mal, kamen wieder mit Wagen angezogen, in der Meynung, weil jetzt die ganze Bayriſche Armée am Stelzner Berg ihr Lager hätte, ſo ſolte es ihnen nicht fehlen. Aber der Commendant General Trunckmüller und der Oberiſte Löwenhaupt, welche hier im Seuſacks-Wirthshaus ihr Quartier hatten, gaben auf ihr Anmelden zur Antwort: Sie hätten über „die Glocken nichts zu gebieten, es möchte ihnen Verantwortung bringen, hätten ſie was zu fordern, ſo ſolten ſie es ordentlich bey der Landes-fürſtl. Herrſchaft ſuchen.“ Dieſen Rath haben ſie gefolget, und ihre Pretenſion immer fortgeführet mit vielen Klagen, bis endlich nach erfolgten Frieden Herzog Ernſt ſich ins Mittel geſchlagen, und verwilliget hat, daß man ihnen die kleinere Glocke, die nebſt der groſſen zu Erfurt obgedachtermaſſen war gegoſſen worden, ſolte abfolgen laſſen. Da-mit waren ſie auch zufrieden, und ſandten einen Mönch ab, dieſelbige zu holen. Als ſie aber herab gelaſſen ward, und er die Schrifft daran ſahe: Erhalt uns Herr bey deinem Wort ꝛc. gieng er davon, und ließ ſie ſtehen, ſagend: Er wolte es ſeinen Oberen erſt hinterbringen. Darauf iſt die Sache weiter getrieben worden, bis hochgedachter Herzog Ernſt durch den Amts-Ver-walter Joh. Melling dem Cloſter Bantz ſolcher Glocken wegen 150 thlr. aus-zahlen ließ, worüber Michael, Abbas in Bantz, und F. Joannes Blaſus, p. t. Prior indignus suo et Conuentus nomine unterm 22. Oct. 1651 eine Quittung von ſich geſtellet haben, welche in originali auf dem Rathhaus all-hier iſt, darinnen ſie verſprochen haben, ſolcher Glocken wegen an die Stadt Eißfeld keinen ferneren Zuſpruch und Anforderung weiter zu ſuchen. Weil nun hochbeſagter Herzog ſo viele Mühe und Ungelegenheit dieſer 2 Glocken wegen gehabt, ſo hat E. E. Stadt-Rath aus unterthänigſter Dankbarkeit, die herabgelaſſene Glocke, worauf die Worte: Erhalt uns Herr bey deinem Wort ꝛc. ſtehen, nach Gotha führen und dem Herzog unterthänigſt offeriren laſſen, welche ſolche in Gnaden angenommen hat, und auf das fürſtl. Schloß friedenſtein bringen laſſen. Die fuhrleute brachten an den Stadt-Rath dies gnädige Handſchreiben mit zurücke:

„Von Gottes Gnaden, Ernſt Herzog zu Sachſen, Jülich, Cleve und Bergk. Liebe Getreue! Es haben gegenwärtige fuhrleute die ihnen aufgegebene Glocke

zu recht überbracht. Wie wir nun mit gnädigen Dank erkennen, daß ihr
solche überführen lassen: Also haben die Fuhrleute vorgegeben, daß mit ihnen
für das Fuhrlohn uff fünf Reichsthaler gedinget sei. Darauf Wir ihnen
solches aus unserer Renth-Cammer entrichten lassen. So Wir euch zur Nachricht nicht haben wollen verhalten. Datum Friedenstein am 12. Febr. 1652.
Ernst H. z. Sachsen."

Eine Glocke in Obermaßfeld wurde 1641 von dem schwedischen General
Tarras nach Untermaßfeld entführt und blieb daselbst bis 1680, und die größere
in Walldorf trug früher die Inschrift: „1634, 7. Okt. sind diese Glocken von
Kroaten verbrannt und 1636 wieder von neuem gegossen."

4. Endlich ist manche Glocke durch Unvorsichtigkeit ruiniert. Es mag
die vielfach noch herrschende Sitte, den Schulkindern oder jungen Burschen das
Läuten anzuvertrauen, hieran große Schuld tragen, eine Sparsamkeit, welche teuer
bezahlt wird. So sprang 1728 die Sterbeglocke zu Sülzfeld durch übermäßiges
Läuten, die große Glocke in Schmiedebach 1856, weil die Schuljungen den Klöpfel
mit einem Taschentuch umwickelt hatten und in Oberloquitz 1890, weil die Knaben
mit dem herausgefallenen Klöppel auf die schwachen Stellen des Randes geschlagen.
Nicht immer sind kleine Risse gleich gefährlich. Aus der Taufglocke in Hümpfershausen sprang 1888 beim Trauerläuten für Kaiser Friedrich ein faustgroßes Stück
am Hals heraus, ohne daß dies ihrer Brauchbarkeit und ihrem Ton geschadet
hätte. Bei der kleinen Glocke in Wahns wurde im Frühjahr 1890 ein Loch bemerkt, von dem ungewiß blieb, ob es absichtlich hineingeschlagen oder beim Läuten
entstanden war. Der Ton ist dadurch nicht beeinträchtigt, und die Sterbeglocke in
Heldburg wird trotz eines Sprunges noch geläutet. Nur den Wert der Kuriosität
beansprucht folgende Erzählung: „Die große Glocke in Behrungen sprang 1833
und sollte Anfang April 1834 aus einer Höhe von 5 Stockwerken vom Turm
herabgeworfen werden. Um sie dabei nicht zu zersplittern, wurde am Fuße des
Turmes ein großer Haufen Tannenreißig errichtet und die Glocke dann fallen ge-
lassen. Aber die guten Leute hatten sich dabei nicht der Umdrehung der Erde
erinnert: Die Glocke schlug neben dem Reißig auf den Boden und zersprang in
eine Menge kleiner Stücke, die von den Anwesenden aufgelesen und teilweise zu
Ohrringen u. dergl. verarbeitet wurden."

5. Über Glockenstiftungen sind wir verhältnismäßig gut unterrichtet.
Nach dem verderblichen Brand 1632 in Eisfeld wurde die große Glocke im Gewicht von 75 Ctr. gegossen, welche über dem alten Gut 632 fl. 7 gr. 11 pf. kostete,
wozu die damaligen Einwohner alt und jung, auch das Kind in der Wiegen nicht
ausgenommen, jedes ein Kopfstück oder 4 Batzen gegeben (Krauß III. 70). Wie
der Handelsmann Leuthäuser von Steinach 1692 auf einer Reise nach England
für eine Glocke kollektiert und sie schließlich in London auf seine Kosten gießen
läßt, auf der Rückreise in Bremen stirbt und die ohnedem mißratene Glocke erst
durch seinen Bruder überbracht wird, ist nicht ohne Teilnahme zu lesen. So
haben noch öfter Privatleute „aus christlicher Milde" Glocken ganz oder teilweise
gestiftet. G. Leberecht Spieg vermachte 50 fl. und Paul Fischer 40 fl. für die größere
Glocke in Niederschmalkalden, in Steinach verehrte J. T. Otto 1752 eine schöne

Glocke, und zu Nr. 2 in Mendhausen „haben weil. Herr Dr. med. Joh. Georg Wagner und dessen Eheliebste Johanna Margareta geb. Goldhammerin aus christlicher Milde legiret 50 fl. F." Zu Hellingen steht auf der kleinen: Zu der Glocke macht d. Erb. D. J. G. Knoph sen Ein: Stift:, und eine Schenkung von 80 fl. in Wellershausen ist ganz besonders poetisch verherrlicht worden. Die jetzige Schulglocke in Heubisch ließ „Herr Andon von Uttenhofen 1786 und abermals 1793 umgießen zum freywilligen Geschenk in die Kirche zu Mengersgereuth." In Wallbach nennt sich 1847 Kilian Lind Stifter dieser Glocke, in Kaltenlengsfeld 1861 Fr. v. Nessen u. Frau. Die Uhrglocke in Henfstädt ist von der Familie Hanstein geschenkt. Die drei Gußstahlglocken in Neuhaus a. S. von 1869 sind ein Geschenk des Freiherrn Richard v. Swaine und dessen Ehefrau Ernestine geb. Prinzeß v. Löwenstein. In Schierschnitz stiftete 1716 und 1721 ein sächsischer Forstbedienter Georg Sembach zwei kleine Glöcklein, welche beim Begräbnis eines jeden Forsthausbewohners geläutet werden sollten. Die Glieder des Fürstenhauses, namentlich in neuerer Zeit fürstliche Frauen, haben arme Gemeinden oft unterstützt. Wie in Kriegszeiten Glocken zu Kanonenrohren umgegossen worden sind, so auch umgekehrt. Die reiche französische Kriegsbeute hat mancher Gemeinde zu einem neuen Geläut verholfen und vielleicht ist manches Kanonenrohr zurückgekommen, das ehedem auf einem deutschen Kirchturm gehangen hat. Bis 1871 hatte Großgeschwenda das dürftigste Geläut im ganzen Herzogtum, das aus 2 kleinen Glocken bestand. Der Pf. Langguth berichtete dies an S. Maj. den Kaiser mit der Bitte, ihm 6 Ctr. aus der französischen Kanonenbeute zu überlassen. Dem wurde alsbald gnädigst entsprochen. Ähnlich erzählt die Inschrift in Reichmannsdorf 1873, und zur großen Glocke in Hümpfershausen schenkte 1873 Herzog Georg 200 Mk. und 1 Kanonenrohr aus der französischen Beute. In Steinheid wurde die kleinere Glocke 1895 „im 25. Jubeljahr des glorreichen Krieges gegen Frankreich gestiftet von Robert Swaine und seiner Ehefrau Emmeline geb. Dressel." Die vornehmste Schenkung ist aber unstreitig die der 3 Lutherglocken in Möhra zum 10. November 1883, von denen die große Se. Hoheit Herzog Georg II. von Meiningen, die beiden andern die evangelischen Schulen Deutschlands stifteten. Sagenhaft scheint mir die Stiftung der Schlagglocke von 1594 der Stadtkirche in Meiningen durch einen Grafen Heinrich II., insofern ein solcher in dieser Zeit nicht mehr nachweisbar ist, und die Figur, welche man als sein Bild ansieht, einen Bürger darstellt. Ebenso verhält es sich mit der Weinglocke auf dem Rathaus in Hildburghausen, welche eine Gräfin aus Dankbarkeit geschenkt haben soll, da sie sich in der Nähe verirrt hatte und durch das Abendläuten wieder auf den Weg zur Stadt gebracht wurde. Dagegen ist die Stiftung der Bibraer Glocke durch Lorenz v. Bibra 1513 inschriftlich belegt:

Castoreae praesul gentis Laurencius Annam
Me iussit magno sacra boare sono. 1513.

(Lorenz, Bischof aus dem Bibergeschlecht, hieß mich Anna mit lautem Ton das Heilige, den Gottesdienst, beläuten.)

Lorenz war 1495—1519 Bischof von Würzburg. Endlich will es noch als schönes Zeichen von Opfersinn erwähnt sein, daß 1862 die kleine Glocke in Schweina mittelst freiwilliger Beiträge gegossen werden konnte.

6. Das Glockenmetall besteht bekanntlich aus einer Mischung von Kupfer und Zinn etwa im Verhältnis von 72 : 28. Hiervon machen nur eine Ausnahme 9 Gußstahlglocken, welche vom Bochumer Verein Gußstahlfabrik geliefert sind, nämlich das Geläut in Neuhaus b. S. von 1869, in Mengersgereuth und in Berkach von 1870. Da Gußstahl sehr viel, fast um die Hälfte billiger ist und sich, wie diese drei Beispiele zeigen, auch haltbarer als Bronze erwiesen hat, so ist wohl nur der etwas harte, unreine Klang der weiteren Verbreitung hinderlich. Es macht sich nämlich bei diesen Glocken ein schnarrendes Geräusch bemerkbar, welches darauf zurückzuführen ist, daß die günstigen Beitöne nicht getroffen worden sind oder ungünstige zu stark hervortreten. Ob diesem Übelstande durch eine veränderte Zeichnung der Rippe überwunden werden kann, muß die Zukunft lehren. Vorläufig werden die Kirchenvorstände gegenüber der marktschreierischen Reklame für Stahlglocken sich mit Recht vorsichtig verhalten. Es ist auch nicht zu fürchten, daß die Bronzeglocke mit ihrer jahrtausendalten Bewährung und ihrer reichen Geschichte der neuen Erfindung unterliege, daß insbesondere das edle Handwerk der Massenfabrikation den Platz räume.

Ein gußeisernes Glöckchen ohne Inschrift und Verzierung, ganz von Rost zerfressen und mit vielen kleinen Löchern bedeckt, befindet sich ungebraucht auf dem Kirchturm in Schmiedefeld. Es stammt ohne Zweifel aus der ärmlichen Zeit nach dem 30jährigen Kriege, wo man auch anderwärts zu dem billigen, aber ganz verunglückten Versuche griff, Bronze durch Gußeisen zu ersetzen.

Fig. 46. Kreuzbogenfries an der großen Glocke in Westhausen.

7. Die Glockengießer.

Bis in die Mitte des 19. Jahrh. bildet der Thüringer Wald auch im Arbeits-
bereich der Glockengießer die ziemlich scharf gezogene Grenzscheide, in welche nur
die herumziehenden Meister einige Abwechslung bringen. Während die Landesteile südlich des Rennsteigs von fränkischen Gießern in Nürnberg, Coburg und
Meiningen bedient wurden, bildete Erfurt für das eigentliche Thüringen die leistungs-
fähigste, fast unbestrittene Metropole. Erst in neuerer Zeit gelang es der Familie
Ulrich auch an der Werra Fuß zu fassen und durch ausgezeichnete Leistungen die
Konkurrenz aus dem Felde zu schlagen. Apolda ist durch sie zum Vorort der
Glockengießerei nicht nur Thüringens, sondern Deutschlands erhoben.

Die Kunst, tönende Gefäße größten Umfangs, gewaltiger und doch wohl-
thuender Tonkraft und unzerstörbarer Haltbarkeit hervorzubringen, ist fast aus-
schließlich durch die Erfahrung großgezogen worden und trotzt heute noch den alle
anderen Kunstzweige ergreifenden Einflüssen der technischen Wissenschaften wie des
Fabrikbetriebes. Der Glockengießer ist noch genau wie vor 1000 Jahren ein
Handwerker, freilich ein Handwerker höchsten Stils, der seine Herrschaft über ein
empfindliches Material in einer ganz eng begrenzten Form und auf einen bestimmten, vorgeschriebenen Toninhalt hin täglich neu bewähren muß. Und schließlich lobt das Werk erst seinen Meister, wenn es nach Jahrhunderten noch mit derselben Frische, ohne Altersschwäche und Abnutzung über das verjüngte Häusermeer
der alten Stadt, in das jugendfrische Grün der Berge und Felder hinaustönt.
Der Fall ist ja nicht selten, daß Kirche und Turm ein- oder mehrmals vollständig
erneuert und umgebaut wurden und von der ganzen alten Ausstattung sich nur
die Glocken herüberretteten. Es ist deshalb nicht nur antiquarisches Interesse,
wenn wir gerade den ältesten Werken und den frühest bezeugten Gießern mit besonderer Vorliebe und Aufmerksamkeit nachgehen. Wir sehen in ihnen zugleich die
Meister, deren Kunst erst die Nachwelt ganz zu würdigen verbunden ist.

I. Fränkische Gießer.

1. Die Familie Keßler — Glockengießer in Nürnberg. Ein günstiger Zufall
fügt es, daß uns einige Meininger Glocken die Kenntnis einer ältesten Gießerfamilie Nürnbergs erweitern helfen, welche schon länger die Aufmerksamkeit der
Forscher erregt hat. Der Nürnberger Schreib- und Rechenmeister Johann Neu-

dörfer erwähnt in seinen „Nachrichten von Künstlern und Werkleuten"[1]) (1547) mit besonderer Auszeichnung einen Hanns Glockengießer. „Dieser Glockengießer war erstlich ein Keßler und hernach also künstlich ein Glockengießer, daß seines Gleichen im heiligen Reich nicht gefunden ward, verließ eine feine Bürgersnahrung und seinem Sohn eine feine Zubereitung von Werkzeug, welche er hernach mit wunderlichem Vorteil als mit Öfen und Anderem künstlich gebessert hat. Die großen, übermäßigen Werk aber, die sie beede gegossen haben, findet man allenthalben in Bistumen, Domen und Pfarrkirchen, deren auch allemal ihr Namen einverleibt ist." 1518 wurden diesem Hanns Glockengießer dem Älteren zu seines Sohnes Hochzeit die Stadtpfeifer vergönnt. Dieser Sohn Hanns erschlug 1522 zusammen mit Sebald Gretz einen Zirkelschmied und wurde dafür vom Rat gebüßt, doch durfte er in demselben Jahre an seinem Haus ein Chörlein machen, das noch jetzt mit Jahrzahl und Wappen vorhanden ist, 1538 kaufte er den Galgenhof, der nun Glockenhof hieß, und soll 1559 gestorben sein. Sein Sohn **Christoph** war 1564 Genannter und starb 1595. Von diesem stammen die Banzer Glocke in Eisfeld (1581), die Schlagglocke in Meiningen (1594) und die große Glocke in Exdorf ohne Datum, auf welchen er sich ausführlich nennt: Christof Glockengiesser zu Nürnberg. Außer dem stehenden Reime:

> Gottes Wort bleibt ewig
> Glaub dem mit der That, bist selig,

sind seine Glocken daran kenntlich, daß am Hals über der Inschrift ein Zinnenkranz, darunter ein geschmackvoller Fries von Vierpässen und nasenbesetzten Rundbögen läuft (Fig. 9). — Weiter zurück in der Familiengeschichte und selbst über urkundliche Zeugnisse hinaus führt uns die Betstundenglocke in Meiningen, deren Inschrift lautet: + Magister . Hermanus . filius . Sifridi . de Nvrenberg . fecit . istam . campanam. Dieser „Meister Herman, Sohn des Siegfried von Nürnberg" ist fraglos identisch mit Herman Kesseler der alt am Vischbach, welchen Ulman Stromer unter den ehrbaren Leuten aufzählt. Auch sein Sohn Hermann nennt ihn als verstorben 1386 Herman Keßler, sich selbst aber 1375 Oft. 3. Hermannus Glockengiesser oppidanus in Nuremberg und 1379 Juni 28. wird er als Hermannus campanarum fusor und als Stifter der Spitale zu Lauf und Schwabach erwähnt. Da Hermann d. Ae. so familienstolz auf seinen Vater Siegfried weisen kann, so folgt ohne Weiteres, daß dieser schon als Glockengießer einen bedeutenden Namen haben mußte, wenn auch beide noch, ihrem Berufsnamen Keßler nach zu schließen, die Rotgießerei im weitern Umfang betrieben. Erst der Enkel Herman scheint sich dem Glockenguß allein zugewandt und den Beinamen „Glockengießer, campanarum fusor" angenommen zu haben, der später wirklicher Geschlechtsname wurde. Man darf wohl fraglos den Seyfrid campanifex (Otte 210), welcher 1415 eine Glocke für Schwabach goß, und den Conrat glogengiesser, der 1483 die Schlagglocke für St. Sebald fertigte, der Familie zurechnen und einstweilen folgenden Stammbaum konstruieren:

Sifridus (Kessler)

Hermanus (Kessler) † vor 1386

Hermannus (Glockengiesser) 1375—86

Seyfrid (campanifex) 1415

1. Conrad 1483—1504. 2. Endres (Sohn Cunz)

1. Hanns d. Ae. 2. Peter. 3. Steffan

Hanns d. J. 1518, † vor 1559

Christoph d. Ae. 1552 Sturmglocke zu St. Lorenz 1564 Genannter † 1595

1. Christoph d. J. 1588 Genannter † 1630. 2. Conrad (Rosenhart)

Johann geb. 1639.

Dieser Johann war kinderlos und adoptierte einen Vetter Rosenhart, welcher Namen und Wappen fortführte.

2. **Paul von Nürnberg.** Vorläufig noch zweifelhaft steht die Forschung einem Gießer des ausgehenden 15. Jahrh. gegenüber, welcher fränkischer Herkunft ist und in Meiningen, Coburg oder Nürnberg gewohnt haben mag, jedenfalls der oben erwähnten Familie Glockengießer nicht fern steht. Dessen Inschriften sind in schönen, langen und leicht verzierten Minuskeln über Wachsmodellen gegossen, die Worte durch Glöckchen und Kännchen getrennt, vereinzelt läuft über der Schrift ein Zinnen=, unter derselben ein Kreuzbogenfries mit Nasen und Rosetten, welchen noch jener Christoph Glockengießer bis 1594 gebrauchte (Fig. 18). Die ihm etwa zugehörigen Glocken sind folgende: 1470 Gleichamberg a, 1480 Gleicherwiesen a, 1482 Wolfmannshausen c, 1485 Eckardts c, 1495 Schlechtsart a, 1497 Schlaga b, und etwa die undatierten Ave-Maria-Glocken in Brünn, Leutersdorf, Meiningen (c), Ebenhards, Simmershausen, Gellershausen und Käßlitz. Die Typen der meisten dieser Glocken sind vollkommen gleich, d. h. aus derselben Schablone geformt, und eben diese Typen benutzte ein Meister Paul von Nürnberg, welcher 1487 die große Glocke der Moritzkirche zu Coburg goß (per magrm. pavlvm de nvrnberc), obwohl dieser Rosetten als Trennungszeichen anwendet.

3. **Der Meister mit dem Adler.** Etwas deutlicher läßt sich der Nachlaß eines ebenfalls fränkischen Gießers im Anfang des 16. Jahrh. abgrenzen, welcher breite und fettere Typen anwendet, den Eingang der Inschrift mit einem Adler verziert, einen nasenbesetzten Kreuzbogenfries mit stilisierten Lilienenden gebraucht (Fig. 46) und am Hemd der Glocken Heiligenfiguren in schönem Hochrelief mit beigeschriebenen Namen anzubringen pflegt. Ihm gehören bestimmt die 5 Glocken 1504 in Lindenau a, Streufdorf a, 1515 Bedheim b, 1520 Westhausen a und Themar a an.

4. **Johannes Rosang.** Ein klösterlicher Gießer scheint jener „Bruder Johannes Rosang" (Rösner, Roßanger oder Rosanus) gewesen zu sein, der 1485 die Glocke a in Eicha „reformierte." Er bringt als Trennungszeichen Antoniuskreuze (Fig. 16) an, und es ist wahrscheinlich, daß er zu jener Antoniusbruderschaft gehörte, welche in Eicha und Gleichamberg ihr Wesen hatten. Um dieser Eigentümlichkeit willen dürfen wir wohl die Michaelsglocke in Heldburg von 1483, welche aus dem Kloster Veilsdorf stammt, und die Glocke b in Immelborn von 1485 auf ihn zurückführen.

5. **Peter Goreis** ist scheinbar eine etwas unruhige Natur gewesen. Nach Wernickes Beobachtung stammt er von Augsburg und ist seit 1490 mit Glocken in Schwaben und Franken nachweisbar. Später scheint er in Schleusingen ansässig gewesen zu sein. Denn Geisthirt erwähnt eine leider längst umgegossene Glocke in Fambach, welche „Peter Ganreiß in Schleusingen" gegossen habe. Sein Name findet sich in verschiedenen Schreibungen, 1506 in Pferdsdorf Gareis, 1507 in Themar Koreis, 1508 in Ebenhards Goreiß, 1507 in Wiedersbach Koreiss. Die Brautglocke in Coburg hat die Gußangabe: Petrus me fecerat goreis cogno- mine dictus currentibus annis his quinque minoribus, welche unklare Datierung eher auf 1505 als auf 1495 zu beziehen sein dürfte. His annis minoribus wird wohl dem deutschen „der minnern Zahl" entsprechen. Endlich giebt die Gebetsglocke ebenda die Nachricht: Katerina heiss ich peter goreis goſs mich anno domini m cccc vnd im x iar. Seine Wirksamkeit ist also durch die Jahre 1490—1510 umgrenzt. Seine Typen sind dünn, langgezogen, sehr sorgfältig nach Wachsmodellen gegossen, die Worte durch kleine Schwanzpunkte getrennt (Fig. 14).

II. Thüringer (Erfurter) Gießer.

A. In Thüringen ist Erfurt unstreitig der Vorort wie in allen schönen Künsten so auch im Glockenguß gewesen. Im 13. Jahrh. bildete es geradezu den Glockenmarkt. Es wird uns nicht berichtet, daß die Benediktiner von St. Peter selbst im Kunstguß thätig waren und als sie es 1247 versuchten, floß ihnen per quam negligenciam das Erz in den Sand. Dagegen riefen sie kurz vorher den Meister Heidinricus de Achin herbei, welcher den großen Andreas goß, und dann scheint die Kunst immer in Laienhänden gelegen zu haben. Um die Mitte des 14. Jahrh. treten uns gleichzeitig 3 tüchtige Meister entgegen.

1. **Günther** von Erfurt, nicht urkundlich, sondern nur durch 3 Glocken be- zeugt, 1351 in Görmar (Kr. Mühlhausen) mit conpama ista fusit me gunterus de er, ohne Datum die Agathe der Peterskirche in Erfurt, seit 1810 in Nottleben mit: fusit me gutherus de Erfurt in honorem S. Petri und in Thalwinkel bei Bibra mit ḡ fusit me de erf.

2. **Dietrich Ihonicz** goß nach dem Sampetrinum 1354 den obenerwähnten Andreas um (per magistrum theodoricum dictum Ihonicz est refusa.)

3. **Johann von Asleben** (Johannes de Usleve civis Erfurdie) fertigte 1367 für die Oberkirche in Duderstadt den 1852 umgeschmolzenen Cyriacus.

Einem dieser Gießer dürfen wir nun die ansehnlichen Glocken in Pößneck und Saalfeld zuschreiben. Beide sind teilweis mit denselben Relieffiguren geschmückt und verraten durch eine altertümliche, haubenartige Platte die gleiche Herkunft. Die Inschrift der Schlagglocke in Saalfeld ist nach Holzstempeln gegossen und lautet: + anno . dni . M . CCC . LIII (1353) non ego cesso piam sonitu laudare Mariam, welche sich ebenso auf einer kleinern Glocke in Cumbach bei Rudolstadt findet. Die Inschrift der Silberglocke in Pößneck ist dagegen noch mit dem Griffel in den Mantel geritzt, rückläufig und in deutscher Sprache. Nach den Schriftzügen und Medaillons steht dieser die größere Glocke der Neuwerkskirche in Erfurt nahe, welche die Inschrift trägt: Non est in mundo dives qui dicat: Abundo. (Es ist kein Reicher in der Welt, welcher sagte: Ich habe genug.) Doch sind die Über-einstimmungen ersichtlich mit solchen Unterschieden gepaart, daß ich die Zusammen-stellung dieser 4 Glocken und ihre Zuweisung an Günther oder Dietrich nur mit allem Vorbehalt machen kann.

B. Weit schärfer und klarer treten uns dagegen die Meister des ausgehenden Mittelalters entgegen, welche die Kunst auf die Höhe der Vollendung brachten. Und zwar bilden sie, wenn nicht alles täuscht, eine fortlaufende Reihe, welche man am ehesten aus einem Schülerverhältnis erklären kann, wenn nicht gar durch Ver-wandtschaft vermittelt die Werkstätten aus einer Hand in die andere gelangten. Die Reihe würde zunächst folgende Namen begreifen.

1. **Claus von Mühlhausen**, dessen tragisches Geschick uns Stolle schildert. Als Fremder traf er in Erfurt auf heftige Feindschaft, bis er in den Bürger-verband aufgenommen wurde und 1474 die Osanna, 1475 die Martha und den Angelus für St. Severi goß. Als ihm 1477 der Guß der schicksalsreichen Gloriosa des Doms übertragen wurde, starb er kurz vor oder während des Gusses, wie man sagte am Gift seiner Feinde. Sein Werk ward bald durch einen Sprung ruiniert und die Domherren riefen den berühmten und glücklicheren Niederländer Heinrich Wou von Kampen herbei, welcher allerdings in jeder Beziehung die Erfurter Gießer überragte und nur in Kurt Kerstan einen leider wenig frucht-baren Schüler und Nachahmer fand. Claus von Mühlhausen hat außerordentliche Sorgfalt auf das Äußere der Glocke verwandt. Ein Kreuzbogenfries mit Nasen und Lilien umzieht den Hals unter der Inschrift, ein schöner Laubstab den Wolm; an der Flanke sind große Figuren in Linienmanier flott und elegant gezeichnet, offenbar nach Holzschnitten. Die breite und derbe Minuskel ist nur wenig erhaben, über flachen Wachsbuchstaben geformt und teilweis nach dem Guß noch besonders ciseliert und nachgeschnitten. Die mannigfachen, verzierten Initialen und Ab-kürzungen scheinen überhaupt freihändig modelliert worden zu sein.

2. **Johannes Kantebon** nennt sich nur ein einziges Mal, 1492, auf der größeren Silberglocke des Erfurter Doms mit der Inschrift anno dni m° cccc° xcii° hilf got maria berot ihs kanttebon, wobei es ungewiß bleibt, ob der Name Kantebon oder Kaltenborn zu lesen ist (Fig. 47). Doch hat er hier und auf allen seinen Glocken seine Hausmarke auf einem Schildchen angebracht. Mit Hilfe derselben gelang es mir, im Domkreuzgang seinen Grab-stein aufzufinden, welcher aus Seeberger Sandstein ge-

ihs kanttebon

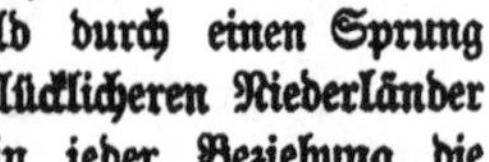

Fig. 47. An der Silberglocke im Dom zu Erfurt.

arbeitet und leider sehr verwittert das Flachrelief des Meisters und seiner Frau, unter dem Manne dieselbe Hausmarke mit einer Glocke und den Anfang der Grabschrift bewahrt Anno dm m cccc xcv° xx die mensis ma... (1495. 20. März oder Mai); der Rest derselben ist abgeblättert. Die Glocken Kantebons sind noch ziemlich häufig erhalten, meist große, stattliche, äußerst wohlklingende

Gefäße mit edler Patina bedeckt. Außer durch sein Zeichen (Fig. 29) sind sie
kenntlich durch 4—6 Schwerter, welche auf die Platte zwischen die Bügel gedrückt
sind, durch die breite, flache, mit schönen Initialen belebte Minuskel, durch den
Laubstab, welcher den Wolm, und durch ein Laubgehänge von Ahorn= oder Wein=
blättern, welches die obere Flanke umgiebt. Er liebt es, Münzen zwischen die
Worte einzubrücken, gebraucht (selten) Reliefmedaillons wie in Kochberg oder
Linienfiguren wie in Graba und Pößneck (Fig. 31). Doch sind seine Glocken noch
besonders anziehend durch die mit dem Namen spielenden Verse, ja er scheint
geradezu der Erfinder des mehrfach besprochenen Glockenreims zu sein

Non me subsanna, cum sit mihi nomen Osanna.

(Höhne mich nicht, da mein Name Osanna ist). Von Meininger Glocken gehören
ihm zu die in Großkochberg 1479, Langenschade 1480, Graba 1484, Unterwellenborn
1485, Pößneck 1490. Seine Thätigkeit läßt sich von 1472—1493 verfolgen, wenn
ihm nicht, wofür eine große Wahrscheinlichkeit vorliegt, die große Glocke in Gellers=
hausen von 1463 auch zuzuschreiben ist.

3. **Heinrich Ciegeler** ist ebenfalls fast nur durch große und schöne Glocken
bekannt, welche mit wenig Ausnahmen den Spruch tragen: Consolor viva, fleo
mortua, pello nociva und zwar stets in dieser Fassung und in breiter, wie mir
scheinen will, nach Holzstempeln gegossener Minuskel mit Kreuzchen als Trennungs=
zeichen (Fig. 39). Bei ihm fehlen alle Ornamente. Er verziert seine Glocken
einzig mit sehr künstlich gearbeiteten Reliefs, meist in Kreisform von 12 cm Durch=
messer, welche auf Holzstock oder Stein graviert waren und mittelst dieser Form
in den Mantel eingedrückt oder wohl gar vorher gegossen wurden. Sie erwecken
den Anschein, als seien sie aufgelötet. Seine zahlreichen Glocken bezeugen ihn von
1500—1543, sein Name findet sich selten, auf den Meininger 4 Glocken 1500,
1501 in Saalfeld, 1508 in Gorndorf, 1520 in Kranichfeld überhaupt nicht, auf
letzterer Glocke nur erinnert eine Sichel an den Namen Ciegeler = Sicheler.
Daß Hans Obentbrot (1499—1533 belegt) einmal, 1506 in Großeutersdorf, die
Cieglerschen Rundmedaillons anwendet, läßt auf eine zeitweise Verbindung mit
diesem schließen.

4. **Marcus (Marx) Rosenberger** tritt uns regelmäßig mit seinem Leibspruch:
O Jesu rex glorie veni cum pace nahe, mit welchem er nach der Reformation
die Sigle V. D. M. I. AE. verbindet. Über der Inschrift läuft ein Zinnen=
kranz, darunter ein nasenbesetzter Rundbogen, die Worte sind durch Kleeblätter
getrennt, die sorgfältige, kleine und ziemlich hervortretende Minuskel ist wie auch
der Fries nach Wachsmodellen gegossen (Fig. 30). Bildliche Darstellungen sind
ihm fremd. Er nennt sich nur 1502 in Lichtentanne (marcus rosenbege) und
1507 in Quittelsdorf (marx rosenberger) und wird 1531 in Schleiz ansässig
erwähnt. Wie Meiningen seine früheste Glocke in Schlaga besitzt, so auch seine
späteste 1536 in Langenschade. Seine Verwandtschaft mit der Manier Kurt
Kerstans ist zu auffällig, um das Abhängigkeitsverhältnis zu übersehen.

III. Die nachreformatorischen Gießer.

Nur die Glockengießer von Nürnberg setzten die gotische Art der Gießkunst und Verzierung fort, sonst ist der Bruch mit der Vergangenheit ziemlich scharf, zunächst im Sinn der Einfachheit, man könnte sagen der Armlichkeit.

A. Die Erfurter Tradition setzen fort Kucher, König und Moering.

1. **Eckhard Kucher.** 1557—1602, geschworener Zeichenmeister der Stadt Erfurt, zieht nüchtern die Gußangabe in scharfer Kapitalschrift um den Hals, ohne alle Zier. Vereinzelt nur begegnen an seinen Glocken die Wappen der Besteller. Sein gewöhnlicher Spruch ist Spes mea in Christo oder deutsch:

> Mein Hoffnung stet in Got
> Er hilfet aus aller not;

auch findet sich bei ihm der Gußreim:

> Gottes Wort bleibet ewich
> Eckhart Kvechger gos mich.

Es ist nicht ausgemacht, ob der spätere Martin Kuchler ein Nachkomme Kuchers ist. Bisher kennen wir nur eine einzige Glocke von ihm in Graba von 1735.

2. **König.** a. Herman, 1598—1608. Seine zahlreichen Glocken tragen schon öfter einen schönen Barockfries, die Inschrift ist durch Rosetten getrennt, auf der Flanke finden wir wieder Heiligenbilder, auffallend oft Bartholomäus und einigemale den Vers

> Hermann Koenigk
> Gottes Wort bleibt ewigk.

b. Sein Sohn Jakob setzte das Geschäft in Erfurt fort und erscheint 1612—48 thätig, auch vorübergehend in Coburg.

3. **Moering.** Aus der verzweigten Familie kennen wir den Gründer der Firma Hans 1570—77, welcher auf einer untergegangenen Glocke in Aue 1576 mit einem Compagnon Sebald Geringh genannt wird, dann Melchior 1577—1633, Hieronymus 1589—1632, beide zusammen 1593—1636. Ein zweiter Melchior nennt sich 1633 „von Erfurt zu Rudolstadt", wo er noch 1656 vorkommt, und ein dritter setzte das Geschäft in Erfurt fort 1687—1705. Die Glocken der Moeringe, darunter ansehnliche Gefäße, sind sehr reich an Verzierungen und Inschriften, namentlich an Bibelversen. Sie beweisen jedenfalls, daß die Familie selbst in und nach dem großen Kriege die Ehre des Handwerks hoch zu halten verstand. Langlebige Zeitgenossen sind Hans Wolf Geyer 1630—81 und Hans Heinrich Rausch 1651—96, dessen Sohn Nikolaus 1682—95 vorkommt. Noch länger begegnet uns Nikolaus Jonas Sorber 1712—1797, sodaß wir Vater und Sohn als Träger des Namens annehmen dürfen.

B. Die Coburger Gießhütte ist unsichern Ursprungs und m. W. im Mittelalter nicht nachzuweisen. 1616 taucht vereinzelt J. König dort auf, dann wirkt Georg Werter erfolgreich und fruchtbar 1625—51. Nach längerer Pause erst tritt die Familie Mayer auf den Plan und zwar kennen wir M. Johann 1715—41, Johann Andreas 1752—86 und vereinzelt Michael 1765—66, Michael Johann 1782, H. Johann 1774. Nur vorübergehend kann sich Joh. Heinrich Graulich dort aufgehalten haben 1722—29, denn der Sitz der Familie ist Hof, wo Christian Salomo 1724—40 seßhaft ist. Allerdings scheint jener Johann Heinrich an einem freien Wanderleben Gefallen oder Vorteil gefunden zu haben. 1734 finden wir ihn in Schleiz, 1739—49 unterhält er einen Gießofen in Ammer=bach, 1749 nennt er sich „in Jena". Beide Grauliche sind interessante Er=scheinungen. Ihre Inschriften sind oft eigenartig, vielfach wieder in Minuskeln, ihre Verzierungen und Bilder phantasievoll, Künstlerblut verratend. Von den späteren Coburgern ist Johann Gottlob Heße 1786—1804 und Johann Friedrich Albrecht mit seinem Sohn Johann 1809—45 nachweisbar.

In M e i n i n g e n scheint nur Johann Melchior Derck mit Glück gearbeitet zu haben, 1715—49, und in Suhl begegnet uns ganz vereinzelt Michael Specht 1636. Letzterer mag in die Klasse der geringen, herumziehenden Gießer gehören, wie auch ein gewisser Matteus Tennel (Tehnel, Döhner) aus Wabtorf, der 1671 in Schmalkalben, 1685 in Hilburghausen, 1689 in Römhild goß. Aber die eigentlichen Wandervögel waren die Lothringer Gießer, von welchen 2, Claude Voilo und Franz Ragle in unsern Gesichtskreis treten.

C. Am obern Lauf der Maas im nahen Umkreis der ehemaligen Festung La Mothe liegen eine Reihe Orte, welche ganze Scharen von Gießern nach Deutsch=land und Frankreich aussandten. Sie zogen am Aschermittwoch aus und kehrten an Allerheiligen zurück. Ein Zirkel, ein kleines Richtscheit (brochette), etliche Formen für Ornamente und Buchstaben war ihr ganzes Reisegepäck und Hand=werkszeug. Aber fast alle ihre Glocken sind Meisterwerke.[1] Besonders häufig werden sie nach Deutschland bis in den hohen Norden verschlagen, seitdem die Festung La Mothe 1634 und 1645 zerstört wurde. Unter ihnen kennen wir ein Brüderpaar V o i l l o (Woillo, Wollo), nämlich Steffen seit 1649 und Claude seit 1645, der sich etwa 10 Jahre später in Lübeck seßhaft machte. Andrerseits begegnet uns Franz Ragle seit 1624 umherziehend, der später auch in Lübeck landete, 1636 zusammen mit einem sonst unbekannten Vollemot eine Glocke zu Jevenstedt (Kr. Rendsburg) goß. Die Vermutung, daß hinter diesem Vollemot bereits ein Compagnon Voillo steckt, wird durch die beiden großen Glocken von 1631 in Wasungen bestätigt, auf welchen sich beide gleicherweise als Gießer nennen, an der Vorderseite: F. Ragle Lotaringus me fecit, auf der Rückseite: Claude Voillo Lotharingus me fecit. Beide benutzen als Gießerzeichen ein Glöckchen auf einem Schilde. Im allgemeinen sind ihre Glocken daran kenntlich, daß sie die Wachsmodelle der Buchstaben nicht umschnitten, wie die einheimischen Gießer thaten, sondern mit dem Hintergrund als quadratische Plättchen auflegten, deren Nähte überall deutlich sichtbar sind. Es ist mir kein Zweifel, daß einer dieser beiden Lothringer mit Claude Brochard zusammen am Guß der mittleren Glocke in Rohr beteiligt war. Diese Glocke ist 1630 gegossen und stimmt in der Aus=stattung der Typen und Verzierungen vollkommen mit den Wasunger Glocken überein. Die Flanke hat einerseits ein ovales Medaillon mit Glocke und der Um=schrift CLAVDE BROCHARD M. F. Dasselbe Medaillon findet sich auf der Rückseite, doch ist hier die Umschrift nach dem Guße weggemeißelt. Es wird

---

[1] Ich folge hier dem lehrreichen Aufsatz Wernickes im Jahrbuch der Gesellschaft für loth=ringische Gesch. u. Altertumskunde III. 401.

also die Annahme erlaubt sein, daß sich Brochard mit seinem Compagnon ent-
zweite, den Guß allein vollendete und aus Mißmut auch dessen Namen tilgte.

　　　D. Von Coburg laufen die Fäden mehrfach nach den beiden im 18. Jahrh.
bedeutendsten Gießstätten R u d o l s t a d t = V o l k s t ä d t und A p o l d a, welche wieder
unter einander und mit Erfurt in merkwürdiger Verbindung erscheinen.

　　　In R u d o l s t a d t haben wir schon Melchior Moering 1633—56 thätig gefunden. Es ist sehr wahrscheinlich, daß Christoph Rose, 1645—74 in Volkstädt
genannt, die Gießerei übernahm, dessen Sohn Johannes 1669—1716 und dessen
Enkel Johann Christoph 1712—29 in dem nahen Dorfe wirkten. 1716 wurde
Johannes Fehr aus der Schweiz nach Rudolstadt berufen und als fürstlicher Stück-
und Glockengießer privilegiert. Dies scheint für J. Chr. Rose die Veranlassung
gewesen zu sein, seine Werkstatt nach Oßmannstedt zu verlegen (1718—20) und
schließlich nach Apolda überzusiedeln, wo er 1722—48 vorkommt. Sein Sohn
Martin begegnet uns ebenda 1750—58. Dieser scheint die Gießerei an die Gebrüder Ulrich überlassen zu haben, welche vorher in Laucha arbeiteten.

　　　Den Nachlaß Fehrs in Rudolstadt tritt die Familie Mayer aus Coburg an
und zwar ist es Johannes Mayer, welcher 1761—98 nachweisbar ist. In dessen
Gießhütte war es, wo Schiller die Anregung zu s e i n e r „Glocke" empfangen hat,
und eine Inschrift an dem (wesentlich erneuerten) Hause erinnert sehr gut an diese
denkwürdige Beziehung zwischen Handwerker und Künstler:

　　　　　Steh Wandrer still, denn hier erstand,
　　　　dass keine andre möglich werde,
　　　　Gebaut von Schillers Meisterhand,
　　　　　die grösste Glockenform der Erde.

Die Familie hat in Christoph August 1800—1834, dessen Sohn Franz und dem
Brüderpaar Ernst und Robert fruchtbare Vertreter, bis Robert sein Geschäft nach
Ohrdruff verlegte 1834—67 und die Gießerei in Rudolstadt sich der Gelbgießerei
(Fabrikation von Spritzen) zuwandte.

　　　Über der ältern Geschichte der Familie U l r i c h schwebt noch einiges Dunkel.
Zuerst taucht Johannes auf „aus Hirschfeld in Hessen" 1681—1707 umherziehend.
Ein zweiter Ulrich, Johann Georg 1699—1732 nennt sich ebenfalls „aus Hirschfeld in Hessen" und ohne festen Wohnsitz. Erst ein dritter, ebenfalls Johann Georg
ist in Laucha angesessen 1741—67, welcher mit Johann Gottfried seit 1763 die
Firma Gebrüder Ulrich in Apolda gründete. Die weitere Genealogie der Familie
läßt sich heute noch nicht entwickeln. Jedenfalls ist sie es gewesen, welche ihr
Arbeitsfeld nicht nur über ganz Thüringen ausdehnte, sondern die führende Rolle
in Deutschland zu gewinnen und bis in die neuste Zeit zu behaupten wußte.

Fig. 48. Von der kleinen Glocke zu Beilsdorf.

Fig. 49.⸸ Unterer Fries der großen Glocke in⸰ Niederschmalkalben.

8. Namen, Gebrauch und Recht.

1. Im Mittelalter wurde die Glocke nach einem sehr umständlichen Ritual vom Bischof geweiht oder „getauft". Auch Äbte konnten wohl die Taufe vornehmen, wenigstens wird uns dies von Georg v. Geilsdorf, Abt der Saalfelder Benediktinerabtei, berichtet, der 1478 den 2. Febr. die Susanna in Neustadt weihte. In Nachahmung der Kindtaufe wurden nicht nur Paten gebeten, wozu man gerne die Räte umliegender Städte wählte, sondern auch Patenbriefe geschrieben und solenne Taufmahlzeiten ausgerichtet, zu deren Bestreitung die Gevattern ein übliches Patengeschenk entrichteten. Den Vorgang beschreibt Geisthirt (Hist. Smalcaldica III, 2 § 12) kurz aber zutreffend: „Viel zusammengebetene Leute, so bei Mitteln, faßten als Pathen an ein langes an die Glocke gebundenes Seil nebeneinander und mußten dem Weihbischof den Namen der Glocke nachsprechen. Darauf wurde der getauften Glocke, nachdem man um dieselbe herumgegangen, solche mit Weihwasser und Salz besprengt, gewaschen und dieselbe geschmiert, mit Kreuzen bemerket, beräuchert und gewisse Gebete dabei gethan, ein Westerhembd wie getauften Kindern angelegt; der Weihbischof noch dazu mit einem Geschenke versehen, mit seinem Caplan und Dienern köstlich traktirt und dabei alle geladenen Pathen der Glocke so gespeiset, daß öfters in einem schlechten Dorfe etliche 100 fl. aufgegangen." So stand laut Ratsrechnung der Rat zu Saalfeld Gevatter bei den Glockentaufen in Schwarza 1490, in Crölpa 1491, in Rudolstadt und Blankenburg 1499, in Leheften 1507, in Blankenburg wieder 1508, in Gorndorf und Kahla 1509, in Königsee, Kirchhasel und Uhlstädt 1513. Er gab durchschnittlich 2 aßo. 6 Gr. Patengeschenk, nach Kahla ordnete er aber den Bürgermeister Hans Meise, nach Gorndorf Claus Wagner ab. Der Patenbrief, welchen Kirchhasel nach Saalfeld schickte, ist uns noch erhalten und darin wird der rat zcu Saluelt gebeten, bei der Weihe „zcwu nawer glocen gros· u. hochgevatter zu werden vnd dan auch eßen vnd Trincken vnd frolichkeit helffen leisten."[1]

In Graba wurden 1484 zwei Glocken gegossen und getauft, wozu der Abt von Saalfeld 10 Gulden verehrte.[2] Diese Geschenke waren um so willkommener, als im Mittelalter schon die Gießer bei ihrer heißen Arbeit große Massen von Getränken konsumierten wie heut, aber auf Kosten der Besteller. Das Wilhelmiter-

---

[1] Wagner in Beiträge (Hennebergische) zur Gesch. d. b. Altertums V, 165.

[2] J. D. Heumann, Hist. Bericht von der alten und neuen Kirche zu Graba 1778. 10.

Kloster zu Wasungen bezahlte 1486 2 eymer birs und 11 maß weins für den Kanngießer, der ihre Glocke in Schweina umgoß.[1]

Als die Reformatoren diesen Brauch als einen Unglimpf der Taufe abthaten, waren sie doch in Verlegenheit, was an die Stelle zu setzen sei, und naturgemäß mußte die unvermeidliche Predigt in die Lücke springen. Gewöhnlich wurde darin belehrender Weise vom Ursprung und Gebrauch der Glocken gehandelt wie in Nordheim (S. 36). In Ummerstadt wurde über Jes. 40 (S. 67), in Thierschneck 1819 über Pf. 150, 5. 6 geprebigt. Hier war der Hauptsatz: Der feierliche Aufruf zur innigen Verehrung Gottes durch die Glocken 1. die Verehrung selbst, 2. der feierliche Aufruf, 3. Beobachtung einiger Pflichten.

Von den mittelalterlichen Namen sind doch nur wenige erhalten und diese meist weiblich: Urban in Marisfeld, Margareta in Bibra, Anna in Westhausen, Osanna in Langenschade und Großkochberg, Salus in Graba, Scholastica in Oberwellenborn, Gloriosa in Pößneck. Gewöhnlich behilft man sich mit der Bezeichnung „große, mittlere, kleine," wenn nicht besondere Namen vom Gebrauch hergenommen werden. In Eishausen nennt man eine Zehnt=, Zwölft=, Sechst=, Meßglocke, in Streufdorf eine Zehnt=, Gebetsläut= und Zwölft=Glocke, in Veilsdorf eine Türken=, mehrfach eine Meß=, Braut= oder Bauernglocke. Eine Herzog-Bernhardglocke besitzt Hümpfershausen, eine Lutherglocke Meiningen, eine Schillerglocke Roth. Die Sterbeglocke in Heldburg hieß Cäppelein, die Weinglocke in Hildburghausen heißt im Volk „Spinnglöckle" und früher gab es dort ein „Krautglöckchen" und eine „hohle Glocke." In Eisfeld wird die große als „Kloeshafen" (Kloßtopf), die zweite nach ihrer Herkunft „Banzer" bezeichnet. Rätselhaft ist die Bedeutung des „Bleisacks" in Pößneck und Hellingen. Die „Bergglocke" in Saalfeld kündigte zur Zeit blühender Montaninbustrie frühmorgens um 3 Uhr den Schichtwechsel der Hauer an. In Biberschlag wird die größte als „Baß," die beiden andern als erste und zweite Stimme bezeichnet. Recht finnig sind die Namen der Gußstahlglocken in Friedelshausen, Oberkatz und Harras „Glaube, Liebe, Hoffnung," in Neuhaus b. S. „Friede, Eintracht, Hoffnung."

2. Der Gebrauch der Glocken ist äußerst mannigfach, und zwar haben sich in den fränkischen Landesteilen südlich des Thüringer Waldes noch weit mehr ältere Arten des Geläutes gehalten als sonst in Thüringen. — Das dreimalige Einläuten des sonntäglichen Hauptgottesdienstes, das zweimalige des Nachmittagsgottesdienstes ist allgemeine Sitte, ebenso das Vesperläuten am Samstag, welches in Thüringen gegen Abend, in Franken aber meist Mittags stattfindet. Bei den zweitägigen Festen wird vielfach am 1. Tag nach Schluß des Nachmittagsgottesdienstes „Heiligabend" geläutet, in Herpf auch am Aschermittwoch und Grünbonnerstag um 1 Uhr. In katholischer Zeit war es üblich, auch während des Gottesdienstes und zwar bei der Wandlung, während des Sanktus oder Hosiannah eine Glocke zu ziehen. Die Instruktion des Kirchners in Saalfeld von 1458 (bei Wagner=Grobe Chronik 387) schreibt vor, die Sonntagsglocke Freitags solange zu läuten, bis der Schulmeister nach dem S a n c t u s den Gesang von der Marter Christi vollendet hat. Die

---

[1] German, Urkunden des Wilhelmiter-Klosters zu Wasungen S. 49.

Sitte hat sich anderwärts bis in protestantische Zeiten erhalten. Und ein Aus-
läufer derselben dürfte es sein, wenn hie und da während des Vaterunsers oder
des Segens oder wenigstens an Bußtagen, bei Betstunden, meist auch am Karfreitag angeschlagen wird. Außerdem sind einige Festtage und Gottesdienste durch
besonderes Geläut ausgezeichnet. So wird in Schalkau Ostern, Himmelfahrt und
Pfingsten früh 3—4 Uhr, in Marisfeld am Karfreitag von 9—5 Uhr stündlich,
in Herpf nach der Vor- und Nachmittagspredigt mit allen Glocken „zur Trauer",
in Oberstadt am Ostermorgen um 3 Uhr früh und ebenfalls am Karfreitag von
9—5 Uhr stündlich, in Römhild am Totenfestmorgen 1/4 Stunde, in Steinbach
und Schweina am Karfreitag während des Liedes: „O Traurigkeit, o Herzeleid",
in Meiningen Mittwoch abends um 8 Uhr zum Gedächtnis der Einsetzung des
heilgen Abendmahls, am Freitag um 3 Uhr zur Erinnerung an den Tod Christi
geläutet, wie auch in Westhausen Freitag 1/212 Uhr. In Bachdorf wird am Karfreitag nach der Predigt der Heiland mit 3 Glocken „zu Grabe geläutet."

Dies Trauergeläut zur Erinnerung an den Tod Christi ist von der Casimir-
schen Kirchen-Ordnung (p. 186 n. 6) für jeden Freitag vorgeschrieben und wurde
von dem Superintendenten J. W. Krauß in Eisfeld (1760) aufs neue eingeschärft,
daß nämlich am jedesmaligen Freitag um 11 Uhr vorm. geläutet werde, dadurch
„die Zuhörer erinnert werden zu dieser Zeit bey Vernehmung sothanen
Glockenzeichens, sie seyen gleich zu Hause oder in den Werkstätten, oder auf
dem Felde oder sonst in ihren Geschäften, unserm hochgepriesenen Heiland für
sein zur Erlösung des ganzen gefallenen Menschengeschlechtes willigst über-
nommenes bitteres Leiden und schmählichsten Kreuzestod in vereinter Andacht
mittelst inbrünstigen Gebeths, allenfalls auch mit Absingung eines erbaulichen
Passionsliedes demütigst zu danken." Mehrerorts, z. B. in Brünn besteht die
Sitte noch heut.

Dies führt uns nun auf die verschiedenen Arten des an Wochentagen üb-
lichen Zeichen- oder Gebetsläutens, welche auf das mittelalterliche Horaläuten
zurückgehen. Schon das Einläuten am Samstag ist, wie es auch die Casimiriana
p. 4 auffaßt, nur ein Ersatz des Vespergottesdienstes. Anderwärts ist noch die
Erinnerung an das Türkenläuten, welches die Kirchenordnungen zum Gebet wider
die Türkengefahr des 17. Jahrh. anordneten, wach geblieben, so in Meiningen;
und in Neuhaus b. S. wird morgens und abends um 6 Uhr in 3 Pulsen geläutet, dazwischen um Frieden (pro pace) angeschlagen. In den meisten Fällen
ist aber die ursprüngliche Bedeutung so verblaßt, daß das Morgens-, Mittags-
und Abendgeläut auf eine dem Berufsleben, der bäuerlichen Arbeit oder der Schule
genehme Stunde verlegt und als rein bürgerliches Geläut betrachtet werden
konnte, weshalb wir unten darauf zurückkommen müssen.

Stärker weichen die Gewohnheiten bei den Kasualien ab. Taufen werden
zwar meist mit dem kleinen, dem Taufglöckchen beläutet, die der unehelichen
Kinder aber nicht. Bei Trauungen ist das volle Sonntagsgeläut üblich und
wird mit zu den kirchlichen Ehren gerechnet, vergl. unter Mendhausen S. 56.
Das Totengeläut hingegen ist sehr verschieden. In Thüringen wird zunächst
am frühen Morgen nach dem Todesfall die Leiche „hingeläutet," in Franken

geschieht dies aber am Tage vor dem Begräbnis um 2 oder 4 Uhr nachmittags, in Neustadt a. R. unter dem Namen „Zeichenläuten." Am Begräbnistag wird zunächst 1 Stunde vor dem Akt ein Puls geläutet, mit einer oder mit allen Glocken, dann folgt das „Zeichen" mit der mittlern, in Aue a. B. ruft die kleine „zum Kreuz," ein Merkmal, daß sich der Zug sammelt und in Bewegung setzt, welcher dann wohl mit einzelnen Trauerschlägen begleitet wird. In Crock werden ausnahmsweise auch Kinderleichen mit allen Glocken beläutet. Bei „stillen Leichen" sind die Gebräuche verschieden, meist wird nur mit 1 Glocke geläutet oder wenigstens angeschlagen. Ein Rest von Kirchenzucht liegt vereinzelt noch darin vor, daß un- sittlichen Personen oder Selbstmördern das Grabgeläut versagt wird. In Ost- hausen wurde ein Trunkenbold Andreas Kästner 1703 an einen etwas abgesonderten Ort begraben, dabei nur 1 Glocke geläutet und Bußlieder gesungen, ebenso 1748 ein anderer Trinker Johann Heniger, der sich trunkener Weise „den Hals ge- stürzt."[1] Ein ähnlicher Grund wird bei dem Schäfer in Mendhausen 1714 vor- gelegen haben S. 57. Der Pfarrer Woytt in Bibra mußte jedoch 1703 sein Kind in der Stille begraben, da ihm von der Patronatsherrschaft der Gebrauch der großen Glocke untersagt war.[2] Unter den Begriff des Ehrengeläuts fällt es jedoch, wenn fürstlichen oder Patronatspersonen ein besonderes Trauer- geläut veranstaltet wird. Als die Leiche des Grafen Georg Ernst von Henneberg 1583 nach Schleusingen geführt wurde, begleiteten sie Schüler und Geistliche von einem Dorf zum andern, wie denn auch jedes Ortes, solange bis die Leute zu Ende der Flurmark kommen, mit allen Glocken geläutet wurde.[3] Für die Patronatsherrschaft in Haubinda (Westhausen) war bis 1833 Tauergeläut 6 Tage lang von 10—11 Uhr in 3 Pulsen üblich, wofür die Schulkinder jedesmal drei Batzen erhielten. Als Ehrengeläut möchte es auch gelten, wenn in Hildburghausen 1458 bei Einweihung der „Engelmeß" oder Fronleichnamskapelle die „Figur", offenbar ein tragbares Wunderbild, mit ehrlichem Geläut in die Stadtkirche ein- geführt wurde.[4]

Daß unter besonderen Umständen das solenne Geläut verstummt, ist doch nicht nur in katholischer Zeit beim Interdikt vorgekommen. Als 1640 die Kaiser- lichen Saalfeld besetzt hielten, mußten Evangelische und Katholische zu gewissen Zeiten Gottesdienste und Kasualien in der Johanniskirche verrichten. Da nun des Läutens kein Ende wurde, verbat sich Baner, der mit den Schweden davor lag, dies nach altem Kriegsrecht durch einen Trompeter, und künftig wurde nur noch mit dem kleinsten Glöckchen ein Zeichen gegeben.[5] Und in Dingsleben wurden 1765 während des Umgusses der Glocken 7 gr. den dreien Musikanten bezahlt, als sie auf dem Kirchenturm geblasen haben. Woran es lag, daß Valentin Meyer von Maßfeld, als er 1543 die erste evangelische Predigt in Meiningen

---

[1] Leib, Chronik von Osthausen I. S. 16. 18.

[2] H. Hartmann, der Marktflecken Bibra S. 141.

[3] Güths gründliche Beschreibung der Stadt Meiningen 287. Th. Geßner, Geschichte der Stadt Schleusingen 143.

[4] Krauß Beyträge II. 114. Human 383. Anm.

[5] Wagner-Grobe, Chronik von Saalfeld 441.

hielt, schlechte Solennitäten, nämlich nur ein einziges Glöcklein zum Gottesdienst hatte, giebt Güth (238) nicht an. Dagegen erklärt sich der Spottvers des Pfarrers Gotter über Ummerstadt:

Glocken ohne Klang,
Eine Orgel ohne Gang,
Eine Kanzel ohne Hut,
Das ist euer Gut.

Die Glocken waren nämlich zersprungen, die Orgel unbrauchbar und die Kanzel ohne Schalldeckel.[1]

Es ist nicht ohne Humor, daß im Hospital zu Grimmenthal von einzelnen Simulanten Taubheit geheuchelt wurde, um den Gottesdienst und die Betstunde schwänzen zu können. Daher die Ordnung von 1553 verfügt: Begebe sichs, das etliche Spitaler sich entschuldigen wollten, sie weren taub, höreten nicht leuten, so sollen die gehörende Personen, jegliche Person eine Woche umb die andere, den tauben ansagen, daß man geleutet habe[2].

Über den weltlichen Gebrauch der Glocke fließen die Nachrichten sehr reichlich. Dahin gehört es schon, wenn das Gewitter beläutet wurde. Im Mittelalter war das allgemein, und der Küster bekam nach gut behüteter Ernte sein „Läutbrot“. In Hildburghausen mußte der Türmer auf dem Rathause noch 1572 das Unwetter von Amtswegen anblasen, und Holzheuser hat dem Braven, welcher bei dem gewaltigen Sturm mit der ganzen Wohnung, Weib und Kind herabgeworfen wurde, ein Denkmal gesetzt:

Das Wetter thut er blasen an
Nach seinem Amt behende.[3]

Wie schon bemerkt, wurde das Hora- und Gebetsläuten doch weit mehr als tägliche Zeitbestimmung, anfänglich in Ersetzung der Turmuhren geschätzt. In einem Ablaßbrief für die Kapelle u. l. Frau in Westhausen von 1360 ist die ursprüngliche Bedeutung des Abendläutens noch klar, denn es wird benen, qui in serotina pulsacione campanae dicte capelle mit gebeugten Knien 3 Ave-maria beten, ein 40tägiger Ablaß verheißen.[4] In den späteren Urkunden wird die matutina pulsacio indes schon als der Zeitpunkt angesehen, wo der Hirt austreibt und die Arbeiter an ihr Werk gehen. Eine Beschränkung trat natur-gemäß durch die Reformation ein. Dem Pfarrer von Römhild wurde bei der Visitation 1555 aufgegeben, daß man das stiftische papistische lang Geläut ab-schaffe, item das Stürmen des Nachts und Morgenpulse.[5] Aber Uhren waren spärlich, etwa in Städten und Stiftern wie zu Wasungen, wo 1482 das „Orlen zu stellen“ bezahlt wurde und 1496 der Schlosser von Schmalkalden den Seiger wieder anrichtete, „das er geschlagen kondt.“[6] Im Großen und Ganzen blieb das Zeichenläuten bestehen und wurde dem Bedürfnis angepaßt. In Sülz-

[1] Brückner, Pfarrbuch 635.
[2] Brückner, Grimmenthal, in Neue Beiträge I. 293.
[3] Krauß II. 71.
[4] ebenda I. 450.
[5] German, Johann Forster, Urkunden S. 93.
[6] German, Wasungen 63.

felb ist ganz klar die Betglocke als eine G e m e i n d e angelegenheit behandelt S. 41.
So ruft die Schulglocke morgens um 6 oder um 10 Uhr die Kinder, das Zehn-
und Elfläuten die Frauen vom Felde, um das Essen zu bereiten, um 12 Uhr
die Männer, wenn es fertig ist, in Eisfeld erinnert während der Ernte eine
Glocke um 3 Uhr an das Vesper und wird darnach das „Drei-Uhr-Brot" genannt.
Und ebenso mahnt die Abendglocke meist eine Stunde vor Einbruch der Dunkelheit oder um 6, um 7 Uhr zum Feierabend. Ja, es sind sogar neue „Stiftungen"
zu verzeichnen für ungewöhnlich frühes und spätes Läuten. In Wasungen wird
nach einem Vermächtnis im Sommer früh um 3, im Winter um 4 Uhr an das
Aufstehen erinnert, in Bettenhausen während der Roggenernte um 2, während
der Haferernte um 4 Uhr. Außerdem wird hier infolge des Molterschen Legats
vom Meininger Oktobermarkt bis Petri abends 8 Uhr die große Glocke gezogen,
um den etwa auf der Ebene von Dreißigacker Verirrten zurechtzuhelfen. Und
in Hildburghausen tönt zu gleicher Stunde die Weinglocke von Michaelis bis
Lichtmeß, in Haina die mittlere vom 1. Advent bis 2. Februar, ebenfalls nach
einem alten Vermächtnis.

  Die eigentliche B ü r g e r - oder B a u e r n g l o c k e hat den Zweck, die
Gemeinde zu besonderen Angelegenheiten zusammenzurufen. Wie alt diese Gewohnheit ist, lehrt der „Dorfbrief oder Buesarticul der Gemeinde zu Mulbauw"
(Milba) von 1449: „Wann zue den Nachbarn geleytet wirbt, vndt einer kömmbt
nicht vndt wird geholet, Ist die Buße schuldig 8 Pf. Welcher aber einheimisch
ist vnd nach dem Geleute weg gehet, ist schuldig eine Stuntze oder zwei Kannen
Bier ohne Genade. Gehet das Leuten die Alterleute an, so soll die Buß der
Kirchen folgen, zue der Kirchensteuerung. Langet es aber das Dorf an, das soll
die Gemeinde vertrinken . . . Wenn man die Glocken leutet, wem es nicht wohl
behaget, der lauff forne oder hinden hinauß, so vertrinken ihn die Nachtbarn umb
eine Stuntze Bier ohne alle Gnade"[1]) So ist es denn nicht verwunderlich, daß
zu Fronen, Dezemabgaben, Wahlen und Versammlungen geläutet wird, z. B. in
Bebheim zu Walpurgis und Andreas zur Gemeindeschutt, in Roßdorf zur Hirten-
schutt, in Bibra früher zu Fronen und Jagden, in Bachdorf zum Holzverstrich
und als W a g glocke zur Mühle, in Möckers zu Land- und Reichstagswahlen(!),
in Wasungen zum Grabenfegen, in Mendhausen zum Petersgericht, d. i. zur Ab-
nahme der Kirchenrechnung und am Abend vor dem erlaubten Anfang der Heu-
und Grummeternte. Ganz allgemein ist das Sturmleuten bei Feuersgefahr, wobei
durch besondere Art schon merklich gemacht wird, ob der Brand im Orte oder
auswärts wütet. In früherer Zeit wurde auch die Ankunft fremder Truppen
oder Einbrüche von Rotten und Diebstähle mit der Sturmglocke angekündigt
und selbst ein gewisser Wartdienst in gefährlichen Zeitläuften eingerichtet. Der
Pfarrer Johann Bötzinger in Poppenhausen, der in seinem „derber und herber
Landesproduct" die entsetzlichen Leiden des dreißigjährigen Krieges schildert,
hatte auf der Flucht in Lindenau mit dem Schultheiß und Schmied auf
dem Kirchturm Wache gehalten und wurde von 3 Reitern entdeckt. „Da lernte
ich Leiter steigen, so übel ich war, kletterte auf den Glockenstuhl hinauf und legte

---

[1]) F. A. Topf, Die Herrschaften Ober- und Nieber-Kranichfeld. 1849, 19 u. 21.

mich wie ein Kätzgen hinter das Uhrhauß, aber es stieg gleichwohl ein Dieb auch hinauf und fand mich."[1] Den Auswüchsen dieses rein weltlichen Gebrauchs ist von Seiten der Behörden wohl entgegen getreten worden.

In der Grafschaft Camburg wurde z. B. folgendes Reskript vom 9. April 1726 erlassen:

Ist bei fürstl. Consistorio vorkommen, wasmaßen in den meisten Örtern der Inspektion ein großer Mißbrauch der Kirchenglocken dadurch zu geschehen pflege, daß die Bauern u. Einwohner der Dörfer bei allen vorfallenden geringen Sachen durch öffentliches Anschlagen u. Läuten einer Glocke zusammen gerufen würden.

Nachdem aber dergleichen Convocation ferner zu gestatten dahier bedenklich, weil die Glocken durch das allzuöftere Läuten u. Anschlagen bekanntermaßen sehr abgenützt u. ruiniret werden, die Berufung aber der Bauern zumal in geringen Sachen durch den Dorfrichter entweder oder auf eine andere Art gar füglich geschehen kann,

Also begehren im Namen des durchlauchtigsten Fürsten u. Herrn Herrn Friedrich Herzogens zu Sachsen, Jülich, Cleve u. Berg, auch Engern u. Westfalen ff unseres gnädigsten Fürsten u. Herrn die Verfügung zu thun, daß dieses sogenannte Bauernläuten nicht als
1) Bei Entstehung von Feuersgefahr,
2) Bei Ankunft der Zigeuner und anderer Rotten,
3) Bei Diebereien u. nächtlichen Einbrüchen u. endlich
4) Bei geschwinder u. unvermuteter Einquartierung, da schleunige Unterredung wegen der Billets nötig,
gestattet u. in anderen Fällen auf eine andere Weise die Zusammenberufung der Gemeinde veranstaltet werden möge.

Inmaßen auch ist den Kirchen- u. Schuldienern mit Nachdruck zu untersagen, daß sie außer bei oben specificirten Fällen niemand von der Gemeinde in der Kirche u. zu den Glocken admittiren, insonderheit Mißbrauch aufs möglichste hindern helfen sollen.

3. Das G l o c k e n r e c h t ist diesem doppelten Gebrauch entsprechend bis auf den heutigen Tag ein unsicher schwebendes geblieben. Obwohl das Besitzrecht der Kirche wohl nirgend zweifelhaft sein kann, so ist das Mitbenutzungsrecht durch die politische Gemeinde kraft alten Herkommens ebenso unbestritten. Demnach ist das Vorgehen des Amtsverwalters, der 1694 in Behrungen den Umguß eines Glöckchens ohne Begrüßung des Pfarrers verbingte, als Anmaßung empfunden (S. 47), und in Obernitz wurde folgerichtig 1759 dem Patron das Recht bestritten, den Befehl zum Ausläuten zu geben (S. 86). In Mupperg war selbst das Ehrengeläut des Patrons beim Pfarrer „zu requiriren" (S. 79.) Anders stand es mit den Gießern. Diese waren Gegenstand landesfürstlicher Bevormundung, da sie als Stückgießer zugleich Bedeutung für die Wehrkraft des Landes hatten. Die kleineren Höfe suchten sie demnach durch Privilegien im Lande zu halten. Im

---

[1] Krauß I. 356.

Fürstentum Gotha hatte Hahn eine Art Monopol. Als 1754 die Osthäuser ihre Glocke bei Sorber in Erfurt wollten gießen laffen, erhob er Einspruch und mußte mit 10 Rthlr. abgefunden werden. Fürst Georg Ernst von Meiningen wollte 1569 neue Glocken gießen laffen und verschrieb sich einen Gießer von Erfurt, dem er bei seiner Ankunft ungemein harte Konditiones vorlegte.[1]) Worin diese bestanden, erfahren wir nicht. Es war vielleicht nur ein gut verklausulierter Gießervertrag. — Glockendiebstahl wurde als Sakrilegium mit dem Tode bestraft. 1642 hatte Lorenz Funk von Bischofsrode in Benshausen eine Glocke gestohlen und wurde gehenkt, über dem Galgen eine hölzerne Glocke aufgerichtet.[2])

Die Besorgung des Geläutes ist womöglich noch verworrener und zwischen Gemeinde, Kirche und Schule geteilt. Zunächst kann die Bauern= und Bürgerglocke ausgeschieden werden, welche allgemein vom Gemeindebiener besorgt wird. Das rein kirchliche Geläut ist nach den älteren Satzungen zu den Dienstpflichten des Schulmeisters gerechnet f. bei Großgeschwenda S. 96. Dieser wieder ließ es durch Schulkinder verrichten und in Herpf ist eine Läuteordnung errichtet, welche bestimmt, daß die Knaben der 3 letzten Jahrgänge unter 2 Kustoden, zunftmäßig geschlossen, des Läutens warten. Wiederum wird das Geläut bei Kasualien, besonders beim Begräbnis, besonders vergütet, teilweis noch in Naturalien, in Schwickershausen mit Semmeln, in Bachdorf bis vor kurzem mit Brot und Bier, in Pößneck mit Brot und Wein. In Wernshausen (S. 27) bekommt aber der Schulmeister das Läutleib und in Gofferstädt den Trauerflor und das weiße Leinentuch (S. 117). In Hütten stand ihm dafür die Nutzung des Kirchhofs zu (S. 85). Den mancherlei Mißständen dieser Einrichtung gegenüber sind — in Thüringen schon weit mehr als in Franken — in neuerer Zeit besoldete Läuter angestellt, und das Läuten durch Schulkinder dürfte bald zu den Antiquitäten zählen.

9. Sagen und Glauben.

1. Die Glockensagen sind in ganz auffallend gleichmäßiger Fassung über ganz Deutschland verbreitet, die eine Gruppe über wunderbare Findung und Wanderung, (Sauglocke) die andere über besonders hellen Ton (Silberglocke). Die Sage, daß eine alte Glocke an der Stelle eines untergegangenen Dorfes von Schweinen ausgewühlt sei, ist auf beständiger Wanderschaft und scheint sich überall

---

[1]) Weinrich, Henneb. Kirchen= und Schulenstaat 493.
[2]) Güth 361.

da festgesetzt zu haben, wo eine besonders alte oder ihrer Herkunft nach rätselhafte
Glocke die Phantasie bewegte. So allgemein wird die Sage von der großen
Glocke in Westhausen von 1520 erzählt. In Schlaga soll die ältere Glocke von
1447 vom Dorfe Meuselrode, welches zwischen Schlaga und Schweinbach gelegen
im 30jährigen Kriege zerstört worden sei, ebenso die 2. Glocke in Lindenau aus der
Wüstung Neukirchen, die 2. in Haina aus der Wüstung Schwabhausen stammen.
Die Schmiedehäuser sollen 2 Glocken im Schutt der zerfallenen Cyriakskirche gefunden haben. Etwas ausführlicher wird von der Betstundenglocke in Schweina
erzählt, daß sie aus der im dreißigjährigen Krieg entstandenen Wüstung Atterode
stammt. Als sie hier das Schwein ausgescharrt, haben sich Liebenstein, Steinbach
und Schweina um den Besitz gestritten, zur Entscheidung habe man einen blinden
Gaul vor den Wagen gespannt, der sie nach Schweina führte. Allerdings soll
der Gaul hier zu Hause gewesen sein. Ganz ähnlich wird die große Glocke in
Marisfeld von 1488 auf die Lorenzkapelle bei Schmeheim zurückgeführt, und der
Streit soll zwischen Marisfeld und Schmeheim aus dem gleichen Grunde zu
Gunsten des ersteren entschieden sein, daher der Vers:

Das wilde Schwein hat mich ausgewühlt,
Das blinde Pferd hat mich hergeführt.

Am bekanntesten dürfte die Erzählung sein:

Vo dar Bibarscher grußa Glocka.

Ueber Queiafehld doba eß a Bargk, da süll süst an alle Kerche gestanna
ho, vo dar me noch zont e wenk Mauerwark ko geseha, on das eß dar
Queiabargk. Da dobaa hott nu ämoll dar Queiafeller Säuhert mit sa Säu
gehütt on die honn, bi's halt die Säu macha, in der Arda röm gegroba on
gewuhlt; ober an aller Beer hott sich so tief eingescharrt gehott, daß er zuletzt
gor e gruß o schüe Glocka rausgewuhlt hott.

Bi nu die Glocka zum Vürschei kuem, do eß gerode e Fra dazu gekumme, die eß nei ins Duhrf gespronga o hott Larm gemocht. „A Leut"
sött sa, „der Beer hott doba uf dan Queiabargk gor e groß on gor e schüe
Glocka rausgewuhlt." Bi nu dös im Duhrf bekahnt es worn, honn 's ach
die Biberscher derfarrn, on de beeda Gemee senn off dan Bargk zomma
kumma on hon sich mit enand röm e nöm geschtritta, dann es woll se jeda
gern ho. Bi nu dar Streit lang genunk gewahrt hott, so hon se endlich
ausgemacht, sie wönn die Glocka off en Wöh lod on enn blenne Gaul no
spann on bu se der hie bröcht, di Gemä söll se ha. Dos hon se dan aach
gethue on der blenn Gaul hott die Glocka noff Biber geschleppt. Do hott
sich das ganz Duhrf gefröt on hot die Glocka noch im Duhrm gehange, bu
se noch immer hengt. Se löut aber in gor en schünne Tua, tief on feierlich,
äs bann se orscht aus der Aerde raus gekumme wär, on bann se gezöh werd,
lauts gerad, as bann se wöll sprech:

Die well Sau hott mich rausgewuhlt,
D'r blenn Gaul hott mich härgehult.

Vielleicht auf geschichtlichem Hintergrund fußt die Variante in Eicha, wonach die große Glocke von 1485 im dreißigjährigen Kriege aus Furcht vor den Kaiserlichen im Dorfe vergraben und erst lange nachher von dem Schwein wiedergefunden, aber von einem Esel heimgeführt word, daher der Reim:

> Die Sau hat mich rausgewühlt,
> Der Esel hat mich heimgeführt.

Ein zweiter Sagenkreis knüpft sich an besonders helltönende Glocken an, welche als **Silberglocken** gelten. Die Meßglocke in Judenbach soll silberhaltig sein, sodaß man viel darauf geboten oder eine große neue Glocke dafür versprochen habe. Beim Guß der Silberglocke in Pößneck sollen die Frauen und Jungfrauen die Silberstücke in Schürzen herzugetragen haben. Als in Roßdorf im Notjahr 1847 das kleinste Glöckchen umgegossen werden sollte, sei ein Fräulein von Eschwege, die mit der Geysoschen Familie verwandt war, gekommen und habe eine Schürze voll Silber hinzugefügt. Meines Wissens noch nicht veröffentlicht ist die Tradition über die Silberglocke in Saalfeld, welche sich in einer geschriebenen Chronik aus dem 17. Jahrh. findet, die aus dem Besitz des Hofrats Prof. Grobe in den meinigen übergegangen ist. „Es war ein Goldschmied aus Venedig in unsre Landschaft kommen, welcher aus etlichen Sandkörnlein und Steinlein, am Saalufer zusammengelesen und wohl zerstoßen, dessen sich niemand versehen, einen großen Goldklumpen geschmelzet. Als aber dieser Goldschmied unversehener Weise die weitläufige Reise hinter sich zu legen erwogen, hat er dasjenige Gold, von andern Metallen und vermischten Unreinigkeiten unabgesondert, seinem Wirte auf ein halb Jahr zu verwahren übergeben. Indem aber dieser Goldschmied über versprochene Zeit länger außenbliebe, hat der Wirt das hinterlassene Gold, Glocken zu gießen, als wenn es andre Glockenspeise, umsonst beigetragen, welche hiervon über die maßen hellautend geklungen. Als nun der Venediger wiederkommen und das hinterlassene Gold wieder gefordert, hat sich hierüber ein Streit erhoben, der jedennoch, als der Venediger vernommen, daß es an milde Sachen wäre verwendet worden, sich leichtlich stillen und begütigen lassen." Die Sage ist dann später auf den Guß der Festglocke von H. Ciegeler 1500 bezogen worden: Es wurde aber diese größte Glocke gegossen auf dem Platze nahe an der St. Niclaskirche mitten in der Erde. Als man nun in diesem Werke begriffen gewesen, wurde nicht nur allein eine große Menge Gold und Silber und hellklingende Glockenspeise von hie und da reichlich und milbiglich herbeigebracht, sondern auch die großen Stadtthore 3 Tage lang verschlossen, denen Handwerksleuten heftige und erschütternde Handarbeit und denen Fuhrleuten ihre Zufuhren durch die Gasse verboten, damit nicht durch Erschütterung des Erdbodens das Schmelzwerk Schaden leiden möchte.

Eine Gießersage findet sich nur in Rippershausen. Dort habe der Gießer Ende des 18. Jahrh. die Glocke im Ort selbst gegossen und sich sehr besorgt gezeigt, auch beim Eingießen gebetet. Nachdem aber der Guß geraten sei, sei er voll Übermut gewesen und habe sich mancher Unziemlichkeiten bedient.

2. Was die Glocke im Volksglauben alles vermag und weiß, ist ganz erstaunlich. Zunächst werden ihr gewisse Heilkräfte zugeschrieben und zwar ganz materiell gedacht. In Langenfeld (S. 25) werden abgefeilte Glockenspäne den Kindern gegen Krämpfe eingegeben. In Pößneck wurde früher die herabträufelnde Glockenschmiere zu Salben und Pflastern benutzt. In Eisfeld werden, um das Bettnässen zu heilen, die Namen der Betreffenden früh vor Beginn des Sonntagsgeläuts in das Innere der Glocke geschrieben. Dann aber äußert sich die Heilkraft in sympathetischer Fernwirkung, beim Trauergeläut gegen Warzen und Zahnschmerzen. Man kann diese während des Grabgeläuts forttragen, in Dingsleben an einen einsamen Ort, darf aber dabei nicht beschrien werden, unter gläubigem Aufsagen des Heilspruchs:

Ich höre die Glocken klingen,
Und höre die Leute singen,
Das Evangelium wird verlesen,
Und mein Zahnschmerz soll verwesen.

In Poppenhausen singen die Schulkinder:

Es läut' in die Leich,
Wurzel verschleich!

Anderwärts muß man vor Ankunft des Leichenzugs Erde in das Grab werfen. Dem entspricht es andererseits, daß während des Trauerläutens nicht gegessen werden darf, sonst verliert man unter großen Schmerzen die Zähne (Seba). In Dingsleben ist dies nur auf Semmeln eingeschränkt. In Westenfeld werden sie in gleichem Falle faul.

Aber die Glocke vermag auch Fruchtbarkeit zu verleihen. Wenn die Obstbäume am Weihnachtsheiligabend während des Vespergeläuts mit Strohbändern umbunden werden, so tragen sie im nächsten Jahre fleißig (Sülzfeld, Schmiedebach, Westhausen, Schlechtsart u. öfter). In Möhra werden am Karfreitag, wenn man mit den Glocken die 3 Zeichen giebt, die Bäume gehörig geschüttelt um der Fruchtbarkeit willen. In Ritschenhausen sagen die Kinder: „Wenn man im Winter die Glocke mit der Zunge berührt, hört man die Engel pfeifen." Das dürfte leicht wahr sein.

Nicht minder groß ist die Wissenschaft der Glocke um zukünftige Dinge. Nur selten vermag sie dies durch gewaltsame Eruptionen wie etwa durch Schwitzen von sich zu geben. Als in Osthausen anno 1689 Mittwochs vor dem grünen Donnerstag Beichte gesessen wurde, ward man an der großen Glocke gewahr, daß sie schwitze und die Tropfen herunterflossen, da die andern zwei ganz trocken waren. Darauf sturbe in Jahresfrist der alte fast an die 50 Jahre gewesene Pfarrer und der die 21 Jahre gewesene Schuldiener. Gewöhnlich giebt sie aber die Zukunft durch den Ton zu erkennen und zwar zunächst beim Grabgeläute. Wenn da zuletzt die kleine oder mittlere Glocke einen langgezogenen Ton annimmt, so stirbt bald ein Kind oder ein Erwachsenes (Crock, Münchengossersstädt, Ritschenhausen, Judenbach, Lichtenhain b. J. u. öfter.) In Seba sagt man, die Glocke klingt „so toll", als ob bald wieder jemand stürbe, in Lehesten giebt die zuletzt anschlagende der 3 Glocken an, ob ein Kind, eine jugendliche oder alte Person stirbt.

Während bei Beerdigungen in Lindenau der Segen gesprochen wird, wird die große Glocke 9 mal angeschlagen. Das Haus, auf das in diesem Augenblicke die Fahne des Kirchturms gerichtet ist, wird das nächste Trauerhaus sein. Da die Kirche an der Ostseite des Dorfes liegt und Westwinde die herrschenden sind, braucht zumeist kein Haus in Furcht zu geraten. . Aber auch, wenn die Sonntagsglocke zuletzt einen dumpfen, traurigen oder wimmernden Ton annimmt, wenn sie „zieht" (in Westenfeld) oder aussetzt (Jübewein) oder der Klöppel zufällig anschlägt (Bachfeld), so steht bald, vielleicht schon in nächster Woche ein Todesfall zu erwarten (Eisfeld, Schmiedehausen, Münchengofferstädt u. ö.) Auch wenn beim Trauerläuten die Uhr schlägt, so stirbt bald jemand (Metzels) und zwar ein Erwachsenes beim Stundenschlag, ein Kind beim Viertelschlag (Henneberg, Queienfeld, Gräfenthal, Eckolstädt). Im gleichen Sinn wird es nicht gern gehört, wenn die Uhr überhaupt in irgend ein Geläut oder in den Segen und das Vaterunser schlägt. Ja in den meisten Städten ist der Glaube verbreitet, daß ein besonderer Trauerfall eintritt, wenn die Uhrhämmer der Kirche, des Rathauses und etwa des Schlosses zu gleicher Zeit die Stunde schlagen. Daher meist die Uhren absichtlich ein wenig auseinandergestellt werden. Wenn die Uhr ins Taufläuten schlägt, so stirbt das Kind binnen Jahresfrist (Utendorf), wenn in die Trauhandlung, so bedeutet das „kein Glück" (Crock). Daher auch in Gornsdorf die Trauungen gern beendet gesehen werden, bevor es zwölf Uhr schlägt, natürlich auch, weil dann der Tag abzusteigen beginnt. Wenigstens auf einer gewissen Naturbeobachtung beruht es, wenn man aus dem Glockenklang den Umschlag der Witterung herauszuhören meint. Aber wieder ganz abergläubisch ist die Vorstellung des Greises in Haina S. 57. Öfter ist dem Neujahrsläuten eine besondere Kraft zugeschrieben. Wenn man in Schmiedehausen nachts um zwölf unter dem Geläut von außen durch die Kirchenfenster in den Altarraum schaut, so sieht man die Personen, welche im neuen Jahr ihren Abschied nehmen werden, und wer das Gesangbuch aufschlägt, kann aus dem zufällig gefundenen Liede auf die Zukunft schließen. Nur als Anekdote kann es gelten, was man sich in Bürden erzählt: Einst in der Neujahrsnacht hatten sich alle Einwohner auf der Straße versammelt, um sich mit Schlag 12 einen Glückwunsch zuzurufen. Viertelstunde um Viertelstunde verrinnt, ohne daß es schlägt. Endlich geht ein Wagehals auf den Turm, findet, daß die Uhr stehen geblieben ist und thut gleich 12 Schläge mit dem Hammer auf die Glocke. Hierauf wurde unten mit lautem Jubel das verspätete Neujahr angefangen.

 Etwas nach Einbildung schmeckt die Erzählung des Pfarrers in Behrungen (S. 49), daß die neue Glocke erst „so dummer" geklungen, sich dann aber merklich gebessert habe.

 Auch eine besondere Sprache wird der Glocke beigelegt, und der Volksmund hat die eigne Wirkung des Zusammenklingens schallmalend, witzig und ernst, auch mit leichtem Spott ausgedeutet. Vielleicht noch in Erinnerung des päpstlichen Ablaßhandels wird dem Geläut in Judenbach der Spruch untergeschoben:

Vergab uns unnere Sünden,
Von unnarn Gald kommer a su.

Die beiden Glocken in Gumpelstadt klingen: Kummt all, Kummt all! — In Eckolstädt: Komm bald — komm gleich! In Schiernitz begrüßen sie die Leiche: Kumm när rei, kumm när rei! Wenn die Leiche im Friedhof angelangt ist, triumphieren sie: Ho ich dich, ho ich dich. Wenn in Helmers die große (! 47 cm.) Glocke zu Mittag geläutet wird, spotten die Nachbarn: Jetzt wird der Helmerser Schmälztiegel gescharrt. Wenn das Klängglöckchen in Roßdorf zur Taufe läutet, sagt man: Es klängt. Die Taufglocke in Pößneck spricht: Bringts Kind, bringts Kind! In Lichtenhain, wo sich die Bauern durch den häufigen Verkehr mit den Studiosen vielleicht etwas städtisch angehaucht fühlen, sollen trotzdem die Glocken fortwährend behaupten: Sind Bauern — bleiben Bauern.

Voll Ehrerbietung ist ein Dreiklang in Großkochberg:

> Der Herr von Stein
> Der kommt herein
> Mit sein' Fräulein (Töchterlein), oder
> in anderer Fassung: Nach altem Brauch
> Und Frau von Stein,
> Kommt auch herein 2c.

Und ganz erbaulich klingt es in Jübewein:

> Gekreuzigt,
> Gestorben,
> Begraben,
> Und wieder gen Himmel gefahren.

Auch aus der Gegenwart liegen einige Neubildungen vor. In Saalfeld hat ein Bürger, als bei der Konfirmation der Mädchen alle 6 Glocken klangen, diese Unterlegung gemacht: Sie haben alle weiße Kleider an. Und ebenso meinen die Kinder in Schlaga (Großgeschwenda), weil Kaiser Wilhelm zum Guß französische Kanonenrohre geschenkt, die Glocken riefen nun: Kaiser Wilhelm! Die Glocken in Osthausen läuten: „Zum grünen Baum." Unweit der Kirche steht nämlich das Wirtshaus „Zum grünen Baum," und dahin sind früher die Osthäuser Einwohner lieber gegangen, als in die Kirche.

Schiller hat in unvergleichlicher Weise die Bedeutung der Glocke für den ganzen Lauf des menschlichen Lebens darzustellen gewußt, und die hier angeschlagenen Töne werden wohl für alle Zeiten in der deutschen Dichtung nachhallen. Ich möchte nur an die kleine, stimmungsvolle Ballade von Caspar Neumann in seinen „Gedichten in Henneberger Mundart" Gotha 1844, S. 165 erinnern, welche beginnt:

> Feierglocke lüte hell,
> Lüte durch all Flur im Fell,
> Lüte allen Fenstern ni,
> Gean in alle Herzen i,

und die Liebe, Trauung und den frühen Tod eines Landmädchens „Rüesle" schildert. Man hört in Franken das Sprüchwort:

> Main, Wein und Glockenklang,
> gehen durch ganz Frankenland.

Dies hat Fritz Hoffmann im „Coburger Quackbrünnla," Hildburghausen 1857,
S. 60 Nr. 356 etwas zugespitzt:

Die Würzburgher Glocken,
es Kulmbacher Bier
Und die Bambergher Gartner
Senn a Schmuck und a Zier.

Es ist noch gar nicht auf den bildlichen Gebrauch der Glocke in der Sprache,
namentlich in volkstümlichen Redensarten aufmerksam gemacht worden. Ich lasse
meine dahingehende kleine Sammlung nur deshalb hier folgen, um die Aufmerksamkeit darauf zu lenken. Es ist nämlich auffallend, daß gerade Otto Ludwig, der
fränkische Dichter, an derartigen Wendungen reich ist.

Als allgemeines, deutsches Sprachgut erscheinen die Bildungen: Glockenrein,
glockenhell, sowohl von Tönen, als in merkwürdiger Übertragung von Flüssigkeiten
gebraucht. An die große Glocke hängen, oder mit allen Glocken läuten, heißt:
„unnötigen Lärm machen". Wer ohne Kenntnis über eine Sache, zumal eine
heimliche, schwatzt, hat es anschlagen, aber nicht läuten hören oder umgekehrt:
„Ja, die Leute hören immer läuten, aber nicht zusammen schlagen." (Ludwig,
Heiterethei.) Auch weiß man in diesem Fall nicht, wo die Glocken hängen, während
ein kluger Mann weiß, was die Glocke geschlagen hat. Mangelhafte Fassungs-
kraft eines Fragenden belehrt man mit der Binsenwahrheit:

Wenn du vernimmst der Glocken Klang,
so merk', s'zieht Einer am Glockenstrang.

Ein grober Spaßmacher „hat die Sauglocke läuten lassen." Ein unerwartet
vereitelter Anschlag wird mit der Bemerkung versehen: „alsdann wär ihre Glock
gegossen gewesen". Dorfschaften in der Nähe der Stadt, die vom Unglauben derselben angewandelt werden, „haben das Stadtgeläut gehört" (Vierzehnheiligen).
Die Zimmerleut sind tüchtige Glockenknöppel, wer da seinen Kopf zur Glocke muß
hergeben (Ludwig).

10. Gießerverzeichnis.

(Die mit * versehenen Namen finden sich noch nicht bei Otte. — Die mit + versehenen Glocken sind umgegossen.)

* Albrecht in Coburg.

    a. **Johann Friedrich**, 1809 Grub, 1820 Probstzella, 1823 Neustadt a. R., 1834 Behrungen.

    *b. **Albrecht & Sohn (Johann)**, 1832, 1833 Eishausen, 1837 Hildburghausen (Stadtkirche), 1840 Ummerstadt, Poppenhausen, 1844 Meschenbach, 1845 Schalkau.

    c. **Johann**, 1831 Hellingen, 1832 Rieth.

* Appel, Joh. Martin August in Coburg, 1787 + Wallendorf.

* Belt, J. A., Coburg, 1853 Rauenstein.

Berger, **Johannes**, 1648 Tultewitz, 1664 Robameuschel, 1669 + Marktgölitz, 1674 Herschdorf.

Bierling, C. Albert in Dresden, 1884 Henneberg.

* Bittorf in Seeligenthal.

    a. **B. Sohn**, 1801 Niederschmalkalben.

    b. **Balthasar**, 1803 3 Gl. Schwallungen, 1811 + Metzels.

    c. **Jakob**, 1821 Walldorf, 1828 Herpf, Neubrunn, 1830 Mendhausen, Schwickershausen, 1838 Untermaßfeld, 1839 Helmers, 1841 Wasungen.

    d. **Wilhelm und Heinrich**, 1847 Roßdorf, 2 Gl. Wallbach, 1855 Unterkatz.

    e. **Heinrich**, 1869 Möders.

* Bochumer Verein Gußstahl, 1868 3 Gl. Oberkatz, 1869 3 Gl. Neuhaus b. S., 1870 3 Gl. Berkach.

* Braun, Konrad in Uirber (?), 1848 Arnsgereuth.

Ciegeler, Heinrich in Erfurt, einer alten Patrizierfamilie entstammend. 1500, 1501 Saalfeld, 1508 Gorndorf, 1520 Kranichfeld. Auf keiner dieser 4 Gl. nennt er seinen Namen, nur in Kranichfeld hat er in Anspielung auf denselben eine Sichel (Sicheler) angebracht. Doch sind seine Werke an seinem oft wiederkehrenden Spruch consolor viva und den ausgezeichnet schönen Medaillons kenntlich (s. meine Glockenkunde Fig. 65 bis 77). Seine Thätigkeit läßt sich bis jetzt von 1500—1543 verfolgen, 6mal habe ich seinen Namen ausgeschrieben gefunden, sonst bezeichnet er sich nur mit h. c oder H. C.

Claus siehe Klaus.

Craulich s. Graulich.

* **Derk,** Johann Melchior, 1717—53 in Meiningen [Meiningae habitans] und ebenda Herzogl. Stückgießer, Bauinspektor und Bürgermeister, liebt die Jahreszahl in Chronogrammen auszudrücken. 1717 Bachfeld, 1720 Behrungen, 1721 Stepfershausen, 1722 Gleicherwiesen, 1723, 1742 Meiningen (Schloßkirche), 1724 Dreißigacker, 1728 Seeba, + Schwarzbach = Merbelsrod, 1730 Herpf, Niederschmalkalben, 1732 Henfstädt, 1733, 1735 Wernshausen, 1734 Gießübel, 1736 Gumpelstadt, 1739 Steinbach, Grub, 1742 3 Gl. + a + b, c Nordheim, 1743 Jüchsen, 1749 2 Gl. Mendhausen, 1751 3 Gl. + Sülzfeld, 1758 Rosa.

Döhner, Matthias s. Tennel.

* **Feer,** FEER, Johannes in Volkstädt, 1715—54, wurde 1716 aus der Schweiz nach Rudolstadt berufen, errichtete eine Gießerei und wurde als fürstl. Stück- und Glockengießer privilegiert. Die Werkstatt ging nach seinem Tode in Mayers Hände über (s. diesen). 1732 Großneundorf, 1743 Schlaga, 1745 2 Gl. Röblitz, 1747 Graba.

Fischer, Johann Christoph, 1690—1733, erst in Weißenfels, dann in Zeitz, 1730 Prießnitz.

* **Fürst,** Franz Ludwig, Würzburg, 1783 Wolfmannshausen.

* **Geringh,** Sebald, + in Aue 1526 mit Hans Moering.

Geyer, Hans Wolf, 1630—81 in Erfurt, 1630 Pößneck (Gottesackerkirche), 1678 Wallborf.

Glockengießer, Christoph, Vater (✝ 1595) und Sohn (✝ 1630) in Nürnberg, einer alten Gießerfamilie entstammend, welche vom Handwerk sich zuerst „Keßler," dann „Glockengießer" nannten. Hierher gehört:

a. *Hermanus magister, filius Sigfridi de nurenberg, auf der 2. Glocke der Stadtkirche in Meiningen. Sein Sohn Hermann Glockengießer nennt ihn 1386 Hermann Keßler.

b. Christoph, 1581 Banzer in Eisfeld, 1594 Schlagglocke in Meiningen, ohne Datum große Glocke in Exborf.

Goreis, Peter von Augsburg, 1506 Pferdsdorf (Koreis), 1507 Themar (Koreis), 1508 Ebenhards (goreiss). Otte kennt nur die Glocke in Wiedersbach 1507 (Koreiss). Außerdem goß er die Brautglocke 1505 und die Gebetsglocke in Coburg, ferner 1496 in Nördlingen, 1497 in Löbingen, 1498 in Mönchsroth i. Schw. Er ist identisch mit dem Peter von Augsburg (Otte 205) auf einer Glocke in Leutern bei Blaubeuren, wo m x x nicht 1020, sondern 1490 zu lesen ist, (Mitteilung des Herrn Oberpfarrer Wernicke in Coburg) und mit dem Peter Ganreiß von Schleusingen auf einer umgegossenen Gl. in Fambach ohne Datum.

* **Graulich.** a. Joh. Heinrich in Coburg, 1722 Hildburghausen (kath. Kirche), 1723, 1729 Brünn.

b. Christian Salomo in Hof, 1724 Schmiedebach, 1740 Lichtentanne.

Große, J. G., Dresden, 1882 Judenbach.

* **Jahn** in Gotha, 1722—73.
  a. Paul Hiob, 1743 Riechheim.
  b. Georg Heinrich, 1756 Achelstädt.
  c. Elias Gottfried, 1764 + Osthausen, 1773 Gügleben.
* **Seim**, Joh. Chrift., Naumburg, 1806 Würchhausen.
  Hermanus f. Glockengießer.
* **Herold**. a. Wolff Hieronymus, 1685 mittlere + Ummerstadt.
  b. Johann Balthasar in Nürnberg, 1716, 1721 Schierschnitz.
* **Heffe**, Johann Gottlob in Coburg, 1786 u. 93 Heubisch, 1798 Lindenau
  u. 2 Gl. Beinerstadt, 1804 Eishausen.
* **Janet**, G. A., Leipzig, 1889 Steinbach.
* **Kaltenborn** oder **Kanteton**, Johannes in Erfurt, 1479 Großkochberg, 1480
  Langenschade, 1484 Graba, 1485 Unterwellenborn, 1490 Pößneck,
  stets ohne Namen, doch mit Gießerzeichen. Fig. 29.
* H. G. K, 1737 Schweikershausen, G. K. 1805 2 Gl. Hirschendorf.
* **Kehr**, Joberlt, ohne Datum, doch sicher 16. Jahr. in Milz.
* **Kißner**, Michael u. Euchar, 1823 2 Gl. Stedtlingen.
* **Kißner**, J. J. in Mellrichstadt, 1777 u. 1786 Melkers.
  Klaus. a. Johann Simon in Fladungen, 1764 + Stepfershausen, 1768
  + Welkershausen.
  b. Georg Joseph ebenda, 1784 Schwarzbach.
  c. Friedrich in Bütthard, 1849 Gießübel.
  d. Gebrüder Kl. in Heidingsfeld, 1879 2 Gl. Meiningen (kath. Kirche).
  e. Anton, ebenda, 1897 3 Gl. Käßlitz.
  König (Königl). a. Hermann in Erfurt, 1598—1608, 1600 Veilsdorf, 1602
  3 Gl. Obermaßfeld.
  b. Jakob in Coburg, 1616 + Mupperg.
  c. M. Jacob in Erfurt, 1621 Poppenhausen, 1646 Behrungen, 1648
  Riechheim.
  Kucher. a. Eckardt, auch Kuchen oder Küchler, Zeichenmeister, Geschütz- und
  Glockengießer der Stadt Erfurt, 1557—1602, 1558 + Osthausen, 1568
  Lichtentanne, 1586 Bachdorf, 1591 + Möckers, 1592 Gräfenthal.
  *b. Martin, 1735 + Graba (Kuchler).
* **Kutschbach**, 1780 Langenfeld, 1781 Witzelroda.
* **Lotter**, J. P. in Bamberg, 1887 u. 1889 3 Gl. Streffenhausen, 1889 Streufdorf.
  Mayer, sehr verzweigte Familie in Coburg und Rudolstadt, auch wechselnd
  Majer, Meyer, Meier geschrieben.
  a. M. Johann Majer in Coburg, 1715 Eicha, 1717 + Verkach, 1728
  Holzhausen, 1733 Lauscha, 1736 Colberg, 1740 Gefell, Biberschlag,
  1741 Gleichamberg.
  b. Michael, ebenda, 1765 u. 66 3 Gl. Dingsleben.
  c. Johann Andreas, 1752—86 in Coburg, 1752 Probstzella, 1753
  u. 64 Schalkau, 1757 Sachsendorf, 1758 2 Gl. Haina, 1761 Streufdorf, 1764 Abelhausen, 1767 Unterneubrunn, Milz, 1769 Veilsdorf,

1774 u. 86 Hellingen, 1777 Haina und Westenfeld, 1781 Hildburg=
hausen (Stadtkirche) 4 Glocken, wovon a u. b wieder umgegossen,
1782 Jüchsen.

d. **Michael Johann**, Coburg, 1782 Großneundorf.

e. **H. Mayer**, 2 Gl. 1774 Heßberg.

f. **Johannes** in Rudolstadt, offenbar der Geschäftsnachfolger Fehrs,
1761 Lichtenhain, 1778 Röbelwitz, 1782 Volkmannsdorf, 1783 Ober=
lind, 1784 3 Gl. Mupperg, 1786 Aue a. B., 1792 Wallendorf, Barch=
feld, Weischwitz, 1798 Gorndorf.

g. **Christian August** in Rudolstadt, 1801 Arnsgereuth, 1803 Jübe=
wein, 1855 Köbitz, 1811 Oberpreilipp, 1819 Unterneubrunn, 1824
Brünn, Bachfeld, Reichenbach, 1825 Steinach, 1826 Unterwirrbach,
1827 Langenschade, 1830 Wallendorf, 1832 Wittmannsgereuth.

h. **Franz**, ebenda, 1832 Saalfeld, 1835 Großkochberg, Schmiedefeld,
1837 Friedebach.

i. **Ernst** und **Robert**, ebenda, 1832 Schlettwein, 1849 Wallendorf,
1850 Westenfeld, 1852 Jübewein.

k. **Robert** in Ohrdruff, 1835 je 2 Gl. Bürden, Westhausen, 1836
2 Gl. Hilbburghausen (Neustädter Kirche), 1837 Achelstädt, 1838
Ockt. 17. Wernshausen, 1844 Gompertshausen, 1851 3 Gl. Salzungen,
1852 Witzelrode, 1854 Bettenhausen, 1856 + Biberschlag, 1857
Reichenbach, 1862 Oberneubrunn, Heubach, 1863 Bedheim, Holzhausen,
Oberellen, 1864 Heubach, 1867 Schnett.

* **Mers, Hans**, 1497 Schlaga, ob Gießer oder Pfarrer?

Moering in Erfurt, a. **Hans**, 2 Gl. + in Aue 1526 (?)

b. **Melchior**, 1577—1623, 1587 Weißen, 1595 Steblingen (Moerinck)
und Barchfeld, 1600 Neubrunn, 1606 Henneberg (Moernick,) 1609
Meiningen (Totenhaus), 1610, 1616 3 Gl. Frauenbreitungen, 1610
2 Gl. Römhild, 1611 2 Gl. + in Lehesten, 1623 Volkmannsdorf.

c. **Hieronymus**, 1606 Metzels, 1622 Kranichfeld und 2 + 1613
Unterneubrunn.

d. **Hieronymus** u. **Melchior**, 1604 Heinersdorf, 1628 Unterwellen=
born, 1634 Eisfeld, 1636 3 Gl. zu Walldorf.

Müller, Hans, Naumburg, 1612 Boblas, 1615 Röckenitsch.

* **Peter, Christoph** zu Homberg i. H. mit Gießerzeichen (2 gekreuzte Schlüssel),
1788 + zu Steinbach, 1791 Salzungen, 1792 Oberellen.

* **Ragle, F.** Lotaringus, ein herumziehender Lothringer, goß mit Claude Voillo
1631 die beiden großen Glocken zu Wasungen.

Rausch, Hans Heinrich in Erfurt, 1657 Utendorf, 1663 Ummerstadt, 1666
+ Oberlatz, 1669 + Stepfershausen, 1671 Metzels.

* **Rossang, frater Johannes** (ob rosanus = Rößner?), 1485 Eicha, wahr=
scheinlich auch 1483 Helbburg, aus Veilsdorf stammend, und 1485
Immelborn, wo auch die Worte durch T getrennt sind.

Roſe. a. **Chriſtoph** Roſa in Volkſtädt, 1655 Unterwirbach, 1665 Weißen, 1674 Oberpreilipp.

b. **Johannes,** auch Roſa oder ROSÆ in Volkſtädt, 1673 Saalfeld, 1677 Aue a. B., 1678 Graba, 1680 Oberpreilipp, 1689 + Langen-ſchabe, 1696 Lichtenhain, 1705 Pößneck, 1710 Köbitz und + Marktgölitz.

c. **Johann Chriſtoph,** ebenda, 1721 Lichtenhain.

* **Roſenberger,** Marcus, Marx in Schleiz, 1502 Lichtentanne (marcus rosen-bege), 1511 Herſchdorf, 1519 Schlettwein, 2mal Oberwellenborn, 1536 Langenſchabe und + Leheſten. Er iſt an Kleeblättern als Trennungs-zeichen und dem Spruche O Jesu rex gloriae (ſ. Schlußvignette) kenntlich.

* **Schenk,** Magnus, 1707 Hildburghauſen (Neuſtädter Kirche).

See, Gebrüder, 1822 Langenfeld.

Seeger, Paul in Gotha, 2 Schlaggloden Schloßkirche Meiningen.

Sorge, Benjamin in Erfurt, 3 Gloden 1842. 43 in Oſthauſen.

* **Specht,** Michael in Suhl, 1636 + Oberkatz.

Surber, auch Sorber, Nicolaus Jonas in Erfurt, 1714 Löbſchütz, 1732 Wichmar, 1754 + Oſthauſen.

* **Tennel,** Matteus aus Watdorf, 1689 Römhild, 1671 + Crock (Tehnel in Schmalkalben), 1689 + Wernshauſen, 1685 + Hildburghauſen (fälſch-lich Matthias Döhner genannt).

Ulrich, alte, verzweigte und bedeutendſte Gießerfamilie in Apolda und Laucha.

a. **Johannes** oder Hans, aus Hirſchfeld in Heſſen ſtammend, goß noch im Umherziehen, 1702 Heubach, 1703 Lengfeld („von Hirschfeld"), 1705 Behrungen (in Oepfershauſen wohnend), 1706 Unterneubrunn, 1707 Queienfeld.

b. **Johann Georg,** 1699 Bernshauſen.

c. **Johann Georg** in Laucha, 1741 Molau, 1767 Aue.

d. **Ulrich** fratres, Gebrüder Ulrich (Johann Georg und Johann Gottfried 1763 bis zur Gegenwart) ſind in Meiningen mit 89 Gloden vertreten.

e. **Carl Friedrich** (1830 zuerſt in Wichmar, ſeit 1878 Franz Schilling) lieferte bis zur Gegenwart nahezu 1 Viertel, nämlich 150 Gloden für Meininger Kirchen.

Voillo ſ. Ragle.

* **Werter,** Georg in Coburg, 1625 Effelber, 1626 Heldburg, 1629 Crock, 1651 + Heubach und eine umgegoſſene in Lindenau, deren Datum nicht feſtſteht.

* **Wettig,** Johann in Erfurt, wenig gerühmt, 1851 Gügleben.

CPSIA information can be obtained
at www.ICGtesting.com
Printed in the USA
BVHW060816051118
532201BV00022B/581/P